전쟁 중에도 교육을 계속하다.

◀야외수업
▼학생호국단

▲제주도에서 피리부는 소학생을 보며

낙동강 방어선 (부산 대구만 남겨놓고)

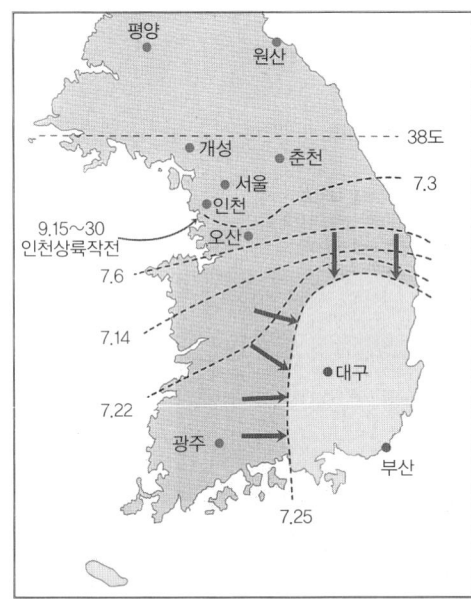

나의 확고한 입장 때문이오. 저들은 시종일관 우리보다 잘 준비되어 있고 우리보다 사거리가 긴 포와 소총을 갖추고 있소. 소련은 한국이 공격을 받는다면 미국인들이 철수하리라는 사실을 알면서도 아직 공격할 준비는 되어 있지 않소.

　내가 [1948년 10월 말에] 도쿄에 있을 때 소련이 북한군에 물자를 공급하고 있고 "중국이 공산주의자들에게 완전히 평정당하면" 즉시 북한으로 하여금 우리를 공격하도록 압박하고 있다는 성명서를 발표한 바 있소. 소련은 북한에 지속적으로 물자를 보급하고 있기 때문에 그 성명서 내용과 달라진 것이 아무것도 없소. 그러나 현재 이 순간 소련은 이러한 연루에 대해 비난받기를 원하지 않고 있으며, 바로 그러한 이유로 내가 성명서를 발표했던 것이오. 그 결과 모스크바는 2개월 이내에 북한으로부터 모든 소련병력을 철수시키라는 지시를 내렸던 것이오.

　이 모든 군사적 문제를 요약하자면, 우리는 대규모 육군이나 대규모 공군이나 대규모의 어떤 것도 추구하지 않소. 우리는 단지 우리의 국가 방위에 충분한 육해공 각 부문의 군사력을 확보하기를 원할 뿐이오. 항공대와 해군이 창설되기만 해도 우리 국민들과 북쪽의 우리의 적에게 커다란 심리적 영향을 미칠 것이오. 그러나 이것을 달성한다는 것은 미국 국무부가 한국을 포함시키도록 현재의 미국 경계선에 대한 해석을 수정해야 한다는 것을 의미하오. 합동 참모본부는 이에 대해 절대적으로 호의적이지만, 국무부는 소련과의 관계를 악화시킬 것으로 믿고 꺼리고 있소.

워싱턴 행정부의 대변인들은 "소련과의 관계를 악화시키지 않겠다"는 결의에 집착하는 것처럼 보였다. 1950년 1월 12일, 국무장관 딘 애치슨은 미국 기자 클럽에서 연설하면서 미국의 "방위 경계선"은 일본에서 오키나와와 대만을 거쳐 필리핀으로 이어진다고 말하면서 명백히 한국을 이 경계선 밖으로 제외시켰다. 애치슨은 1월과 2월에도 하원 위원회에 참석하여 한국이 공격당하는 경우에 한국을 방어해야 할 "도덕적 의무" 도 "약속"도 없다고 재차 반복하였다. 같은 해 5월에 상원 대외 관계 위원회 위원장인 텍사스 주의 톰 코널리(Tom Connally)는 〈U.S. 뉴스 앤드 월드 리포트〉(U.S. News and World Report: 미국의 시사 잡지 ― 역자 주)의 편집자에게, 미국은 남한에서 전쟁이 발발하는 경우 남한을 지원할 의사가 없다고 말했다. 이것은 미국의 아시아 정책의 성격을 오해의 여지가 없도록 명확히 설명하고자 하는 인터뷰로서 공개되었다.

이런 드러난 일들로 볼 때, 소련이 남한을 점령하고자 한다면 길이 열려 있다는 명확한 신호를 소련에게 보내고 있는 것 같았다. 공산주의자들은 자신들은 최대한으로 무장해제하고 있으며 음흉하게도 무장할 뜻도 없는 체하는 반응을 보였다. "긴장 완화"라는 말은 그들이 당시에 "데탕트" 대신에 사용하던 용어이다. 북한 인민공화국은 9월로 예정되었던 "남북한 총선거"를 8월로 앞당겼다.

소련은 (1947년 봄부터 여러 차례 발표해 왔듯이) 다시 한 번 북한으로부터 자기들의 마지막 병력을 "철수시키고 있다"고 발표했다. 상황은 폭풍 전야와 같이 고요하였다. 이 고요는 국방부장관 겸 국무총리 서리였던 신성모(申性模)가 주한미군 군사고문단에게 한 비통한 경고에서 한 번 깨졌을 뿐이다. 신성모는 한국 비밀첩보부대의 첩보에 의하면 중전차와 야포와 대규모 보병부대가 개성 바로 북쪽의 공격 위치로 보이는 위치로 이동되고 있다는 것이었다. 그는 또한 38선 바로 북쪽에 새로운 도로와 공군기지가 건설되고 있다고 보고하였다.

군사고문단장인 윌리엄 L. 로버츠(William L. Roberts) 준장은 이러한 보고를 "사실무근"이라고 무시하고 미국으로 복귀하기 위해 6월에 한국을 떠났다.

한국이 작지만 희망적인 해군 군사력의 출발점으로서 남해안 해안선을 방어하기 위해 구매한 3척의 새 초계어뢰정이 6월 17일에 장비를 장착하고 있던 샌프란시스코를 출발하여 한국으로 향할 예정으로 있었다. 이 대통령은 한 연설에서 전년도에 대한민국 국군이 38선 상의 공산군 공격을 물리치면서 3천 명의 사상자가 발생하고 그 중 1천 명은 사망하였다고 보고하였다.

그보다 몇 주일 전인 3월 8일에, 뉴질랜드와 호주를 설득하여 계획된 태평양 조약에 대한 지지를 이끌어내기 위한 임무를 띠고 이 두 나라로 막 출발하려고 하던 장면 대사에게 전달된 "극비" 비망록을 통해 이 대통령은 장 대사에게 이렇게 전했다: "그것을 무엇이라 부르든 이러한 반공주의적 움직임이 효과를 거두기 위해서는 군사원조에 관한 어느 정도의 이해가 있어야 하오."

그는 이렇게 계속했다: "그러나 일부 태평양 국가들은 이웃 나라의 보호를 위해 병력 파견을 요청받을까봐 두려워서 그러한 조약을 겁내고 있다는 것을 최근에 알게 되었소. 반면에, 어떤 나라는 자국을 보호하기 위해서 자신의 영토에 이웃 군대가 상륙하는 것을 두려워하고 있소. 이러한 우려와 걱정은 이러한 태평양 국가들이 조약을 망설이고 있는 원인이오. 이것이 사실이라면 어떤 종류의 조약이나 동맹도 불가능하오. 그러므로 이러한 두려움을 덜어내기 위해 나는 최근에 경제적, 문화적 또는 도덕적 노력에 기반을 둔 프로그램을 지지할 것이라고 선언하였소. 그러한 조약이라도 모든 관련 당사국들의 공통적 안보에 큰 가치가 있을 것이오."

이렇게 제안된 동맹에 대한 정지(整地) 작업은 많은 진전이 이루어지고 있었다. 그것은 시의적절한 좋은 제안인 것처럼 보였다. 이 대통령이 장 대사에게 편지를 쓴지 단 이틀 만에 한 미국인 기자가 경무대로 AP 통신의 급전을 들고 들어와서 이 대통령의 반응을 물었다. 보도는 다음과 같이 시작된다:

> 호주의 새로 취임한 퍼시 C. 스펜더(Percy C. Spender) 외무부 장관은 지난 목요일 미국이 주도하는 태평양 군사 경제 조약을 제안하였다.… 스펜더는 소련이 세계에 불안감을 가져오는 정책을 펴고 있다고 비난하고, 소련의 궁극적인 목적은 세계 공산화라고 주장하며 다음과 같이 말했다: "나는 방어적인 군사 조약을 구상하고 있습니다.… 특히 미국의 참여를 염두에 두고 있으며 그래야 조약이 실질적인 내용을 갖추게 될 것입니다.… 우리는 또한 민주적 정치체제의 조성, 높은 생활수준, 문화적 상업적 유대의 증진 등 전향적 목적을 갖는 조약을 기대하고 있습니다.…"

기자가 이 대통령의 의견을 물었을 때, 그는 계획의 진전에 조금이라도 장애가 될 가능성이 있는 말을 피하기 위해 극도로 조심하였다. 그는 이렇게 대답했다. "어떠한 입장도 취하고 싶지 않습니다. 다른 나라들에 의해 채택되는 정책에 동의할 수 있다는 점을 표명하고자 합니다."

여기서 대통령은 다음과 같이 덧붙였다:

> 그러나 조약에 관해서, 군사적 목적에 대해 말하고자 하오. 한국은 다른 나라들이 한국을 돕기 위해 그들의 육군이나 해군을 보내줄 것을 기대하지는 않습니다. 나는 이기적 동기로 국제적 협정을 맺게 된다는 것을 믿지 않소. 모든 나라가 이기적 동기를 갖고 참여한다면 조약이 돌아가지 않을 것입니다. 우리는 공동 목적의 달성을 향해 우리의 몫을 할 것입니다. 그것이 참여국들의 주된 정신이어야 합니다. 호주의 입장을 지지하면서 몇 마디 덧 부치겠습니다. 미국이 앞장을 서야 한

다고 생각됩니다. 내가 믿는 바로는, 모든 태평양 국가들이 같은 생각을 갖고 있습니다.

3월 24일에 열린 다른 기자회견에서도 태평양 조약이 재차 거론되었는데, 이번에는 인도네시아와 필리핀이 모두 공식으로 관심을 표명하였기 때문이다. 그때 한 기자가 이 대통령과 의회의 관계에 관해 질문하였다. 두 가지 중요한 사안이 드러났다. 하나는 이 대통령이 1952년에는 국회가 아니라 온 국민에게 대통령을 선출할 수 있는 권한이 주어지도록 헌법을 개정해야 한다는 것을 최초로 공개적으로 제안하였다. 둘째로 그는 이렇게 말했다. "나는 이 자리에 2년 이상 더 있지 않을 것입니다. 때때로 누군가에게 모든 것을 넘겨주고 물러나고 싶은 생각이 듭니다."

지친 것은 이 대통령뿐만이 아니었다. 나는 6월 20일에 그에게 편지를 보내서 사임하고 싶다는 뜻을 전했다:

때때로 저는 제가 성취할 수 있는 일이 제가 매년 받고 있는 6천 달러의 가치가 있다는 생각을 합니다. 그러나 때로는 정말로 그러한지 의심이 들기도 합니다. 저의 시간은 제한되어 있고 에너지는 갈수록 빠져나가고 있습니다. 마찬가지로 제이 제롬 윌리엄스(Jay Jerome Williams)에게 매년 지급되는 1만 달러도 즉각적인 수확은 거의 거두지 못하고 있습니다. 다만 이 돈은 주로 과거의 도움에 대한 대가로 주어지는 것이라 생각되고 아마 대통령께서도 그렇게 생각하실 것입니다. (제 자신의 봉급을 제외하고) 워싱턴의 제 사무실에 매년 주어지는 1만5천 달러 정도의 돈은 제가 보기에는 적절히 사용되고 있는 듯합니다. 사무실 직원들은 일반적으로 그 수준의 봉급으로 살 수 있는 일보다는 훨씬 훌륭한 일을 하고 있습니다. 또한 사무실에서 만들어내고 있는 몇 가지 출판물들은 큰 영향력과 많은 회원을 가진 여러 기관에 배포되고 있습니다. 특히 다음 가을에 광범위한 "학교 캠페인"을 위한 "학교용

책자"를 준비하고 있기 때문에 대통령께서는 이 특정한 작업을 계속해 주시기를 바라고 있습니다.

만약 자금 여유가 있어서 전임(專任) 관리자를 고용할 수 있다면 업무가 더욱 효과적이 될 것이라고 확신하고 있습니다. …

저의 결론은 대통령께서 전임 근무자를 고용하기 위해 현재 저에게 지불되는 6천 달러를 전용할 의사가 있으시다면 그러한 방법으로 자금을 사용할 수도 있다는 것입니다. 어떤 경우에도, 저는 성심성의껏 한국의 모든 발표문과 연설문에 관한 작업은 계속하겠습니다. 가능하다면 제가 하고 있는 일을 대체하거나 보완하기 위해 다른 사람을 채용하시기 바랍니다! 만약 그것이 불가능하거나 현명하지 않은 것으로 보이면, 현재의 상태로 최선을 다해 계속 일하겠습니다.

그러나 대통령도 나도 달리 빠져나갈 길이 없었다. 이 대통령은 6월 22일에 〈동방세계〉(Eastern World: 영국의 시사 잡지 - 역자 주)에 실린 나의 글 "한국과 일본"을 읽고 나에게 전달하도록 그의 비서에게 다음과 같은 메모를 써서 보냈다: "올리버 박사에게 이 기사는 매우 중요하다는 것과 그러한 생각은 계속 반복해 발표하도록 전하시오. 일본의 넘치는 인구를 수용할 공간이 부족하다는 문제는 일본으로 하여금 취약한 이웃나라를 점령하도록 허용하는 대신에 일본 이민자를 받아들일 수 있는 여유가 있는 열강이 해결하도록 해야 합니다. 인접 국가들은 이미 인구가 조밀하기 때문에 해결책이 될 수 없습니다. 기사를 복사하여 해외의 각 대사관, 영사관 그리고 홍보 대행사에 전하고 그들로 하여금 이 기사의 취지를 널리 알리도록 지시하시오."

나에게 해야 할 일이 생겼고, 그것을 피할 길도 없었다.

나흘이 지난 6월 25일 일요일이 되자 나의 사임이나 (대통령의 업무든 나의 업무든) 업무량을 줄이는 문제 등은 탁상공론이 되어버렸다. 새벽 4

시에 개성 동부와 서울에서 단 18마일 떨어져 있는 의정부 지역에서 전차와 항공기와 중화기의 지원을 받으며 북한 공산군이 일제히 38선을 넘어 남쪽으로 밀고 들어왔다. 존 무초 미국 대사는 국무부에 "한국군의 보고에 의하면" 이것은 이미 익숙해진 또 하나의 국지전이 아니라 대규모 침공이라고 국무부에 전문을 보냈다.[67] 주한 UN 위원단은 이 공격이 "국제적 평화와 안보의 유지를 위험하게 할 수 있는 전면전"으로 보인다고 UN 사무총장 앞으로 전문을 보냈다.

　대한민국이 우려했던 최악의 사태가 터지고 만 것이었다. 언제나 거절 당했지만 이 대통령이 적정한 무장을 통해 버텨 보려고 시도했던 안보는 산산조각이 났다. 거의 완전 비무장 상태의 남한은 3년 동안 치밀하게 준비해오고, 또 공격 직전의 봄철 몇 개월 동안 침공을 위해 이동 전진 배치된 압도적인 군사력에 의해 공격당했다. 미국과 UN은 어떻게 대응할 것인가?

　주립대학교에서 근무하던 나는 워싱턴으로 차로 달려가서 거기에 있는 한국 대사관에서 미국 정부가 어떠한 조치를 취할지를 알아내려고 노력하면서 다음 이틀 동안 마음을 졸이며 시간을 보냈다. 공격이 개시되었을 때 트루먼 대통령은 미주리 주의 인디펜던스에 있는 자택에 머물고 있었다. 그는 당장 워싱턴으로 복귀하고자 하는 충동을 받았지만, 딘 애치슨 국무장관이 하루를 늦추도록 조언하였다. UN이 "평화의 파괴"에 대응하는 데 앞장서도록 기다리면서, 미국이 부적절하게 놀랐다거나 황급한 조치를 취했다는 인상을 피하기 위한 전략을 택한 것이었다. 애치슨 장관은 이 문제를 토의하기 위해 즉각적으로 UN 안전보장이사회의 소집을

---

67) 미국 대사관의 반응은 사후(死後)에 발표된 해럴드 노블의 책 『전시의 대사관』
　　(*Embassy at War* : 편집 프랭크 볼드윈(Frank Baldwin), 시애틀: 워싱턴 대학교 출판부, 1975.)에 상세히 묘사되어 있다.

요구하였다.

당시 소련은 총회와 안전보장이사회에서 중화인민공화국이 아니고 국민당 중국으로 하여금 중국 의석을 차지하도록 한 것에 대해 항의하여 몇 달째 UN 참석을 거부하고 있었다. 소련이 불참했기 때문에 안전보장이사회는 "즉각적인 적대 행위 중단"과 침략군의 38선 이북 철수, 그리고 "모든 회원국들은 이러한 결의안의 집행을 위해 UN에 모든 지원을 제공하고 또한 북한 당국에 대한 지원 제공은 삼갈 것"을 요구하는 결의안을 (찬성 9-반대 0 기권 1의 표결) 채택할 수 있었다.

이러한 UN의 입장은 다행스러운 여건으로 인해 거의 확실하게 정해져 있었다. 공격이 개시되기 바로 이틀 전에, 한국 주재 UN 위원단의 현지 시찰단이 38선을 따라 (38선 북쪽으로는 접근이 허용되지 않았기 때문에 38선의 남쪽에서) 정기적인 시찰을 하고 뉴욕의 본부에 다음과 같은 보고서를 보냈다: "38선을 따라 이루어진 현장 조사 후에 관측자들이 받은 주된 인상은, 남한군은 전적으로 방어를 위해 조직되어 있고 북한군에 대해 대규모 공격을 감행할 수 있는 조건이 전혀 갖춰져 있지 않다는 것입니다."

월요일인 6월 26일, 백악관과 전화 통화를 시도한 끝에 드디어 저녁 늦게야 수수께끼 같은 답변을 얻었다. 그것은 "미국의 반응"은 검토 중이고, 결정이 내려지면 결과를 알려주겠다는 전언이었다. 한국으로부터의 라디오 보도에 의하면, 북한으로부터의 맹공격을 저지하기 위해 (트럭으로 북쪽으로 급파된) 남한 병력의 필사적인 노력은 완전히 무용지물이었다는 것이었다. 남한군의 바주카포로부터 북한 전차를 향해 발사된 포탄은 금속 방패에 맞아 그저 튕겨져 나갔다. 남한 병사들은 공중으로부터 기총소사를 당했으나 이를 막을 길이 없었다. 공산군은 완전 무방비 상태인 서울에 가까이 다가왔다. 도쿄의 맥아더 장군은 한국 정부에 군수품을 공급하라는 명령을 받았다. 대한민국 국회는 미국에 "이러한 세계평화 파괴행위를 방지하기 위해 효과적이고 시기적절한 지원"을 제공해줄 것을 호소하였다. 국회는 또한 한국 UN위원단을 통해 UN에 "평화와 안전 보장을 확보하기 위한 즉각적이고도 효과적인 조치"를 취해 주도록 요청하였다.

  같은 날 공격이 개시된 지 30시간도 되기 전에 서울의 UN위원단은 뉴욕의 UN사무총장에게 남한이 공격을 유발하였다는 북한의 비난은 "어떠한 측면에서도 이를 정당화할 수 있는 증거가 없다"고 보고하고, 북한으로부터의 공격을 "계산되고 조정된 공격으로서 비밀리에 준비되고 시작된 것"이라고 표현하였다.[68]
  또한 같은 날 김일성은 라디오로 북한 주민들에게 연설하면서, 이 침공을 남반부를 "해방"시키기 위한 행위로 찬양하며 이렇게 외쳤다:
    친애하는 형제자매여! 커다란 위험이 우리 조국과 인민을 위협하고 있습니다. 이러한 위협을 일소하기 위해서는 무엇이 필요합니까? 이승만 도당을 물리치기 위해 치러지는 이 전쟁에서 조선인들은 반드시 조선민주주의 인민공화국과 그 헌법을 수호해야 합니다. 남반부에 공화국을 세운 이승만의 비애국적인 파시스트 괴뢰정권을 반드시 없애버려야 하고, 우리 조국의 남반부를 반드시 해방시켜야 합니다. … 우리가 불가피하게 치르고 있는 이 전쟁은 단지 조국의 통일과 독립을 위한 전쟁이고 민주주의와 자유를 위한 정의의 전쟁입니다.[69]

---

68) 이 인용문과 바로 직전의 인용문은 미국 국무부 출판물에서 인용한 것이다. 『한미관계의 역사적 요약』(A Historical Summary of United States-Korean Relations), 앞에 인용한 책자, 78-79쪽.
69) 김일성의 연설문은 1950년 6월 27일에 소련 〈프라우다〉(Pravda) 신문에 발표되었다.

미국 행정부는 이 공격에 대한 반응을 결정하는 데 무초 대사와 한국 UN 위원단으로부터의 보고 이외에도 의존해야 할 정보가 더 있었다. 국무부에서 (트루먼 대통령의 대외정책에 관한 양당의 지원을 구축하고자 하는 움직임의 일환으로) 특별 자문역을 맡고 있던 존 포스터 덜레스는 공산군의 공격이 시작되기 1주일 전에 남한을 방문한 바 있었다. 그는 이 대통령을 예방하고, 한국 국회에서 연설하고, 38선에 따라 설치된 남한 관측소를 방문하고, 한국의 정치적, 사회적 그리고 경제적 발전에 관해 무초 대사로부터 보고를 받았다. 덜레스는, (7월 4일에 워싱턴 기념탑에서의 연설에서 말한 바와 같이) 이 침공은 이 대통령의 정부에 맞서고자 하는 한국인들의 "내전"이라는 일부의 주장과는 거리가 멀다고 국무부에 보고하였다. 덜레스는 이렇게 선언하였다. "한국 사회는 너무나 건전하여 내부로부터 전복될 수는 없습니다." 한국 사회를 파괴할 수 있는 것은 소련의 지원을 받는 외부로부터의 공격에 의해서만 가능하였다.

트루먼이 미국의 대응책을 고심하고 결심하는 동안 백악관에서 토의된 내용들 중에는 이러한 것들이 있었다. 미국은 공격이 시작되기 전 1년 이상을 두고 남한으로부터 모든 병력을 철수시켰고 한국에 대해 어떠한 군사적 보장도 하지 않도록 조심스럽게 자제해 왔던 것은 사실이다. 또한 만약 한국이 내부의 약점이나 경계선 내의 민간인 소요에 의해 무너지는 경우에는 한국을 포기할 계획을 조심스럽게 세워 왔던 것도 사실이다. "미국의 방어 경계선"은 한국을 미국의 보호막에서 노골적으로 제외시키게끔 규정한 것이었다.

그럼에도 불구하고, 미국이 대한민국을 군사적으로 방어해야 한다는 적어도 세 가지의 어쩔 수 없는 이유가 있었다. 하나는 한국을 공산주의자들이 지배하는 경우 일본이 심각한 위험에 처할 것이라는 점이다. 또 하나는, 집단 안전보장기구로서 UN이 존재 이유나 의미를 가지게 되려면 대한민국 수립에 책임이 있는 UN은 반드시 세계 각국의 지지를 받아야만 한다는 점이다. 세 번째 이유는 노골적이고도 공공연한 공산주의자들의 침략이 성공을 거두도록 방치하는 것은 다른 모든 아시아 나라들을 정복해도 좋다는 초대장이나 다름없다는 점이다.[70]

만약 또 다른 이유가 요구된다면, 그것은 정치 영역에 속하는 것이었다. 행정부는 공산주의자들의 중국 정복을 받아들인 "나약함"으로 인해 미국 여론에서 시달림을 받고 있었고, 주로 공화당과 하원의 남부 출신 민주당 의원들에 의해 강조되고 있었던 아시아에 있어서의 더 한층의 공산 제국주의의 진출에 대한 입장을 강화해야 한다는 강력한 요구였다.[71]

6월 27일(워싱턴 시간), 공산군이 이미 서울 경계에 도달한 후 트루먼 대통령은 "미국 공군과 해군으로 하여금 한국 정부에 엄호와 지원을 제공할 것을 명령"하였다.

같은 날 UN안전보장이사회는 (여전히 소련이 불참한 가운데) 모든 회원국들로 하여금 "무력 공격을 격퇴하고 한반도 지역에 국제적 평화와 안전보장을 회복하는 데 필요한 지원을 대한민국에 제공할 것"을 요구하는 결의안이 제출되어 기권 2, 찬성 7, 반대 1로 가결되었다.

다음날 서울은 침략자에게 함락되었다. 트루먼 대통령은 기자회견에서 미국은 한국에서 "전쟁 중"에 있는 것이 아니라 "UN하의 경찰 활동"을 지원하고 있다고 천명하였다. 6월 30일, 그는 일본에 기지를 둔 미국 공

---

70) 해리 S. 트루먼, 회고록, 앞서 인용된 책자, 제2권, 339쪽.
71) 존 W. 스패니어(John W. Spanier), 『트루먼-맥아더 논쟁과 한국 전쟁』(The Truman-MacArthur Controversy and the Korean War : 매사추세츠 주 케임브리지, 하버드 대학교 출판사 Belknap Press, 1959, 62-64쪽.) 참조

군이 북한의 군사목표를 폭격하도록 승인하는 결정적인 조치를 취하고, 전체 한국 해안의 해상봉쇄를 명령하고, 맥아더 장군에게 한국에서 "특정 규모의 지상군 지원부대"를 사용하도록 훈령하였다.

소련은 UN사무총장에게 전문을 보내 북한의 침공을 비난한 결의안을 비난하고, 그 결정은 소련과 공산 중국과 북한이 참여하지 않은 상태로 내려진 결정이기 때문에 "불법"이라고 주장했다.

UN 안전보장 이사회는 (신기하게도 소련은 여전히 불참한 가운데) 7월 7일에 대한민국을 지원하기 위해 무장병력을 파견하는 모든 회원국들은 그러한 병력을 미국에 의해 지명되는 사령관의 지휘 하에 두도록 권고하였다.

이러한 핵심적 정책 결정 이후 남은 문제는 "절차적" 문제가 되었고, 이것은 추가적인 결정의 이행은 총회로 넘어간다는 것을 의미하였다. 소련 대표단이 UN에 복귀했다. 소련이 UN의 활동을 막기에는 때가 너무 늦었다. 소련은 거부권을 행사할 수 있는 안전보장이사회에 불참했고, 그 뒤로 총회에서는 단순 과반수 투표만이 필요했다. 다음날 트루먼 대통령은 더글러스 맥아더 장군을 한국의 모든 UN 병력의 사령관으로 임명하였다.

가슴이 터질 듯한 고통스러운 11일 동안에, UN은, 그리고 가장 중요하게도 미국이, 한국전쟁에서 제한적인 "경찰 활동"이기는 하지만 대한민국의 편에 가담하였다.

이 한국 전쟁은 비극적이고 확실하게 종결이 내려지지 못하는 전쟁으로 발전되어 갔다. 사상 처음으로 미국은 아시아 대륙에서의 지상전에서 주동적 참전국이 되었다. 전투의 경계선 뒤에는 공산권의 양대 세력이 — 공산 중국과 소련이 — 위험하게도 호시탐탐 노리고 있었다. UN의 권위와 유효성이 걸린 문제였지만, 지지표를 던졌던 회원국 중 16개국만이 행동에 직접 가담하게 되었다. 대한민국도 미국도 이미 시작된 전쟁이었지만 거기에 대한 준비는 전혀 되어 있지 않았다.

그러나 매우 중대한 결정이 내려져 있었다. 그것은 세계 공산주의 세력이 자유국가를 공개적으로 공공연하게 정복하도록 방치할 수는 없다는 것이었다. 아직 답이 나오지 않은 문제들도 많았다. 그 중에 중요한 한 가지는 전쟁 종결 방법이었다. 전쟁은 그대로 제3차 세계대전으로 확대되어 갈 것인가? 한국은 UN이 1947년에 결의한 바와 같이 자신의 자유로운 정부 하에 재통일되어야 할 것인가? 그렇지 않으면 자유진영과 공산진영간의 기본적인 관계는 다른 곳에서 다른 방식으로 해결되도록 남겨 두고 이 싸움은 불확실한 종결로 흐지부지 끝내버릴 것인가? 이러한 것들이 나중에 큰 문제가 될 문제였다.

그러나 무엇보다 먼저 때를 놓치지 말고 북쪽으로부터의 침공을 봉쇄하고 격퇴해야만 했다. 미국과 UN 참전국들의 압도적인 힘에도 불구하고 이 일은 1950년 6월에 그 누가 예상할 수 있었던 것보다 훨씬 더 어려운 일이라는 것이 입증되었다.

이 대통령은 이미 다른 나라들이 한국을 위해 한국에서 싸우도록 병력을 파견하는 것을 원하지도 기대하지도 않는다고 주장한 바 있었다. 이제 앞으로 결정되어야 할 것은 자유세계가 자유세계의 복지와 안전보장을 위해 한국에서의 공산제국주의 목표를 어느 수준에서 후퇴시켜야 한다고 생각하느냐 하는 문제였다. 침략자의 의도를 어느 수준까지 좌절시킬 필요가 있다고 생각할 것인가의 문제였다. 이 질문에 대한 해답은 한국에서 베트남까지, 그리고 훨씬 더 그 너머까지 확장된다. 한국전쟁 이후 내내, 이 질문에 대한 해답은 아직도 묘연하다.

1950년 봄, 이 대통령과 내가 주고받은 서신들을 되돌아 볼 때, 북쪽으로부터의 잠재적 공격에 직면한 자신의 정부의 무방비 상태에 대해 우려하는 와중에서도 그 마음이 그렇게 차분히 가라앉아 있음에 경악을 금할 수 없다. 전쟁 발발 단 1개월 전인 5월 19일자로 보낸 편지를 보면, 당시 대통령의 생각이 전쟁과는 얼마나 거리가 먼 곳에까지 미치고 있었는지를 알 수 있다. 이러한 편지를 쓰는 사람이 침공을 구상하고 있는 호전적 사령관일 수 없다는 점은 분명하다. 편지를 보면 긴급하고도 즉각적인 국가방위 필요성에 대한 인식조차 엿보이지 않는다:

　임영신(任永信) 여사가 교통부 장관에게 보낸 편지가 도착했소. 지금까지 부산이나 한국의 그 밖의 지방의 여행자 시설에 관한 정보를 확보할 수 있는 기회가 거의 없었다는 사실을 나는 인정할 수밖에 없소. 내가 아는 바로는 한국에 관심을 가진 관광객을 위해 취해진 조치는 아직 아무것도 없소.

　서울에서는 사정이 나아지고 있다고 생각하오. 조선호텔에는 사람들을 태우고 다닐 차량이 몇 대 준비되어 있소. 매티(Matti) 씨는 우리 관광사업을 진흥시킬 사람이 못 되오. 그는 중국에 너무 오래 머물러 있은 관계로 우리에게 도움이 되지 않을 것으로 보이오. 처음에 우리는 그의 중국 경험이 보탬이 될 것이라고 생각했지만, 이제 보니 그는 한국인들을 중국인 다루듯 하고 있소. 당신도 알다시피 그렇게 해서는 안 될 것이오. 우리는 변화를 일으켜 보려고 했는데 지금은 계획이 어떻게 되어 있는지 모르겠소.

　한 사람이 관광 사업 개발에 전념하지 않는 한 아무것도 이루어지지 않을 것 같소. 한국인들은 다른 생활기준을 갖고 있어 관광객을 유치하기 위해서는 그것을 개선해야 할 필요성이 있음을 알지 못하고 있소. 내가 보기에는, 이 자리에는 무엇을 해야 할지 조언할 수 있는 능력을 갖춘 미국인이 있어야 하겠소. 올리버 박사가 (부산에 기항하는) 아메리칸 프레지던트 라인과 (인천에 기항하는) 아메리칸 메일 라인의 선박 일정이 들어 있는 여행자용 안내 책자를 만들 수 있을지 궁금하오. 이들 선박회사에 접촉하면 그들의 일정을 제공하는 데 협조할 것은 확실하고, 어쩌면 여행자용 안내책자 제작비용을 조금 도와줄지도 모르겠소. 천연색 그림엽서는 곧 인쇄가 될 것이오. 나는 [주미 한국대사관의 공사인] 한표욱에게 올리버 박사가 요구하는 것은 모두 제공하도록 편지를 보냈소. 우리 생각은 특정한 수의 그림엽서와 뉴욕 주 펄 리버 (Pearl River: 뉴욕시 부근의 살기 좋은 주거지역 – 역자 주)로부터의 우편요금을 부담한다는 것이오.

그는 다시 6월 9일자 편지로 한국 관광에 관한 다음 내용을 추가하였다:

이 여행안내 폴더 프로젝트에 참여하도록 노스웨스트 에어라인에 타진해 보도록 내가 올리버 박사에게 제안했던 적이 있는지 기억이 나질 않소. 이 항공사는 관심을 가질 것이오. 한국에 오는 이 항공사 항공편은 항상 만석 예약되어 있고 언제나 대기자 명단이 있소.… 호텔 관리자인 매티 씨는 지금 전국 단기 관광코스를 개발하고 있고, 이것이 완료되면 박사와 박사의 워싱턴 사무실에 보낼 사본을 우리에게 가져올 것이오.

이것이 1950년 봄 모내기가 끝난 논들이 푸르게 물들어갈 무렵, 한국의 백악관인 대통령 관저 경무대의 분위기와 생각들이었다. 만약 북한 지배자들도 같은 생각에 골몰했더라면 한국인들과 세계는 한국 전쟁이라는 그 위험과 공포를 모면할 수 있었을 것이다. 그러나 평양에서는 관광객이 아니라 탱크 생각으로 가득 차 있었다.

북한군의 선전포고 없는 새벽의 남침

서울에 진입하는 북한군

전쟁 중에도 교육을 계속하다.

◀야외수업

▼학생호국단

▲제주도에서 피리부는 소학생을 보며

낙동강 방어선 (부산 대구만 남겨놓고)

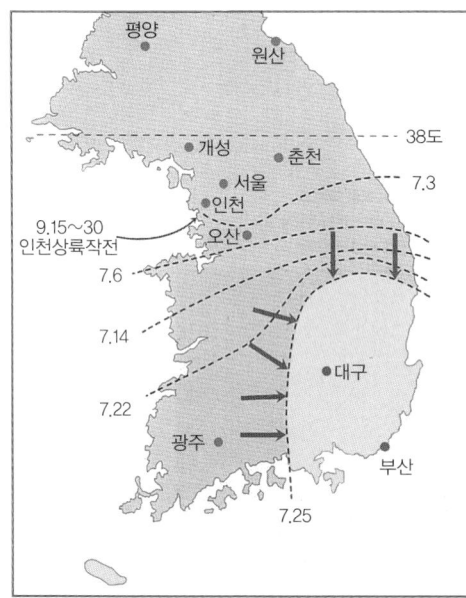

전라도를 휩쓸고 마산 외각까지 밀어닥친 괴뢰군. 부산에까지 포성이 계속 들렸다. 7. 25.

9. 28 서울 수복
10. 1. 38선을 뚫고 한 달 만에 평양으로, 다시 압록강까지.

▲ 한국에 대한 사과 배상 없이 일본과 강화조약을 맺은 미국에 불만이 있었
다. 1953. 1. 5. 크라크 사령관 초청으로 일본에 갔으나 일본수장 요시다와
만날 기분이 아니었다. 왼쪽 손을 상의 포켓에 넣고 있다.

▲ 그레 단장 1952. 1. 8. 평화선언을 선포했다.

▲ 6·25전쟁(1950년 6월 25일~1953년 7월 27일)은 모든 것을 파괴했고, 비극적인 삶만을 남겨놓았다. 철저히 파괴된 지금의 서울 광화문 인근의 전쟁의 폐허 속에서 사용할 수 있는 어떤 것이든지, 아니면 추위를 이겨낼 어떤 연료라도 찾아내려고 애쓰는 여인들과 아이들의 모습. 이것이 모두에게 깊은 시련과 상처만 남겨 놓은 전쟁의 모습이다. 〈일자: 1950년 11월 1일 자료: (사)월드피스 자유연합〉

▲ 이 아이들은 서울에서 발견된 6·25 전쟁고아들이다. 이 전쟁고아들은 유엔군이 서울에 새로 개설한 전쟁고아원에 보내졌다. 〈일자: 1950년 11월 2일 자료: (사)월드피스자유연합〉

제13장
38선 이남 - 대 혼란과 용기(1950년 여름)

그 봄날의 고요함은 일요일 새벽 4시 산산이 깨져버렸다. 1950년 6월 25일 일요일, 탱크와 기갑 포병대를 앞세운 북한 공산군은 의정부 바로 북방에서 38선을 돌파, '침략 회랑'을 따라 서울을 향한 대규모의 전면 전쟁을 개시하였다. 서구 전사(戰史)에서는 결코 빛나는 전쟁의 하나로 기록될 수 없는 전쟁이었다. 그 전쟁의 고전적 정의는 어느 한 미군 병사에 의해 묘하게 내려졌다. "끝없는 전쟁. 우리가 이길 수도 없고, 질 수도 없고, 헤어날 수도 없는 전쟁이다."

그 어려움의 원인은 군사적이라기보다는 정치적인 것이었다. 문제는 전쟁에 대한 공언된 목표가 있고, 그 목표를 쟁취하기 위한 방법이 제시되어 있었기 때문이다.

침략이 시작된 지 2주일이 지난 7월 9일, 해리 트루먼 대통령은 기자회견에서 그 성격을 이렇게 규정했다. "이것은 전쟁이 아닙니다. 경찰행위일 뿐입니다." 실제로는 그보다 훨씬 못한 것이었다. 경찰은 범죄자를 체포하여 처벌하려고 한다.

그런데 트루먼의 목적은 적의 접근을 막는 것뿐이었다. 전쟁이 모두 끝났을 때, 트루먼은 자신의 행동의 타당성을 이렇게 설명하였다: "한국 전쟁과 관련하여 내가 내린 모든 결정은 늘 한 가지 목표만을 염두에 두고 한 것이었다. 즉 제3차 세계대전과 그로 인한 문명세계에 초래될 끔찍한 파멸을 방지해야 한다는 생각이었다."[72]

그 목적은 침략자를 처벌하는 것도 아니었고 피해자를 보호하는 것도 아니었다. 그 어느 쪽에 대해서도 그렇게 하지 못했다. 트루먼은 자신의 입장을 보다 분명히 밝히면서 이렇게 설명하였다: "나는 북한군을 38선 이북으로 몰아내는 데 필요한 모든 조치를 취하고자 하였다. 그러나 우리가 한국 문제에 너무 깊숙이 말려들어 갔을 때 발생할지도 모르는 다른 여러 사태에 손을 쓸 수 없을 정도까지 되지 않도록 조심하기를 원했다."[73]

이승만 대통령과 더글러스 맥아더 장군은 사태에 대해 트루먼과 근본적으로 다른 시각을 갖고 있었다. 맥아더가 1948년 8월 15일 이승만의 대통령 취임식에 참석했을 때 그는 한국의 분단을 "현대사의 가장 큰 비극 중 하나"라고 말했다. 그는 이렇게 덧붙였다: "장벽은 반드시 무너져야 하고 무너지게 될 것입니다. 자유 국가의 자유인으로서 한국 국민의 궁극적인 통일은 아무도 막을 수 없습니다."[74] 이 대통령으로서는 조국 한국이 독립된 민주정부 아래에서 자유를 누리는 것은 그가 평생을 바쳐 온 과업이었다.

공산군의 침략에 대응하기 위한 절박한 긴급성 때문에 한국 전쟁의 성격에 관한 이러한 정책의 불협화음은 침략자를 몰아내야 한다는 공동의 필요성으로 인해 수면 아래로 감춰지고 말았다.

6월 29일, 침략군이 무방비 상태의 서울에 입성한 지 이틀이 지난 날,

---

72) 해리 S. 트루먼의 『회고록: 시련과 희망의 세월』(*Memoirs: Years of Trial and Hope*), 1956, 뉴욕 Doubleday 출판사, 제2권 341 페이지.
73) 앞의 책 제2권 34 1페이지.
74) 코트니 휘트니 소장의 『맥아더: 역사와의 만남』(*MacArthur: His Rendezvous with History*), 1956, 뉴욕: Alfred A. Knopf 출판사. 330 페이지.

맥아더 장군은 자신의 전용기 '바타안'(The Bataan)을 타고 도쿄에서 수원으로 날아왔다. 절망적인 상황은 이 비행기가 착륙할 때 북한군의 소련제 야크 전폭기 두 대가 활주로로 한 쪽 끝을 공격하고 있었다는 것이다. 이 사실만으로도 상황이 절망적임을 생생히 보여주는 것이었다. 이승만의 비행기는 임시 수도였던 대전에서 날아 왔는데 적기에 의한 요격을 피하기 위해 계곡 사이로 저공비행을 할 수밖에 없었다.

두 사람이 서로를 향해 발걸음을 옮겨가는 순간 새로운 역사가 이루어지고 있었다. 미군과 한국군의 두 최고 지휘관들은 전장에서 처음으로 인사를 나누면서 미국이 아시아 대륙에서 최초로 치르는 전쟁을 위해 서로 힘을 합치기로 했다. 이것은 또한 그때까지 유엔이 참전한 최초이자 유일한 전쟁이기도 했다. 이승만은 안타까워하며 진지한 어조로 말했다:

"장군, 조심하세요. 장군의 군화에 못자리가 짓밟히고 있습니다."

두 사람은 수원 농과대학의 한 방에 들어가 한 시간 동안 사태의 심각성에 대해 논의하였다. 그 사이에도 북한 비행기들은 여전히 그 일대에 기총소사를 계속하고 있었다. 맥아더는 이승만에게 준비가 갖추어지는 대로 조속히 미국이 전폭적으로 지원할 것임을 약속하였다. 다만 당장은 그럴 수 있는 때가 아니었다.

남한에서 짓밟힌 것은 풍족한 강우량으로 풍작이 예상된 논농사 정도가 아니었다. 다른 대부분의 경우에도, 그러하듯이 전쟁에서도 행운의 여신은 잘 준비된 자의 편이다. 북한은 침략을 위해 철저히 준비하였지만 미국이나 대한민국은 이에 대처할 준비가 되어 있지 않았다.

북쪽의 조선인민공화국은 군사적으로나 정치적으로 준비가 되어 있었다. 북한군은 전쟁을 도발하기에 앞서 3년 동안 조직적으로 견실하게 발전되어 있었다. 1948년까지 북한군 각 사단마다 150명이나 되는 소련 군사고문관(실제로는 지휘관)이 각 중대에 한 명씩 배치되어 있었다. 이들 소련 고문관은 1950년 6월까지는 3,500명에 달했다.[75] 소련인들로부터 훈련을 받은 북한인들이 북한 보위부 대부분의 부서를 담당하고 있었고, 북한 제1군의 각급 부대의 지휘관을 도맡았으며, 1군의 6개 사단이 38선 침공의 선봉에 섰다.

공산군은 조선 의용군을 조직하기 위해 시베리아와 만주에서 모병하여 훈련시킨 경험이 풍부한 부대들을 핵심으로 해서 성장되었으며, 의용군은 소련인들이 조직하여 무장시키고 지휘했었다. 약 5만 명에 이르는 이 병력은 공산당이 만주를 장악하는 데 중요한 역할을 했고, "그런 과정을 통해 능력이 배양되고 잘 무장된 '전투에 단련된' 군대가 되었다."[76]

1950년 2월에는 마오쩌둥(毛澤東)이 모스크바를 방문하여 남한 침공에 대한 계획을 들은 것으로 보인다. 귀국 후 즉시 자신의 휘하에 있던 전투 경험이 많은 한국인 출신 공산군 병력 1만2천 명을 북한으로 보내고 중공군 제4 야전군을 중국 남부에서 만주로 이동 배치했기 때문이다.

그해 겨울 동안 소련은 중공 영토를 통해 북한의 군사력을 증강시키기 위해 다량의 무기를 보냈다. 여기에는 적어도 170대의 전투기와 폭격기 그리고 100대의 소련제 T-34와 T-70 탱크가 포함되어 있었다.[77] 4월과 5월 동안에는 보급 물량이 크게 증가하고 38선 바로 북쪽의 도로와 군용 비행장이 완성되었다.

---

75) 존 W. 스패니어의 『트루먼-맥아더 논쟁과 한국 전쟁』(The Truman- MacArthur Controversy and the Korean War), 24 페이지.

76) 미국 국무부 출판물 제7118호(1961. 1)『북한: 점령 기술 사례 연구』(North Korea: A Case Study in the Techniques of Takeover), 114-117 페이지 및 기타 부분 참조.

77) 로이 E. 애플먼(Roy E. Appleman)의 『남쪽의 낙동강에서 북쪽의 압록강까지: 1950년 6월-11월』(South to the Naktong, North to the Yalu, June-November, 1950),1961, 미국 육군성 전사 편찬실, 제2장 참조. 『한국 전쟁에서의 미국 육군』(United States Army in the Korean War) 시리즈의 일부.

정치적 준비도 이에 못지않게 완벽하게 되어 있었다. 소련 군인들이 북한에 처음 진주하면서부터 강경한 공산당 통제 아래 정부조직이 각 지역과 부락에 이르기까지 중앙집권식으로 확립되었다. 정치적 논쟁은 금지되었다. 일반인들에게도 군대처럼 확고한 단일 명령체제 아래 엄격한 규율로 다스려졌다.

남한의 상황은 모든 중요한 측면에서 북한과는 근본적으로 달랐다. 미군정은 1945~48년 동안 통치권을 손에 쥐고 민주주의라는 명목 아래 정당과 개인들 간의 경쟁 확대를 장려하면서도 남한 사람들을 전쟁에 대비토록 하려는 생각은 추호도 하지 않았다. 앞으로 수립될 한국 정부의 초대 대통령으로는 필연적으로 이승만이 취임하게 될 것이라는 사실은 인정했지만, 미국은 신탁통치에 반대하는 이승만과 그 밖의 '우익 인사들'에게는 반대할 수밖에 없다고 생각하고, 그 대신 북한 공산체제와 제휴하고 타협할 용의가 있는 '중도적' 정당과 지도자들을 지원해야 한다는 생각을 갖고 있었다. 미군정은 '정치색을 띤' 경찰력과 경비대라는 개념에 반대하면서 좌익사상을 가졌다는 이유로 경찰 지원자를 '선별'해서는 안 된다고 주장하였다. 그 결과 남한의 경찰과 군대 그리고 정치단체 전체에 걸쳐 다양한 이데올로기를 가진 사람들이 뒤섞였다. 중앙정부에 대해 '충성'을 요구하는 것은 '억압'이나 '독재'로 해석되었다.

대한민국이 수립된 후에도 유엔과 미국 정부 그리고 세계 여론의 지지를 얻기 위해서는 '민주적 분위기'를 유지해야 한다는 압력이 가해졌다. 자연히 다양한 정당과 경쟁적인 지도자들이 자신의 권력을 확보하기 위한 투쟁을 벌였다. 이러한 논쟁에 더욱 불을 붙인 것은 누가 과거에 일본인들에게 '협력'했는가 하는 문제였다. 개인과 단체들은 몰수된 일본인 공장과 농토의 소유권을 둘러싸고 개인과 단체가 서로 대항하는 세력을 조직하였다. 이런 일은 북한에서는 결코 일어날 수 없는 일이었다. 북한은 국가가 전적으로 모든 것을 통제하였기 때문이다.

국회에서는 정당은 정당들대로, 개별 의원들은 의원들대로 개인적인 입지를 다지기 위해 묘책에 골몰하고 있었다. 북한처럼 행정부에 전혀 종속되어 있지 않는 국회가 대통령 중심제 정부를 내각제 형태로 바꾸는 개헌을 통해 이 대통령으로부터 권한을 빼앗으려고 투쟁하였다. 이 대통령은 향후 대통령 선출은 국회에서 하지 않고 전 국민의 투표에 의해 선출하도록 헌법 개정의 의사를 발표함으로써 입법부에 강력히 맞섰다. 이러한 민주주의의 혼돈은 1950년 5월 30일에 있었던 제2대 총선에서 두드러졌다. 이 선거의 특징은 신문 보도와 자극적인 유세를 통한 극심한 당파간의 싸움이었다. 북쪽에서는 모든 것이 전체주의적인 일치만이 있었고, 남쪽에서는 민주주의라는 미명 아래 의견대립밖에 없었다.

군사적으로는, 대한민국도 미국도 전쟁에 대한 대비책이 없었다. 이대통령의 정부는 국방군의 창설에 필요한 기본적 무기도, 훈련도, 신병모집도, 조직도 지금까지 철저히 거부되어 왔다. 미국은 2차 대전이 끝난 후 자체의 무장해제를 서두른 결과 '자초한 전력 약화'의 어려움을 겪었다. 미국의 육군은 1950년 6월 현재 59만2천 명으로 감축되어 있었다. 이는 1945년 전력의 약 7분의 1에 불과한 숫자이다. 해병대 병력은 48만 5천 명에서 7만5천 명으로 줄었고 미국 함대의 주요 함정은 퇴역 상태에 있었다. 일본에 주둔 중인 8만3천 명의 미군조차 일본인들 사이에 분노나 원한을 일으킬까봐 두려워서 야전 기동훈련을 자제하는 '병영에 갇힌 군대' 신세였다. 그들이 하는 일은 일본의 경제와 사회를 재건하는 평화적 역할이었다. 이들은 북한의 군비에 맞설만한 충분히 강력한 탱크와 대포도 갖추지 못하고 있었다. 미국의 한 국방장관(제임스 V. 포레스털)은 국방 잠재력을 파괴하라는 강요를 받고 자살하였다. 그의 후임자(루이스 A. 존슨)는 그나마 남아 있던 대부분의 전력을 급속히 해체하였다.[78]

한국 전쟁이 발발한 지 2년 후에 전쟁을 뒤돌아보며 존 R. 하지 장군은 사후약방문격이지만 친구에게 다음과 같은 서한을 보냈다: "나는 한국 점령 초기부터 한국 육군의 창설에 큰 관심을 가지고 있었다네. … (중략) … 나는 윗선으로부터 많은 반대에 봉착하였네. 그것은 명백히 당시의 국제관계에서 그러한 움직임은 소련의 오해를 받을 것이라는 생각 때문이었을 것이네. …"79)

1947년 10월에 하지 장군은 실제로 6개 사단의 남한 육군을 창설하고 미국이 장비와 훈련을 제공할 것을 제안한 바 있다. 당시 더글러스 맥아더 장군은 유엔이 한국에 대한 어떤 방침이 결정될 때까지 그러한 조치를 미루어야 한다고 주장하면서 그 계획에 반대했다. 하지의 건의는 결코 실행되지 않았다. 그 결과 주한 미군 군사 고문단(U.S. Korean Military Advisory Group: KMAG)의 한 고위 장교가 1949년의 한국 육군을 마치 '1775년 당시의 미국 육군'과 다름없다고 말할 정도였다.80) 불행하게도 침략해 온 적군의 군사력은 결코 그 정도로 원시적인 수준이 아니었던 것이다.

결과적으로, 공산군이 기습을 시작하였을 때 분산 배치되고 경무장 상태의 대한민국 육군은 적의 진격을 지연시킬 능력이 없었다. 북한의 돌진을 일시나마 저지할 수 있는 곳도 몇 군데 되지 않았다. 옹진반도에는 여러 달째 북한군의 습격을 격퇴시키는 경험을 쌓아 왔던 한국군 수도사단 제17연대가 3천 명의 병력으로 최초의 교전에서 혁혁한 전공을 세웠다. 지휘관 백인엽(白仁燁) 장군은 부대원들을 이끌고 대담하게 반격하며 북진

---

78) 트루먼의 『회고록』, 제2권 53 페이지.
79) 로버트 K. 소이어(Robert K. Sawyer) 소령의 『주한 군사 고문단: 평시와 전시의 주한 미 군사고문단(KMAG)』, 1962, 미국 육군성, 21 페이지.
80) 같은 책 69 페이지.

하였다. 그들은 옹진반도를 벗어나 해주시를 함락시켰고 북한군의 포위망을 뚫었다. 백 장군은 서울이 함락된 후 산악지대를 통해 남동쪽으로 부대원을 이끌고 남하하였다. 그는 부하들 중 2천5백 명을 대구로 귀환시켰는데 모두들 무기를 휴대하고 있었고 사기도 드높았다. 나중에 이 연대는 부산 방어선을 지키는 데 중요한 역할을 하였다.

한국 육군의 또 하나의 영웅적 지연전술 작전은 미 육군 역사학자 로버트 레키에 의해 기록되었다. 38선을 가로질러 남한 육군이 단편적인 적의 공격을 자주 격퇴시켜 왔던 개성에서 6월 25일 일요일 아침 그들은 최강의 북한군 남침 전력과 맞서게 되었다: "한국군은 북한군에 대항하여 용감하게 싸웠다. 한국군 일부 병사는 휴대용 장약(裝藥)이나 막대기에 매단 폭발물을 가지고 T-34 탱크로 돌진했다. 어떤 군인들은 탱크 위로 기어 올라가 포탑을 열고 안쪽으로 수류탄을 던지려고 했다. 이 군인들은 영웅적으로 몸을 던졌으나 그들의 노력은 헛된 것이 되고 말았다."[81]

대부분의 전선에서 한국군은 오래 끌지 못하고 전과도 올리지 못하는 전투를 하면서 서울로, 그리고 점점 더 남쪽으로 밀리고 있었다. 미국 육군 전사(戰史) 평가서는 다음과 같이 보고하였다:

남한의 군사 지식 결여, 지휘관과 사병들의 훈련 불충분, 중화기나 신호 장비와 같은 기타 군수품의 부족은 나머지 문제점들이었다.[82]

방어 상황은 절망적이었다. 7월 2일 저녁, 일본 사세보(佐世保)로부터 미군 제1진이 부산에 도착했다. 이들은 그 수가 약 400명으로 줄어든 제34 보병 연대의 제1대대였다. 도착 후 2일 동안은 장비를 점검하고 북쪽

---

81) 로버트 레키(Robert Leckie)의 『전투: 한국 전쟁사, 1950-53』(*Combat: The History of the Korean War, 1950-53*), 1962, 뉴욕 Putnam 출판사, 43-44 페이지.
82) 소이어의 『주한 군사고문단』, 152 페이지.

전선으로 이동시킬 수송 수단의 준비로 부산에서 대기 상태에 있었다. 병사들은 한결같이 가벼운 작전이 될 것으로 예상했다. 그들에게 이 작전은 전투라기보다는 침략자에 대한 '경찰 활동'을 할 정도라고 알려져 있었다. "동양의 오합지졸들은 미군 군복만 보아도 질겁하고 달아날 거야"라면서 미군 병사들은 서로 떠들어댔다. 편안하고 가벼운 기분이었다. 미군이 무력을 과시하는 순간, 공산군은 자신들이 저지른 도박에서 졌음을 깨닫고 38선 북쪽으로 줄행랑을 칠 것이다. 미군 병사들은 총기 손질조차도 거의 필요 없을 것으로 생각하는 정도였다.

　그들은 7월 5일 서울에서 약 30마일 남쪽 서해안에 있는 평택이라는 마을로 이동해서 진지를 구축하고 사수하라는 명령을 받았다. 병사들은 소리를 쳐서 서로 소통할 수 있도록 약 150피트 거리를 두고 한 사람에 하나씩 참호를 팠다. 비가 억수같이 내려 참호는 금세 꼭대기까지 물이 차오르고 주변의 논물이 흘러 들어와 거름 냄새를 풍겼다. 병사들은 참호 속에 있지 않고 그 옆에 웅크리고 앉아 있었다. 그때 퍼붓는 빗줄기 사이로 적군이 접근하는 것이 보였다. 33대의 T-34 탱크를 앞세우고 보병들이 긴 줄을 이루어 서서히 다가오고 있었다. 미군의 바주카포의 포탄은 3인치 두께의 공산군 탱크의 장갑(裝甲)을 파괴하지 못하고 튕겨 나왔다. 탱크들은 조직적으로 제34보병 연대 진지를 뚫고 들어왔으므로 미군 병사들은 도주할 수밖에 없었다. 대부분의 소총이 사격불능 상태였다. 일부 소총은 조립이 잘못되어 있었고, 상당수는 흙먼지로 뒤범벅되어 쓰지 못할 정도였다. 진지 중심부로 쏟아지는 적군의 자주포 세례에 대항할 수 있는 포병대의 지원도 받지 못했다. 가능한 한 많은 부상병들을 데리고 다음 지정 방어 위치인 안성을 향해 동진했다. 이렇게 미군과 북한군의 첫 번째 조우는 끝이 났다. 공산주의자들은 자신들이 전쟁을 하고 있었고 또 이 전쟁에서 이길 것으로 생각했던 것이 분명한 사실이었다.[83]

그 후 3주일 동안은 미군도 한국군도 고정된 진지를 오래 지킬 수가 없었다. 북한군은 이들에 대해 병력과 화력 양면에서 큰 우세를 보였다. 세 가지 요인으로 인해 이 상황이 완전한 궤멸로 이어지지는 않았다.

그 첫 번째 요인은, 공산당 지도부의 오산이었다. 김일성은 7월 15일까지 남한 전역의 점령이 예상된다고 발표했었다. 그러나 침략에 필요한 병참지원이 이 날짜 이후로 오래 연장되기는 어려웠다. 공산당은 남한의 농민들이 자기들의 환심을 사기 위해 침략군에게 식량을 갖다 바칠 것으로 기대하였다. 그러나 농부들은 갖고 있던 곡식을 산 속에 숨겼다.

두 번째 요인은, 주한 미국대사 무초의 간곡한 권고에도 불구하고 수도를 남쪽으로 옮기기로 한 이 대통령의 결정과 수많은 민간인이 죽게 되고 수천 명의 사람들의 서울 탈출을 저지한 결과를 가져온 한강대교를 폭파시키기로 한 채병덕 장군의 결정이었다. 이 한강대교의 폭파로 인해 공산군의 탱크와 다른 중장비의 남진을 현저히 지연시켰다.

그리고 세 번째 요인은, 미군의 전술과 과학기술이 합작해서 이루어낸 능력이었다. 맥아더 사령부는 제공권과 해안선의 통제권을 가질 수 있었다. 아군기들은 낮 시간 동안에 적군의 이동을 최소한으로 저지했고 아군의 함포는 동서 해안에서 적군의 진지에 포탄을 퍼부었다.

한편, 맥아더는 대담하게도 절대 우세한 적군에 맞서서, 격리되고 지원이 부족한 전투에서, 비록 인원도 부족하고 장비도 불충분했지만 그가 동원할 수 있는 모든 보병부대들을 급히 남부로 투입하여 적군의 진군을 지연시켰다. 그렇게 함으로써 미국 본토와 일본의 아군 기지로부터 증원부대를 속속 집결시킬 수 있었다.

---

83) 이 최초의 조우에 대한 상세하고도 감동적인 기록에 대해서는 러셀 A. 구겔러 대위의 『한국에서의 전투 활동』(*Combat Actions in Korea*), 1954, 워싱턴 Combat Forces 출판사, 제1장: '철수작전' (Withdrawal Action), 3–19 페이지 참조.

적의 계산착오 중에서 하나의 중요한 요소는, 공산 침략군이 주요 항구 도시인 부산을 향해 직접 강력하고도 집중적인 공격을 가하지 않고 대신에 남한 도처의 모든 저항 거점의 패잔병을 '소탕'하기 위해 병력을 분산시켰다는 점이다. 그 결과 내부 전선을 장악하고 있던 유엔군 지휘부는 한 지점에서 다른 지점으로 철수하면서 병력을 이동시킴으로써 적군이 뚫어놓은 방어선의 '빈틈 은폐하기'가 가능하였다.

최초의 방어 가능한 위치는 결국 최후의 방어선임이 입증되었다. 낙동강은 한반도 동남단의 해안선과 평행하여 흐르는 강인데 낙동강 방어선은 얼마 지나지 않아 부산 방어선이라고 알려지게 된다. 이 방어선이 무너진다면 유엔군과 한국군 방어부대의 전체 전선의 유지가 불가능해질 것이었다.

이 최후의 진지에서 병사들은 한 발짝도 물러서지 않았다. 부산 방어선 방어 작전에 대한 감동적인 글을 쓴 마거리트 히긴스는 강력한 압박을 받던 전방 대대로부터 보낸 한밤중의 메시지 속에서 이 모든 상황을 잘 요약했다. "아군 진지에 5대의 탱크가 출현. 상황은 불투명. 그러나 문제 없음. 우리는 버텨내고 있다."[84]

한국군들 역시 그들의 상태를 고려할 때 아주 잘 싸웠다. 북한군의 침공 첫 날 채병덕(蔡秉德) 장군은 (키가 5피트 6인치 체중이 245파운드나 나갔기 때문에 '채 뚱보'라는 별명을 가졌음. 그런데 이 체중이 지방질이 아니라 근육질이라고 함.) 자신의 제7사단을 이끌고 대전에서 120마일 북쪽에 있는 의정부까지 철도와 트럭으로 이동하여 최초이자 가장 강력한 북한의 공격에 맞섰다. 그는 동시에 한국군 제2사단에게 자기 부대의 좌측 측방 진지로 이동하도록 명령했다. 채 장군의 부대는 1,580명의 북한군을 사살하고

---

84) 마거리트 히긴스(Marguerite Higgins)의 『한국 전쟁 여성 종군 기자의 보고서』(*War in Korea: The Report of a Woman Combat Correspondent*), 1951, 뉴욕주 가든 시티: Doubleday 출판사, 117 페이지

58대의 탱크를 파괴했다. 그들이 승리를 예상하고 있을 무렵에 또 다른 적군 부대가 탱크를 앞세워 밀고 나오면서 제2사단을 덮쳤다. 탱크 부대는 제2사단 방어 구역을 휩쓸고 의정부로 진입하였다. 2사단과 7사단 모두 어쩔 수 없이 산악지역으로 후퇴해야 했으며, 서울로 가는 길은 훤히 뚫린 상태가 되었다.

한편 동해안 방면의 춘천에서는 정일권(丁一權) 장군이 지휘하는 한국군 6사단이 이 도시 북쪽 능선에 호를 잘 파놓아서 공격해 내려오는 북한군 제2사단에 막대한 타격을 입힐 수 있었다. 한국군은 약 30시간 동안 춘천을 장악하였다. 그래서 침략군은 인제(隣濟) 공격에 배치된 그들의 7사단을 춘천 공격을 보강하기 위해 부득불 이동시킬 수밖에 없었다. 무시무시한 T-34 탱크의 공격에 압도당하며 춘천 주변의 산악 지대에서 벌어진 3일간의 전투 후에 한국군의 측면이 무너지기 시작하자 부대들은 후퇴해야 했다. 6월 말에 이르러 한국군 병력은 98,000명에서 22,000명으로 줄어들었다.

한국 육군이 병력을 증강하기 위해 필사적인 노력을 기울이는 동안 일어난 일에 대해서는 주한 미 군사고문단의 전사 담당관은 다음과 같이 기술하고 있다:

　　이제 시간은 부족하고 훈련된 병사에 대한 수요는 그 어느 때보다 더 큰데도 전방으로 보내지는 대체 병력은 미숙한 신병들이었다. 불과 10일간의 속성 훈련을 받고 소총 탄약 한 클립도 제대로 사격해 본 일이 거의 없는 병사들이 잘 훈련된 전투병과 같은 성과를 거두기는 기대할 수 없는 일이었다. 훈련 부족은 또한 병사들이 지켜야 할 지역을 방어하는 데도 어려움을 가져왔으며, 전투 경험이 많은 북한 병사들에 비해 더 많은 사상자를 내게 되는 원인이 되었다. 그러한 상황에서 흔히 볼 수 있는 바와 같이, 부대의 작전 수행은 지휘관의 능력에 크게 좌우되기 때문에 지휘관이 능력을 갖추고 우수할 경우에는 그의

명령이 잘 반영되는 반면에 자질이 부족하면 반대의 경우도 발생하였다.[85]

트루먼 대통령은 북한군이 유엔 안전보장 이사회의 결의에 반하여 철수하지 않을 것이라는 사실이 분명해지고 나서야 비로소 한국에 미국 지상군의 투입을 승인하였다. 전쟁이 끝난 후 맥아더 장군은 〈한국전쟁에 관한 미국상원 청문회〉에서 미군을 처음 전투에 참가시킬 당시의 자기 생각을 다음과 같이 회상하였다:

나는 우리가 남한 군대의 생존자를 구출할 수 있을지 혹은 한국에 방어선을 구축할 수 있을지 여부에 대해 전체적으로 문제가 많다고 생각하였습니다. …

또한 과장된 힘의 과시를 통해 내가 실제로 움직일 수 있는 것보다 훨씬 많은 병력을 동원할 수 있다고 적이 믿도록 눈속임을 할 수 있기를 기대했습니다. …

적군은 분명히 우리가 전투에 그렇게 소수의 병력으로 고전하고 있을 것이라고는 알지 못했을 것입니다.

재빠르게 부산까지 진격하지 않고 적군은 한강 건너편에 포병대를 배치하는 데 시간을 보냈습니다. 만약 부산으로 바로 내려갔더라면 아무 어려움 없이 일주일 안에 도착할 수 있었을 것입니다.

우리는 교량들을 파괴했습니다. 적은 포병대의 배치에 며칠씩이나 시간이 소요되었습니다. …

그 무렵 불굴의 지휘관 월튼 워커(Walton Walker) 장군이 지휘하는 미 8군 사령부가 이동해 왔습니다. 그 이후로는 아군의 해안교두보 확보 능력에 대해서는 걱정하지 않았습니다. 7월 1일인가, 나는 첫 번째 공식 발표를 하였는데, 이제는 우리가 밀려서 바다에 빠지게 되지는

85) 소이어의 『주한 군사고문단』(Military Advisors in Korea), 153 페이지.

앓을 것이라고 말한 기억이 납니다.

7월 20일까지 미군 부대는 한국 육군 부대를 중간 중간에 두고 부산 방어선의 외곽을 형성하는 낙동강을 따라 배치되었다. 엄청난 양의 보급품이 부산으로 쏟아져 들어오고 있었다. 제공권은 완전히 유엔군이 장악하고 있었다. 한때 유동적이던 상황은 근본적으로 안정을 되찾았다.

7월 한 달 동안 나는 밤낮으로 『한국전 발발 원인』(Why War Came to Korea)이라는 책을 저술하는 데 전념하였다. 260쪽에 달하는 이 책을 한 달 만에 완전히 썼을 뿐만 아니라 각 장을 쓰는 대로 활자로 조판까지 마치고 시작한 지 30일도 못되어 포드햄 대학교 출판부에서 출간 준비를 마쳤다.

공산당이 공격 대상으로 남한을 선택한 '이유'는 두 가지였다. 하나는 한국의 전략적 위치 때문이다. 한국은 여러 세기 동안 일본, 러시아, 중국이 하나같이 지배하려고 했던 '정복의 통로(corridor of con- quest)'이다. 또 하나는 루즈벨트부터 애치슨에 이르는 미국 정책 입안자들의 헛된 희망 때문이었는데, 그들은 한국 지배를 위한 소련의 어떠한 도전에 대해서도 이를 회피함으로써 소련의 침략 야심을 회유할 수 있다고 생각했다.

내가 쓴 책은 200종 이상의 정기간행물의 신간 서평에 올랐고, 〈뉴욕 타임스〉지의 1950년 최우수 논픽션으로 뽑혔으며, 영국 퍼트남즈 출판사와 한국에서 한국어 번역판으로 재출간되었다.

윌리엄 딘(William Dean) 장군의 영웅적 대전(大田) 방어가 실패로 돌아간 후, 이 대통령은 임시수도를 대구로 옮길 수밖에 없었다. 존 무초 대사는 정부를 제주도로 이전할 것을 권고하였는데, 제주도는 적의 직접 공격으로부터 거리를 두고 있고, 설혹 한반도 전체가 공산군에 의해 점령되더라도 망명정부를 존속시킬 수 있는 곳이라고 그는 주장하였다.

훗날 그에게서 들은 얘기지만, 이 대통령은 주머니에서 권총을 뽑아 대사에게 보여주면서 말했다. "만약 공산군에게 포위당한다면 나와 내 아내는 이 총으로 자결할 것이오. 우리는 정부를 한반도 밖으로 옮길 생각은 조금도 없소. 우리 모두는 함께 일어나 싸울 것이오. 결코 도망치는 일은 없을 것이오."

대구에 있던 수도는 8월 3일 다시 부산으로 옮겨갔고, 9월 말에 서울로 되돌아올 때까지 부산 임시수도 시절이 계속되었다.

전쟁 발발 첫 몇 주일 동안의 남한의 상황은 카오스(Chaos: 혼돈)란 말로는 그 표현이 부족할 지경이었다. 일본에서 이동해온 미군 부대는 병영 생활만 하던 군대였고, 병사들은 한국인은 열등 국민이라는 일본인들의 사고에 세뇌되어 있었다. 한국어를 구사하는 미군은 거의 없었다. 심지어 남한과 북한도 구분할 줄 몰랐다. 군사적 이동은 철도, 트럭, 우마차, 도보를 이용하여 남으로 쏟아져 내려오는 수백만의 피란민으로 인해 심각한 지연사태가 빚어졌다. 설상가상으로 한국과 도쿄 사이에는 비밀통신 채널이나 긴급전화 시스템조차 없었다. 주한 미 군사고문단(KMAG)은 맥아더 사령부가 아니라 미 국방성에 보고하였으며, 그래서 며칠 동안 '비밀' 통신은 모두 (도대체 전시에 비밀이 아닌 통신이 어디 있단 말인가?) 워싱턴을 거쳐서 맥아더로부터 그의 야전군에게 전달될 수밖에 없었다.[86]

7월 15일, 이 대통령은 '현재의 전투 상태'가 계속되는 동안 맥아더에게 '대한민국의 모든 육해공군에 대한 지휘권'을 부여하였다. 그러나 언어, 관습, 전통 및 심리작용 등의 장벽을 넘어 두 나라 군대를 통합시키는 것은 쉽게 해결될 문제가 아니었다.

---

[86] 노블의 『전시의 대사관』(*Embassy At War*), 80 페이지.

7월 14일, 이 대통령은 이러한 심란한 상황에 대한 자신의 심경을 전하는 '절대 친전' 메모를 나에게 보내왔다:

서둘러 이 메모를 쓰오. 곧 누군가가 워싱턴으로 출발할 예정이며 그때 가장 긴급한 정보를 알려드릴 것이오.

미국인들은 하늘에서는 잘 싸우고 있지만 지상에서는 전술이 없소. 미군은 후퇴하기만 바랄 뿐이어서 우리 병사들은 절망하고 있소. 미군은 오늘 아침에 대전으로부터 후퇴하기를 원했지만 나는 딘 장군과 워커 장군을 불러와서 현재 미군이 단독으로 장악하고 있는 철도를 미군과 한국군이 공동으로 방어해야 한다고 주장하였소. 미군은 공산군의 큰 탱크와 전술을 당해내지 못하고 있소. 우리는 절망적인 상황이지만 최선을 다할 뿐이오. …

한국군들은 미군이 죽기를 원하지 않기 때문에 지상에서 싸울 수가 없다고 공공연히 불평을 하고 있소. 은혜를 모르는 말이라고 들리겠지만, 미군은 상대가 북한군인지 남한군인지도 구별하지 못하고 있소. 이 메모의 내용에 대해서는 다른 사람들에게는 비밀로 해주기 바라오.

닷새 후에 부산 방어선이 안정되면서 이 대통령은 트루먼 대통령에게 진심어린 감사의 편지를 썼다. 이 서신은 감사 표시 이상의 뜻을 담고 있었다. 그 속에는 또한 전쟁의 목표에 관한 한국의 정책과 그에 대한 승인을 얻기 위한 노력이 조심스럽게 설명되어 있었다. 그것은 심사숙고하여 작성된 편지였다:

본인은 이렇게 절망적인 상황에서 한국에 즉각적이고도 지속적인 조치를 취해 주신 것에 대해 한국 정부와 모든 국민을 대신하여 무슨 말로 깊은 감사의 뜻을 표현해야 할지 모르겠습니다. 한국을 위하고 동시에 자유라는 대의를 위해서 국제연합을 통한 여러 자유 우방의 지원에 진심으로 감사를 표함과 아울러 무엇보다도 이처럼 혼란스러운 위기의 시기에 각하의 용감한 리더십이 아니었더라면 어떠한 지원이나 원조도 받지 못했을 것이라는 점을 충분히 잘 알고 있습니다.

본인은 이곳 전투에서 미군의 사상자가 늘어나고 있다는 소식에 심히 가슴 아프게 생각하고 있습니다. 그렇게 수많은 군인들이 이역만리 낯선 땅에서 자유를 지키기 위해 생명을 바쳐야 한다는 것은 비극적인 일입니다. 비록 한국군 사상자에 대한 가슴 아픔은 말할 수 없을 정도지만, 본인으로서는 미군의 전투 사상자에 대한 보고보다는 차라리 한국인 사상자 보고를 받아들이기가 더 쉽습니다. 한국인들은 자기 땅에서 제 나라를 위해 싸우고 있기 때문입니다.

본인은 이곳 한국에서 전사하거나 부상당한 미군의 모든 부모, 처자, 형제자매들에게 미국의 위대한 전통을 이어받아 잔인한 침략자에 맞서서 약자를 보호하기 위해 이 땅에 와서 이 지구상에서 자유가 사라져서는 안 된다는 대의로 목숨을 걸고 싸운 이들의 용기와 희생을 한국 사람들은 결코 잊지 않으리라는 것을 알려드림으로써 다소나마 위로를 전하고자 합니다.

대통령 각하, 위대한 귀국의 병사들은 미국인으로서 살다가 죽었지만, 공산주의자들에게 자유국가의 독립이 짓밟히는 것을 더 이상 허용한다는 것은 저들에게 모든 국가, 심지어는 미합중국 자체에 대해서까지도 공격의 길을 열어주는 것이라는 사실을 알고, 조국에 대한 애국심을 넘어 세계 시민으로서 그들의 목숨을 바친 것입니다.

이러한 웅변적이고 감동적인 표현으로 미국 국민들에게 감사를 표하고, 트루먼 대통령이 미국과 국제연합을 참전시키기 위해 주장한 논리를 전적으로 수용하고 나서, 이 대통령은 자신의 생각을 끊임없이 전개하면서 트루먼의 논리를 확장하고 연합국의 공동목표로 세우고자 하는, 자기

가 모색해 온 확대된 목표를 제시하였다:

아시다시피 한국인은 그 누구도 당사자로서 참여하지 못한 상황에
서 이루어진 북위 38도선에 관한 1945년의 군사적 결정 결과로, 한국
국민 자신의 의사에 반해 국토가 분단되고 말았습니다. 이 분단으로
인해 소련의 지령과 리더십 아래 한국인의 전통과 정서와는 완전히 이
질적인 공산당 정권의 발전을 가져왔습니다.

공산당들은 소련의 지령 아래 북한 지역의 군사, 경찰 및 재정에
관한 권력을 완전히 장악하고 가공할만한 전력(戰力)을 구축할 수 있
었으며, 그로 인해 한국뿐만 아니라 미국과 수많은 국제연합 회원국
들이 막대한 피해를 입게 되었습니다. 소련의 지원을 받은 북한 정권
이 6월 25일 미명(未明)에 동시적으로 대한민국의 방위군을 공격했을
때, 그들은 이미 38선의 유지에 대한 권리나 자유 한국과 노예상태의
북한 사이의 군사분계선에 대한 어떠한 주장도 할 수 없게 만들었습
니다.

트루먼 대통령은 남한에 대한 공격의 책임이 소련에 있다는 이러한 주
장을 거부하기로 이미 결심한 상태였다. 트루먼은 자신의 『회고록』에서
이렇게 기록하였다.[87] "나는 장제스(蔣介石)가 1950년 7월 3일 어느 연설
에서 주장한 바와 같이 유엔이 한국전쟁에 대한 전적인 책임을 소련에
묻고 모스크바 당국으로 하여금 전쟁을 종식시키도록 요구해야 한다고
주장하는 사람들의 전략이나 접근 방식에 동의할 수 없었다. 이런 식의
몰아붙이기로는 우리는 헤어날 수 없는 딜레마에 봉착할 것이 확실하다.
만약 이러한 제안을 채택하게 되고, 충분히 그럴 가능성이 예상되었던 바
와 같이, 소련이 그 명령을 무시하였다면, 국제연합의 허약성을 확인시키

---

87) 제2권, 345-46 페이지

거나 제3차 세계대전을 각오해야 했을 것이다."

　물론 트루먼 대통령은 실제로 소련이 한국 전쟁에 책임이 있다는 주장
이 진실인지 아닌지에 대해서는 관심이 없었다. 불행하게도 정치력이라
는 것은 진실과는 별 관계가 없다. 진실은 학자와 과학자 그리고 시민들
의 관심 대상이고 정치력은 정책, 즉 실행 가능성 여부에 대한 문제와 상
황과 실행 결과에 대한 고려 사항과 관계가 있는 것이다.[88]

　실제로 소련의 군수품과 훈련, 지도를 받지 않고서는 북한이 전쟁을
일으킬 수 없었다는 것은 너무나 명백한 사실이었다. 그러나 외교의 세계
에서는 이런 것이 크게 문제가 되지는 않았다. 중요한 문제는 마치 소련
이 무관했던 것처럼 가식을 하는 경우의 결과는 어떻게 될 것이며, 이와
대조적으로 소련에 책임이 있다고 주장하는 경우의 결과는 어찌될 것인
가, 라는 것이다. 이 경우에는 가식적으로 처신할 가능성이 더 많았다.

　그러나 이 대통령의 견해는 이와 전혀 달랐다. 트루먼에게 보낸 그의
편지는 다음과 같이 단호했다:

　　전쟁 이전의 상태로 돌아가 적이 전열을 재정비하고 재훈련하고 재
　　무장하여 적절한 시기를 택하여 다시 공격하도록 말미를 준다는 것은
　　극히 어리석은 일이 될 것입니다. 한국의 가슴 속에 부자연스럽게 자
　　라난 악성종양인 제국주의 침략이라는 암을 영원히 도려낼 시간이 찾
　　아온 것입니다.

　그런 연후에 이 대통령은 가능한 한 부드러운 표현으로 실제로 최후통

---

88) 한미 관계의 여러 실례를 인용한 이러한 이론의 상세한 설명에 대해서는 나의논문
　　"외교 수사(修辭): 외관과 현실"(The Speech of Diplomacy: Appearance and
　　Reality)〉(1964), 〈콜로라도 계간지〉(*Colorado Quarterly*), 제12권, 353−74 페이지
　　참조.

첩과 다름없는 선언을 덧붙였다. 트루먼 대통령이 자신의 견해를 수용해서 미국 정책을 한국 정책에 맞추어 주기를 희망하였지만, 그럼에도 불구하고 자국의 번영에 꼭 필요하다고 생각되는 바를 추구하고자 하였다. 그의 입장에서는 그럴 수밖에 없다는 것을 어렵지 않게 이해할 수 있다. 그것은 트루먼 대통령이 자신을 이해하고 존중해 주기를 바라는 입장이었다. 그러나 중요한 점은 이 대통령과 트루먼 대통령의 여러 해에 걸친 관계에서 트루먼 대통령이 이 한국 지도자를 개인적으로 좋아해 본 적이 한 번도 없었다는 사실이다. 이 대통령은 세계 각국의 지도자들 사이에서도 트루먼 못지않게 직선적이고 무뚝뚝하며 사명감으로 가득 찬 사람이었다. 이 대통령의 편지에서 '전략적인 부분'은 다음과 같다:

> 대한민국 정부와 국민들은 지금이야말로 한국을 통일할 수 있는 적기라고 생각하며, 한국인들과 강력한 우방국들의 이러한 막대한 희생을 치른 후의 결과가 통일에 미치지 못한다는 것은 생각조차 할 수 없는 일이 될 것입니다.

> 대통령 각하, 본인은 각하께서도 동일한 결론에 도달하셨을 것이라고 확신하는 바입니다만 한국 정부의 입장을 각하께 분명히 밝히고자 합니다. 대한민국 정부는 앞으로 대한민국 정부의 동의와 승인 없이 한국에 관해 타국이 결정하는 어떠한 협약이나 양해 사항도 구속력이 없는 것으로 간주할 것입니다. 최근 각하께서 발표하신 성명서들을 살펴볼 때 본인은 이것이 또한 미합중국 정부의 입장이라고 믿습니다.

실제로 트루먼은 이러한 한국의 통일정책에 동의하는 성명을 발표한 적이 없었다. 그러나 그는 맥아더 장군으로부터 이 대통령의 편지 내용과 거의 동일한 권고를 받고 있었다.

8월 6일, 트루먼의 특사 애버릴 해리먼은 도쿄에서 맥아더 장군을 만

났으며 장군의 견해를 다음과 같이 보고하였다:

그는 일단 승리를 거두면 정치적 결과에 대해서는 의심하지 않습니다. 승리한다는 것은 아시아에서는 강력한 자석처럼 매력적인 것이며, 한국인들은 자신의 자유를 원하고 있습니다. 이승만의 정부가 서울에 다시 자리를 잡으면 2개월 이내에 유엔 감시 하의 총선거를 치를 수 있을 것이며, 그는 반공 정당들이 압도적인 승리를 거둘 것임을 의심하지 않습니다. 북한 주민들도 소련이나 공산당의 개입이 없다는 것을 믿게 되면 반공 정부에 찬성표를 던질 것입니다. 그는 개헌도 필요하지 않다고 말했습니다. 현재 북한을 위해 국회에 100석의 의석이 마련되어 있습니다. 한국은 아시아의 반공 운동을 안정시키는 데 강력한 영향을 미칠 수 있게 될 것입니다.[89]

트루먼은 이승만이나 맥아더의 의견에 동조할 생각이 없었다. 맥아더 장군에 대해서 트루먼은 여러 해 후에 시카고에서 어느 집회에서 청중에게 말하기를, 맥아더 해임에 대해 자기가 유일하게 후회되는 것은 '좀 더 일찌감치 2년 전에 그를 해임시키지 못한 것'이라고 말했다.[90] 이 말은 한국전이 발발하기 전에 그를 해임시켰어야 했다는 것을 의미하는 것이다.

이승만에 대한 트루먼의 태도는 주로 이 대통령에 대해 하지 장군으로부터 받은 보고서에 의해 형성되었다. 하지가 이승만에 관해 가장 좋게 말한 것은 "이 대통령은 확고한 신념을 가진 사람이고 자기와 견해를 달리하는 사람들에게는 거의 참지 못한다."라는 것이다. 그는 하지의 반복된 주장을 재확인하기 위해 말을 이었다. "이승만이 1945년 귀국한 순간부터 극우파 성향의 사람들을 주변에 불러들이고 정치적으로 보다 온건

---

89) 트루먼의 『회고록』(Memoirs), 제2권 351 페이지 참조.
90) 휘트니의 『맥아더』(MacArthur), 390 페이지 참조.

한 시각을 가진 인사들과는 날카롭게 대립하였다.” 트루먼은 “이승만이 경찰력을 이용하여 정치적 집회를 해산시키고 정적들을 통제하는 데 이용한 방법에 대해서는 개의치 않았다.” 그러나 “국가를 휩쓰는 심각한 인플레에 대해 이승만 정부의 관심이 결여된 것에 대해서는 깊이 우려” 하였다.[91]

트루먼 대통령은 하지의 상황에 관한 설명을 무조건적으로 받아들여 왔음이 분명하였다. 그는 “온건파[중도파]”가 한국을 소련의 지배하에 그대로 넘겨주었을 공산당과의 제휴를 찬성했었다는 사실을 기억하지 못했다. 그는 인플레가 미·소 협정에 의한 억지 분할과 남한의 미군정 기간 동안 산업, 광업 및 농업의 침체에서 기인한 것이라는 사실을 잊고 있었다.

한국의 통일에 대하여 트루먼은 전쟁이 시작되었을 때 다음과 같은 기록을 남겼다. “나는 한국에서의 우리 작전이 현지의 평화를 회복하고 분계선을 본래의 상태로 복원하도록 계획되어 있음을 명백히 이해되기를 원하였다.”[92]

부산 방어선의 시기와 그 후 중공군이 개입한 후, 한국에서의 전쟁이 가장 절망적인 곤경에 처해 있을 때도 트루먼은 이것은 전쟁이 아니라 막연하지만 제한적인 목적을 가진 단순 경찰활동이라고 주장하였다. 거기에 포함되지 않은 한 가지 목적은 한국의 통일이었다.

트루먼은 1950년 11월 30일에 가진 어느 기자회견에서 다음과 같이 주장하였다. “우리는 미국의 안보와 생존을 위해 한국에서 싸우고 있는 것입니다.”[93] 그는 소련이나 중공과 전쟁의 위험을 무릅쓸 생각이 없었기 때문에 이렇게 말했다. “전쟁은 끝없이 이어질 것이고, 우리는 헛되이

---

91) 트루먼의 『회고록』(Memoirs)〉 제2권 329 페이지 참조.
92) 트루먼의 『회고록』(Memoirs)〉제2권, 341쪽.
93) 앞의 책자, 제2권, 389쪽.

피를 흘리게 될 것입니다."94)

이 대통령은 전쟁의 결과로 통일이 당연하게 주어질 수 있는 것이 아니란 사실을 너무나 잘 깨닫고 있었다. 7월 20일 내게 보낸 홍보업무에 관한 서한에서 그는 이렇게 말했다. "변경된 상황에서 가장 효과적인 프로그램을 작성해 주기 바라오." 그는 우리가 엄청난 호기와 동시에 엄중한 위험에 직면해 있다는 자신의 견해를 다음과 같이 설명하였다:

> 지금 반드시 염두에 두고 일을 시작해야 할 가장 중요한 일은 한국 문제가 전 세계에 논쟁의 불길을 불러 일으켰으므로 우리는 이 추세를 계속 유지하여 세계가 한국에 대해 높은 희망을 갖도록 하고 이 불길이 꺼지지 않도록 노력해야 한다는 것이오. 이 전쟁의 열기가 식는다면 결국 실망스런 결말로 인해 적대적인 비판이나 불리한 평가로 귀착될 가능성이 있소. 우리가 대처할 준비를 갖추고 성공적으로 저지해야 할 것은 바로 이 점인 것이오. 조만간 우리에게 비우호적인 세력이 영향력을 발휘하기 시작할 것이오. 이 점을 감안하여 당신은 모든 채널을 열고 가장 우호적인 뉴스와 잡지 편집인들 그리고 영향력 있는 개인과 단체들과의 관계를 확립하여 그러한 잘못된 보도와 편견과 싸워야 할 것이오. 내 생각에는 이것이야말로 우리가 대비해야 할 주된 일이라 생각되오.

우리의 어려운 재정상태와 대조적으로 그의 소망은 너무도 큰 것처럼 보였다. 7월 1일, 나는 이 대통령에게 다음과 같은 메모를 보냈다: "당장 가장 큰 애로사항은 재정문제입니다. 우리 사무실은 현재 200달러 정도의 '적자' 상태입니다. 그러나 필요하다면 한 달 정도의 내 비서 급료를 지불할 만한 개인예금이 있고 그 밖의 청구서는 당분간 지불을 미룰 수가

---

94) 앞의 책자, 제2권, 388쪽.

있습니다."

7월 14일에 답장이 왔다. 서울을 떠나기 전날에 당장 급한 곳에 지출하도록 5천 달러를 송금하였다는 것이다. 내 생각에, 이 돈은 한국 대사관이 마지못해 우리에게 넘겨준 것 같았다.

7월 25일, 나는 우리가 시도하고자 하는 바에 대해 그에게 서신을 보냈다:

> 우리가 최대한 관심을 집중시키고자 하는 문제들은 다음과 같습니다.
>
> 1. 대한민국 정부는 오언 래티모어(Owen Lattimore)와 그의 많은 앵무새 같은 추종자들이 떠드는 바와 같이 실패한 것이 아니고 민주주의 체제가 성공적이기 때문에 공산 빨갱이들이 공격을 감행한 것이다. 미국인들의 본능적인 경향은 아시아의 모든 나라의 정부는 저질이라고 생각하는 것이다. 따라서 비평가들도 쉽게 그러한 주장을 내세울 수 있는 것이다. 우리는 가능한 한 강력하고 사실에 근거하여 이와 싸워나가야 한다.
>
> 2. 남한 사람들의 사기는 나쁘지 않다. 정말로 좋지 않은 것은 군비 상태이다. 미국 기자들은 당연히 미군의 전투만을 보도하는 이유도 있고, 또 그동안 후퇴만 계속했기 때문에, 남한군은 싸울 능력도 없고 의지도 없다는 공격이 반복되고 있다. 현재 미군도 한국군과 마찬가지로 후퇴하고 있기 때문에 이러한 비난은 어느 정도 설득력을 잃고 있다. 그러나 물론 미국 신문들은 미군의 영웅적인 전투만을 보도하고 한국군의 활약에 대해서는 전혀 보도가 되지 않는다. 우리가 입수할 수 있는 데까지 그러한 한국군의 전투 활동에 대한 정보의 확보를 위해 노력한다.
>
> 3. 한국은 통일되어야 한다. 38선이 다시 그어져서는 안 될 것이다.

38선이 다시 그어지게 되면 '미국 침략설'이 대두될 것이라고 생각하는 사람이 있는가 하면, 혹자는 '소련을 자극하여 전쟁이 발발할 것'이라고 두려워할 것이다. 국무부와 국제연합은 이 단계에서 38선에 도달한 후에 어떠한 일이 일어날지에 대해 언급하는 것은 비외교적인 것으로 간주한다.

그러나 태프트, 아이젠하워, 리프먼(Lippmann) 그리고 그 밖의 영향력 있는 인사들이 한국의 통일에 대해 언급하고 있다. 통일은 불가피한 일로서 그것이 실패할 것이라곤 생각할 수 없다. 그러나 우리는 이 논의를 계속해 나가야 한다.

연합국들이 한국의 통일정책에 동의하도록 그들의 견해에 영향을 미치는 것이 중요하기는 하지만 당장 발등의 불은 공산 침략군과의 전쟁에서 승리해야 한다는 것이었다. 이 점을 충분히 염두에 두고 7월 26일 이승만 대통령은 맥아더 장군 앞으로 긴급 탄원서를 썼다. 미국 대사는 그 서한을 보내지 않도록 이 대통령을 설득했지만 대통령은 자신이 생각한 바대로 수행되어야 할 내용을 성명서로 작성하여 그 사본을 내게 보내왔다:

이제 하루라도 더 기다릴 시간이 없습니다. 실제로 더 이상 기다리는 것은 불가능합니다. 워커(Walker) 장군에게 대포와 중화기를 한국군에 넘겨주도록 지시하시고, 파트리지(Partridge) 장군에게 명하여 한국군이 북진할 때 계속해서 공군의 엄호를 지원하도록 하십시오. 적에게는 남쪽으로 깊이 진출한 최전선 부대를 지원할 수 있는 증원 병력이 없습니다. 우리는 서울로 향해 밀고 올라가서 후방으로부터 적군의 주요 전력 부분을 차단할 수 있습니다. 우리는 성공을 절대적으로 확신합니다. 만약 당장 이것을 실행하지 못한다면 적은 남쪽 전체를 점령할 것이고 한국 국민들의 목숨뿐만 아니라 많은 미국인들의 목숨도 큰 위험에 처하게 될 것입니다. 당부하오니, 한국인들을 신뢰하시고 그들이 간절히 요구하는 바를 모두 들어주시기 바랍니다. 공산군 측에 소련의 증강 병력이 도착하면 유엔군은 큰 싸움에 말려들게 될 것입니다.

이 대통령의 이러한 분석은 날카로운 통찰이었다. 북한군은 실제로 남쪽으로 너무 밀어붙여 위험할 정도로 전선을 너무 확대시켰던 것이다. 보급품의 공급도 충분하게 이루어지지 못하였다. 남한의 완전한 정복이 신속히 이루어질 것이라고 확신하고 있었고, 인민들이 모여 들어 식량과 보급품을 바치면서 승자를 위무할 것이라고 생각하였다.

그러나 실제로는, 남쪽 사람들은 공산 침략군이 대단한 성공을 거두고 주둔하게 된 상황임에도 불구하고 침략군에게 냉담하고 한국 정부에 대한 충성심에 변함이 없었다. 다른 지역(외국)의 공산군들이 경험했던 것과는 정반대로 북한군은 대한민국 국민으로부터는 지지를 받지 못했다. 이것은 대한민국에서 민주주의가 움트면서 비록 민주주의가 아직 낯설고 심각한 경제적 어려움을 해결해 주지는 못했지만, 국민이 이를 받아들였음을 시사해주는 강력한 징후의 하나이다.

북한군은 보급이 부족했을 뿐만 아니라 남한 전체의 모든 마을과 지역을 점령하기 위해 소규모 부대로 나뉘어져 안정되지 못하게 분산되어 있었다. 북한군의 탱크와 포병대는 미 공군에 의해 조직적으로 파괴되었다. 파손된 무기는 수리가 불가능하였고, 연료와 탄약은 7월 15일까지 끝내기로 예정된 작전에 맞게 소요되도록 계획되어 있었다. 그러나 그날 이후의 몇 주일 동안 보급은 위태로울 정도로 줄어들었다. 의심할 여지없이 승세를 타고 있고 외관상으로는 가공스러워 보였지만 북한군의 진격은 집중적이고 강력한 반격 앞에 형편없이 취약하다는 것이 입증되었다.

유엔군이 북한군을 지원하기 위한 외국의 증원군과 대규모 전투를 벌

이게 되리라는 이 대통령의 예언은 정확히 들어맞았다. 다만 증강된 적군
이 소련군이 아니라 중공군이었을 뿐이다. 코앞에서 진행되는 전쟁으로
인해 미군은 너무 엄청난 압력을 받고 있어서 신생 한국군을 훈련시킬
여유가 없었다. 이제 보급 장비는 풍부해졌지만 유엔군사령부는 적어도
한국군이 복잡한 최신 무기들을 사용할 만큼 충분히 훈련되기 전까지는
보급품을 그들에게 넘겨줄 기미가 보이지 않았다. 훈련받지 못하고 장비
도 부족한 한국군은 대부분 붕괴되거나 지리멸렬 상태였다. 일부 부대는
눈부신 전과를 올렸다. 다만 엄청나게 우세한 적군 앞에서 오래 버틸 수
있는 부대는 없었다. 그러나 미군이나 다른 유엔군 부대들도 낙동강 전선
을 따라 장소를 바꿔가면서 지연작전 전술을 쓰는 것 이외에는 할 수 있
는 일이 없었다.

　이런 식의 전쟁이 계속됨에 따라 대다수 한국인들은 적군 점령 하에
놓이게 되었다. 피란민들은 공산군의 잔학성에 대한 거의 믿을 수 없는
이야기들을 전해 주었다. 남한을 수복한 후에야 비로소 그러한 사실을 확
인할 수 있었다. 대전 공군비행장 활주로 부근에서 500구의 한국군 병사
시체가 매장되어 있는 공동묘지가 발견되었다. 모두 등 뒤로 손이 묶인
채 머리에 총알을 맞은 상태였다. 같은 지역의 희생자들이 파놓은 다른
몇 개의 공동묘지에서는 5천에서 7천의 학살된 민간인 시체가 발견되었
다. 수천 명의 남한 청년들이 강제로 붉은 군대에 징집되어 훈련도 거의
받지 않고 때로는 수중에 무기 하나 없이 대규모 보병 공격에서 제1진
또는 2진의 '인해전술' 희생물로 이용되었다. 마을 전체의 남녀노소를
모두 동원하여 유엔군 진지를 공격하는 공산군 부대의 전면으로 몰아세
우는 일도 흔한 일이었다. 또한 수많은 사람들, 특히 교사, 전문직 종사
자, 숙련공들이 어쩌면 자기 집에서 약탈되었을 식량이나 물건들을 짊어
지고 북으로 끌려갔다.

이 대통령은 "전투는 우리에게 맡겨 두고 한국 국민들이 방해가 되지 않도록 해 달라"는 유엔군 사령부의 기본 방침은 본질적으로 잘못되었다고 생각했다. 그렇다고 이 대통령이 공적이든 사적이든 유엔군사령부를 비판하는 것도 잘못일 것이다. 위급한 전투 속에서는 그러한 기본방침을 재고할 기회는 물론이고 그럴 의도조차 거의 없다는 것을 그는 이해할 수 있었다. 한국인도 미국인도 끊임없이 계속되는 전투의 스트레스 속에서 서로를 크게 벌어지게 한 언어, 전투의 방식, 목적 및 전망에 관한 차이를 조율할 수 있는 방법은 아무것도 없었다. 그는 당분간 아무것도 할 수 없다는 깊은 무력감을 느끼고 완전히 좌절감에 빠졌다.

7월 29일, 이 대통령은 상세한 상황분석 메모를 작성하여 그 상단에 "다른 용도로 사용 불가한 메모지만 올리버 박사 자신의 메모로 이용할 수는 있음"이라는 문구를 휘갈겨 써서 내게 보내왔다:

　지금까지 우리는 잘못된 전술을 구사해 왔소. 국민의 투쟁정신을 북돋우지 못하고 2, 3일 이내에 병력과 군수품이 도착하여 증강되는 대로 유엔군이 전면전을 개시할 것이라는 말을 해줌으로써 진상을 국민들에게 알리려고도 하지 않았소. 그래서 국민들은 자신의 안전을 믿고 스스로의 방어를 위해 대비할 생각을 하지 않았소.

　도시와 마을들은 주민들의 저항 없이 하나씩 차례로 점령당하고 말았소. 이제 우리는 부산에서 얼마 떨어지지 않은 마지막 도시 대구까지 오게 되었소. 며칠 전에는 약 60명의 인민군 게릴라 부대가 하동에 진입하였는데 곧 그 수가 300명으로 늘어났다오. 채병덕 장군은 어제 아침 얼마 되지 않는 부하들을 이끌고 들어갔다가 그만 전사하고 말았소. 오늘 아침 보고에 의하면 공산군이 대구를 향해 이동하고 있다는 것이오. 일단의 미군 장병과 한국 경찰이 이들을 격퇴시키기 위해 출동했는데 아직까지 아무런 보고가 없소. 한편, 다른 적군 부대가 대구에서 얼마 떨어지지 않은 함양을 점령했다는 것이오. 대구는 큰 혼란에 빠져서 우리에게 대책을 강구해 달라고 요구하고 있소.

나는 그들에게 모두들 일어나서 몽둥이든, 죽창이든, 사제 폭탄이라도 준비해서 싸울 준비를 하도록 촉구하고 있소. 나는 이들에게 집을 버리고 도망치지 말라고 했소. 이 도시가 적의 손에 떨어지면 갈 곳이 없기 때문이오. 우리는 우리의 집과 도시를 지키기 위해 함께 일어서야 할 것이오. 그러면 우리의 우방들도 지상이나 하늘로부터 우리를 지원하기 위해 할 수 있는 최선을 다할 것이오. 미국에서 증원부대를 싣고 오는 선박들이 들어올 때까지 며칠만이라도 어떻게든 이 도시를 방어할 수만 있다면 더 이상 걱정할 필요가 없을 것이오. 이제 청년들이 무리를 지어 군가를 부르면서 사방에서 행진해 들어오고 있소. 이들의 사기는 하늘을 찌르고 적과 항전할 만반의 준비를 갖추고 있소.

이 대통령이 관심을 가졌던 중요한 문제는 미군부대의 우수한 기술과 훈련된 병력을 지형과 지세에 정통하고 아군과 적군의 식별 능력이 있는 한국군과 조정시키는 방법이었다. 그 밖에도 이 대통령은 싸울만한 조건만 갖춘다면 한국군이 외국군보다 더 잘 싸울 수 있다는 것을 확신하고 있었다. 한국 육군은 자신의 모국 땅을 방어하는 데 더 높은 전투정신을 발휘할 수 있는 반면에, 외국군은 익숙하지 않고 전반적으로 혐오감까지 느끼게 되는 시골에서 게릴라 작전에 신체적으로나 심리적으로 준비가 되어 있지 않기 때문이다.

달리 사용할 만한 비료가 없었기 때문에 인분(人糞)이 비료로 사용되었는데, 논에서는 고약한 냄새가 났다. 화장실 인분을 수거하여 밭으로 운반하던 '똥 손수레(honey cart)'의 악취는 더 고약했다. 한국인의 주식은 쌀인데 대부분의 미군 병사(GI)들은 쌀을 좋아하지 않았다. 절인 배추를 마늘에 듬뿍 버무린 김치 때문에 모든 한국인의 입에서는 냄새가 났다.

더욱이 특히 이러한 혼란기에 대부분의 국민들은 옷도 제대로 못 입고 목욕도 할 수 없는 사람도 많았다. 그들 가운데 많은 사람들은 굶주렸으며 먹을 것을 구걸하였다.

미군 병사들은 목숨을 걸고 방어하도록 명령을 받은 대상 국가가 이런 나라인가 하고 아연실색했다. 특히 초기 전투에 투입된 미군은 모두 일본에 주둔하던 병력이었는데, 일본에서는 한국인은 대개 경멸의 대상이었기 때문이다.

두 집단 사이에 우호적인 연결 관계를 확립하는 데 도움이 될 수 있는 소수의 주한 미군 고문단 장교들은 뿔뿔이 흩어져 있었고 의기소침해 있는 상태였다. 그들에게 가장 적합한 일은 한국 육군에게 신형 무기의 사용법과 전술을 훈련시키고 한국군과 유엔군 사이에 연락관 역할을 하는 것인데, 이러한 기능을 하도록 임무가 주어지지 않았다. 이 대통령은 양쪽 군대 사이의 효율적인 관계를 정립해야 할 필요성을 잘 알고 있었다. 7월 29일자 그의 메모에는 이렇게 기록되어 있다:

딘 장군 휘하의 유엔군으로 하여금 한국군이나 경찰과의 아무런 연계 없이 대전(大田)을 방어하도록 한 것은 큰 실수였다. 그들은 이 나라와 국민에 대해 잘 알지 못했다. 한국군과 인민군 사이의 구별은 쉽지 않다. 이방인에게 이들은 똑같아 보인다. 당연히 유엔군은 구별에 대한 자신감을 얻을 수 있는 시간이 없었다. 2, 3백 명의 공산군이 야음을 틈타 유엔군 막사 뒤로 우회하여 잠입하여 함성을 지르면서 총을 난사하고 소란을 일으켰다. 시끄러운 소리를 내었다. 이것은 외국 군대에 겁을 주려는 의도였는데 성공을 거두었다.

우리는 이런 쓸쓸한 경험을 되새겨서 미군이 충분히 장비를 갖추고 증원될 때까지 그들을 불안정하고 위험한 상태에 방치해서는 안 될 것이다. 한국군은 공산 게릴라의 전술과 그들에게 대처하는 방법을 알았다. 미군은 정규전 훈련을 받았지만 게릴라 전술에 익숙하지 않았다.

그러므로 미군이 공산 게릴라 부대와 만나게 되면 불리한 상황에 처하게 된다. 이런 이유로 대규모 전투가 벌어지는 경우 한쪽에는 한국군, 다른 한쪽에는 미군을 따로 배치할 것이 아니라 안내자 겸 통역자로서 미군 부대에 일부 한국군 병사나 경찰관을 배치하는 것이 현명할 것이다. 이들은 먼 거리에서도 누가 적군이고 누가 아군인지를 구별할 수 있다. 대전 전투에서의 경험은 이러한 제안이 가치 있는 것임을 입증하고 있다.

이 도시는 반도의 서쪽 해안에 가까운 평야지대의 논이 많은 지대에 위치하고 있다. 한국군은 험준한 산악지역인 동부 전선을 담당한 반면에 미군은 서쪽을 방어하도록 되어 있었다. 한국군은 아직도 진지를 고수하고 있지만 미군은 대전에서 후퇴할 수밖에 없었다. 결과적으로 대전 이남의 전 지역이 붉은 침략군에게 뚫리고 그들은 전주, 광주, 여수 그리고 순천까지 밀고 내려갔다. 그곳으로부터 그 일부가 하동으로 진격해 왔고, 어제 그들과의 전투에서 채 장군이 전사한 것이다. 상황을 이해하는 사람이라면 누구라도 이와 같은 크나큰 손실에 대해 미군을 비난할 수는 없을 것이다. 그들은 이방인들이고 이 나라와 국민에 대해 파악할 시간이 부족하였다.

대전의 상황에 관한 윌리엄 딘 소장 자신의 서술도 이 대통령의 것과 대동소이했다. 주목할 만한 차이점은, 딘 소장은 미군이 아니라 한국군의 무능함을 강조하였다는 점이다. 두 사람 모두 현장의 극단적인 혼란 상태에 대해서는 의견이 같았다. 딘 소장은 이렇게 서술하였다:

남한 민간인들이 수원에서 남쪽으로 이어진 이 도로로 떼를 지어 몰려 내려왔다. 유감스럽게도 경찰관들과 일부 군인들도 수천 명씩 남쪽으로 몰려가고 있었다. 그들은 적과 맞서 싸우려는 노력을 포기한 것이 분명하였다.…

나는 한국군에게 위치를 지켜 싸우라고 종용했으나 내 노력의 대부분은 후퇴를 주장하는 갖가지 구실 속에 물거품이 되고 말았다. 포병대가 부족했다느니, 적의 탱크를 저지할 방법이 없었다느니, 측면 돌파를 당했다느니 하는 따위의 어떤 타당한 이유는 끝이 없었다.…

나는 또한 지금 부산에 있는 이승만 대통령이 북쪽 대전으로 올라오고 싶어 한다는 충격적인 보고를 받았다. 만약 그렇게 된다면 대통령의 신변이 위험에 노출되고 군사상의 여러 문제를 더욱 어렵게 만들 것이다.…

특수임무 부대의 최초의 몇몇 보고를 통해 적군의 탱크에 관한 직접적인 정보를 입수하였다. 탱크 40대가 도로를 따라 내려와 미군들이 잘 만들었다고 믿고 있던 포좌로 바로 굴러 와서 바로 조준하여 포를 쏘았다고 한다. 미군이 위장술에는 능하지 못하기 때문에 적군이 아군의 포좌를 찾아내었다는 사실은 그리 놀라운 일이 아니었지만, 탱크의 숫자에는 놀라지 않을 수 없었다. 이제까지 나는 한국군이 보고한 탱크의 숫자가 과장되었다고 생각하고 있었는데 이 보고는 믿을 만한 정보였다.…

상황이 워낙 혼란스러워서 아군이 아직도 도시 북서부에 확고한 방어선을 유지하고 있는지조차도 확신할 수 없었다.…[95)]

딘 장군은 공산군에게 사로잡혀 전쟁 기간 동안 포로가 되어 있었다. 그의 후임으로 월튼 워커 중장이 주한 미8군의 사령관이 되었다. 워커 장군은 한국군과 미군 병사를 '혼성 배치' 하는 것이 양쪽 모두에게 도움이 되리라는 이 대통령의 의견에 뜻을 같이 하였다.

7월 말에 워커 장군은 나중에 '2인조 제(Buddy system)' 라고 알려진 제

---

95) 윌리엄 L. 워든 기록, 『딘 장군 이야기』(*General Dean's Story*), 1954, 뉴욕 Viking 출판사, 19-29 페이지.

도를 시행했는데, 이에 의해 한국군 한 사람씩 미군들과 팀을 이루게 되었다. 아마도 애초의 기대는 한국군이 미군을 따라 현대식 무기 사용법과 야전생활의 행동방식을 배우도록 하려는 것이었을 것이다. 실제로는 대부분의 경우에 미군이 한국군을 봉사집단으로 이용하였다. 이를테면, 보급품 운반하기에서부터 요리하기, 막사 청소하기, 매춘부 알선하기, 각종 형태의 유흥거리 제공하기까지가 포함되었다. 이 제도는 그 해가 다가기 전에 소리 없이 사라졌다.

8월 2일, 이 대통령은 내게 유엔군 사령부가 한국군과 미군을 적절히 조정하지 못한다는 것에 대한 자신의 우려를 표명한 다음과 같은 서신을 다시 보내왔다:

임시방편으로 미군 증원부대가 도착할 때까지 며칠만이라도 유엔군이 그들의 소총을 한국 병사들에게 빌려주어 한국군으로 하여금 전선에서 싸우도록 하는 것이 바람직한 일이라 생각되오. 게릴라전이 벌어지면 유엔군은 지상의 장거리포와 공군의 폭격기로 한국군에게 필요한 엄호와 지원사격이 가능할 것이오.…

한국 사람들은 현재 절망적인 상태에 처해 있소. 매일같이 밀려 내려가고 있고, 이제 만약 대구시가 함락된다면 더 이상 갈 곳이 없는 형편이오. 두드러진 공산당의 적대세력으로 알려진 인사들은 지금 대구 아니면 부산에 몰려 있소. 그들은 공산당이 이 두 도시를 함락할 경우 그들에게 무슨 짓을 하게 될지 모두 잘 알고 있소.…

대전이 함락된 불상사에 대해 나 자신 책임을 통감하고 있소. 미군과 한국 육군이 작전지역을 나눠서 맡고 있는 것을 미리 알았더라면 그렇게 하지 않도록 조언했을 것이오. 미군은 한국에 막 도착하여 수적으로도 상대적으로 적은 병력을 가지고, 이 나라와 국민에 대해 아는 것이 아무것도 없고 그들이 사용하는 언어도 알지 못하면서, 압도적인 적군과 맞서도록 전선으로 내몰렸소. 한국군이나 경찰이 안내와 통역의 역할을 하면서 일선에 있었어야 했던 것이오.…

양쪽 군대 간의 협조가 없었기 때문에 한국군은 포병 지원이나 심지어 항공 지원조차 없이 싸워야 했다. 한국 육군으로부터 미 공군으로의 지대공(地對空) 통신이 사실상 불가능하였기 때문이다. 미군은 대전차포(對戰車砲)의 수가 자체 사용하기에도 부족했을 뿐만 아니라 북한 사람과 남한 사람들을 구분하는 능력조차 없어서 고통을 받았다. 이러한 여러 가지 어려움에도 불구하고 7~8월 전투 기간 동안 적의 진격은 저지되었다.

8월 27일, 북한군은 부산 방어선을 무너뜨리고 전쟁을 끝내기 위한 '마지막' 공세를 개시하였다. 최초의 공격은 한국군 제1군단을 상대로 동부 산악지대에서 북한군 제12사단에 의해 감행되었다. 압도적으로 우세하게 무장된 북한군은 동해안의 포항에서 대구로 이어지는 도로를 차단하려고 위협하면서 12마일을 진격해 왔다. 워커 장군은 미군 제27 울프하운드 (Wolfhound) 연대를 한국군 후방 진지에 투입하여 강력한 화력을 지원하도록 하였다.

8월 31일이 되자 전선은 다시 안정되었고 워커는 미군 진지를 한국군에게 넘겨주고 울프하운드 연대를 남서쪽에 위치한 마산으로 이동시켰다. 적군은 미군 제25사단을 부산 30마일 이내에 위치한 이곳까지 밀어붙이고 있었다. 주요 지형의 주인이 13번이나 바뀌는 격렬한 전투에서 워커 장군은 제25사단을 직접 진두지휘하면서 "죽음으로 사수하라(stand or die)"는 명령을 내렸다. 그들은 명령대로 사수했고, 부산 방어선은 팽팽하게 휘어졌을지언정 부러지지는 않았다.

한편 전쟁의 성격을 완전히 바꿔놓을 또 다른 전선이 바야흐로 전개되려 하고 있었다.

맥아더 장군을 가장 높이 추앙하는 어느 전기 작가에 의하면, 맥아더
는 7월 28일 처음으로 한국 전선을 방문하면서 부산까지에 이르는 일련
의 지연작전에 대한 전략뿐만 아니라 서울의 관문인 항구도시 인천에서
적의 후방을 공격하는 육해공군 합동작전도 구상했다고 한다.[96] 그것은
대담한 계획이었다.

인천의 간만(干滿)의 차는 평균 30피트에 달한다. 항구 정면에는 높고
튼튼한 석벽이 있는데 이것은 소총수들이 상륙 병력을 방어하기 쉽게 되
어 있었다. 상륙부대는 일단 상륙한 후에도 공격보다는 수비가 훨씬 용이
한 대도시의 좁은 거리를 통과하면서 싸우며 길을 뚫어야 할 것이다.

맥아더가 7월 23일 합동 참모본부에 이 계획을 제안하고 승인을 요구
하자 거부되고 말았다. 8월 23일에는 합동 참모본부 참모들 전원이 도쿄
에 모였는데, 여기에서 맥아더는 다시 자신의 계획을 주장하였다. 8월 29
일에야 겨우 작전 진행의 승인을 받았다.

계획은 신중하고도 신속하게 진행되어야 했다. 여러 가지 상황으로 보
아 9월 15일이 가장 유리했는데, 맥아더는 이 날짜를 선택하였다. 오전
5시 59분의 만조(滿朝)에 의해 유엔군 전함들이 월미도 방어를 무너뜨릴
수 있을 만큼 가까이 접근할 만한 충분한 수심이 유지될 것이다. 혹 모양
으로 높이 솟은 이 섬은 항구 입구를 방어하기 위해 튼튼하게 요새화되어
있었다. 다음 만조는 일몰 30분 후인 오후 7시 19분이 될 것이며, 이때에
도 공격을 주도하는 해병대가 상륙할 수 있는 2시간 정도의 시간은 가질
수 있을 것이었다.

방어 상태, 조수(潮水), 그리고 현지 사정 등에 관한 가능한 모든 정보
를 수집하기 위해 해군 중위 유진 F. 클라크는 월미도 부근의 작은 섬인
영흥도에 상륙하였다. 9월 1일부터 9월 14일까지 그 섬의 어촌 주민들이

---

96) 휘트니의 『맥아더』(MacArthur), 342 페이지

클라크를 숨겨주었으며 그동안 주민들이 배를 타고 나가 그가 요구한 정보를 수집해 주었다. 9월 13일, 클라크는 망원경을 통해 공산군 초소에서 자신이 숨어있는 영흥도에 특별한 관심을 보이고 있는 것을 관찰하고 신속히 도피해야 한다는 것을 깨달았다.

그는 그날 밤 그 섬을 떠나 본대로 돌아갔다. 다음날 공산군 정찰대가 섬에 상륙하여 클라크의 흔적으로 의심되는 확실한 증거가 발견되자 공산군은 클라크를 도와주었다는 죄를 물어 이장과 그의 딸을 포함하여 50명의 섬 주민들을 사살하였다. 전쟁이 치른 대가의 한 부분이었다.[97]

9월 15일, 계획된 대로 육해공군 합동 상륙작전이 이루어졌다. 그것은 압도적인 대성공이었다. 이 작전으로 9월 28일 신속한 서울 수복의 길이 열렸다.

그 다음에 불거진 것은 한국 전쟁의 궁극적 목표에 관한 이 대통령과 트루먼 대통령 사이의 의견 차이가 이루어낸 최초의 이상스런 결실이었다. 놀랍게도 맥아더 장군은 서울을 다시 수도로 하고자 하는 자신의 계획에 대해 합동참모본부로부터 "반드시 상부의 승인을 받아야 한다."는 메시지를 받았다.

맥아더는 즉시 다음과 같은 반박 전문을 보냈다:

귀하의 메시지는 이해할 수 없다. 본관은 6월 25일과 27일의 유엔 안전보장이사회의 결의를 … 신중히 시행하는 것 이외에는 어떠한 계획도 없다.… 현 정부의 기능이 중단된 적이 한 번도 없다는 사실에 비추어 현지 조건이 합당한 안전 상태를 허용할 만큼 충분히 안정되면 즉각 수도를 서울로 복귀해야 할 것이다. 이것은 물론 정부의 재수립

---

97) 클라크 중위의 임무에 대해 가장 잘 설명된 책은 월터 캐리그 대위의 『전투 보고: 한국 전쟁』(*Batter Report: The War in Korea*), 1952, 뉴욕: Reinhart 출판사, 16-18장, 176-219 페이지.

이나 정부의 어떠한 변동과도 무관한 것이며, 현 정부를 헌법에 정해진 위치로 복원하는 것일 뿐이다. 그리하여 시민활동의 재개를 용이하게 하고 적의 통치로부터 해방된 지역의 법과 질서의 신속하고도 효과적인 복구를 촉진시키게 될 것이다. 이러한 조치는 미국 대사와 그 밖의 모든 관련자들이 크게 원하는 것일 뿐만 아니라 본관의 지침 속에도 함축되어 있는 것이다.[98]

그 후 워싱턴에서는 더 이상 이의를 제기하지 않았다. 이승만과 그의 고위 관리들은 서울 수복 바로 다음날인 9월 29일에 서울로 복귀하였다. 이 대통령은 맥아더를 이렇게 칭송하며 맞이했다: "놀라운 군 복무의 오랜 생애 속에서 장군이 이룩한 위대한 모든 업적 가운데 한국에서 유엔군을 이끈 리더십을 가장 훌륭한 업적으로 역사는 기록하리라 믿습니다."

남한 전체의 공산군 진영은 더 이상 버틸 수 없게 되었다. 워커 장군은 부산 방어선을 따라 전면적인 진공을 시작하였고, 붉은 침략자들은 얼마 지나지 않아 완전히 지리멸렬한 상태가 되어 38선 너머로 패주하였다.

북위 38도선 이남의 고통스러운 투쟁에서 결국 용기가 혼돈을 이겨내었다. 이제 가장 중대한 결정을 내릴 상황이 워싱턴과 뉴욕으로 다시 옮겨갔다. 워싱턴과 서울 사이의 정책 차이는 위기의 정점으로 치달았다. 짧은 기간이나마 이승만에게는 기뻐할 만한 이유가 있었다.

---

98) 휘트니의 『맥아더』(*MacArthur*), 365 페이지.」

제**14**장

압록강까지 그리고 다시 후퇴(1950년 가을)

서울 탈환에 뒤이은 북한 침략군의 빠른 붕괴로 미국과 유엔은 전쟁에 대한 목표를 신중히 수정하게 되었다. 북한군 전력이 심각한 타격을 입었다는 것이 명확해진 9월 27일, 트루먼 대통령은 맥아더 장군에게 보내는 합동 참모본부의 '북한군 섬멸'을 승인한 메시지를 재가하였다. 이런 목적을 달성하기 위해 맥아더에게 38선 북쪽에서의 군사 작전 수행이 허용되었다. "다만 그러한 작전 수행시에 소련군이나 중공군의 대규모 북한 진주나 진주할 의사 발표가 없고, 북한에서 군사적으로 아군의 작전에 대응하겠다는 소련이나 중국 공산당의 위협이 없을 경우여야 한다는 것이 전제조건이었다."99)

전쟁 목적에 대한 이러한 신중한 확대에 앞서서 많은 정치적 공작이 오갔다. 침략자들이 38선을 넘어 남진하던 당시 전력의 약 70%를 상실하였다는 사실에 비추어,100) 공산진영 수뇌부는 전략을 재평가하고 있었다. 유엔 주재 소련 대사 말리크(Joseph Malik)는 이미 8월 4일에 한국의 '내전'은 모든 외국 군대가 철수함으로써 종료되어야 한다는 결의안을 유엔총회에 제출하였다. 미국 유엔 수석대표 워렌 오스틴(Warren Austin)은

---

99) 트루먼의 『회고록』(*Memoirs*), 제2권, 360페이지.
100) 레키(Leckie)의 『물리적 충돌』(*Conflict*), 146페이지.

"총회는 한반도 전역에서 공정하고도 자유로운 선거가 실시되어야 한다고 결정한 바 있습니다."라고 천명하였다.

9월 29일, 이 대통령이 새로이 자유를 찾은 서울에서 맥아더 장군을 만났을 때 그의 가슴 속에는 단 한 가지의 주제만 가지고 있었다. 당장 38선 너머로 진격을 개시해야 한다는 것이었다. 그는 장군에게 이렇게 말했다: "지금 당장 북진을 해야 합니다. 공산군이 전열을 가다듬을 시간이 없으니 저항은 미미할 것이오." 맥아더 장군은 국제연합이 38선 월경을 승인하지 않았다는 것을 내세워 이에 반대하였다.

이 대통령은 그에게 말했다: "장군은 유엔이 이 문제에 대한 결정을 내릴 때까지 기다려도 좋소. 하지만 한국군의 북진은 아무도 말릴 수 없습니다. 이곳은 그들, 한국인의 나라입니다. 한국군에 공중 지원만 제공하신다면 우리는 해낼 수 있소."

바로 다음 날인 9월 30일에 워렌 오스틴은 유엔에서 그간의 미국 입장을 재차 밝혔다: "침략군이 가상(假像)의 경계선 뒤에 숨어 있는 것을 허용해서는 안 될 것입니다." 맥아더도 이 말에 동의하였고 한국군은 별 반대를 받지 않고 북진을 개시하였다.

이런 저런 반대 의견들이 난무했다. 9월 25일, 중공군 합참 총장 서리 녜룽전(聶榮臻) 장군은 베이징 주재 인도 대사 K.M. 파니카에게 중공은 미군이 북한과 만주의 국경인 압록강까지 진출하는 것을 용인하지 않을 것이라고 말했다. 저우언라이(周恩来)는 10월 1일 한 연설에서 중국은 "제국주의자들이 이웃 국가의 영토를 침략하는 것을 좌시하지 않을 것"이라고 경고하였다.

맥아더는 같은 날 북한을 겨냥하여 방송을 통해 이렇게 맞받았다: "당신네들의 군대와 전쟁 수행 능력의 완전궤멸은 이젠 시간문제다."

저우언라이는 파니카 대사를 심야회의에 불러내어 미군이 북한을 침공

한다면 중공은 전쟁을 개시할 것이라고 대사에게 맥아더의 발언에 응수하였다.

유엔은 한국의 통일과 '주권국가 한국에 통일된 자주 민주 정부를 확립할 것'을 요구하는 결의안을 10월 4일 총회 제1위원회에서, 10월 7일 총회에서 채택함으로써 이런 경고에 대담하게 반응을 보였다.

10월 9일, 트루먼 대통령은 미국 정책을 재정립하고 맥아더 장군에게 다음과 같은 지침을 보냄으로써 이 결의를 실행하였다:

> 향후 사전 발표 없이 한국의 어느 곳에서든 공개적으로든 은밀하게든 대규모 중공군 부대의 개입이 있는 경우 귀관의 판단에 의해 귀관 휘하의 부대가 상당한 승리의 기회가 있는 한 작전을 지속해야 한다. 중국 영토 내의 목표물에 대한 군사작전을 수행할 때엔 어떠한 경우에도 사전에 워싱턴의 승인을 받아야 한다.[101]

유엔 한국통일부흥위원단(UNCURK)은 적군의 점령이라는 긴장감 속에서 대한민국이 민주국가로서 얼마나 잘 대처하였는지에 대한 매우 호의적인 보고서를 총회에 제출하였다:

> 대한민국은 전쟁의 압박감을 놀랄만큼 훌륭히 견뎌냈다. 온갖 난관과 혼란 그리고 위험에도 불구하고 정부 기구는 해체되지 않았다. 각 지역이 수복됨에 따라… 민정(民政)이… 신속히 복구되었다. … 국회는 여전히 미숙하고 때로는 책임감이 부족하기는 하지만 적극적인 활동을 유지하였다.[102]

---

101) 트루먼의 『회고록』, 제2권 362 페이지. 북한 수복에 호의적인 유엔 결정과 중국과 소련의 대응에 관련된 외교적 공방에 대한 트루먼의 설명에 대해서는 같은 책 349-370 페이지 참조.
102) 『UNCURK Report, 1950-51』, 제6차 유엔총회 부록 제12권 20 페이지.

10월 11일, 이 대통령은 한국의 정치적 상황에 관한 장문의 서한을 내게 보내왔다. 한국 정치에 대한 그의 견해와 함께 본질적으로 전쟁에서 승리하였고, 이제 관심을 국가 통치문제로 돌리겠다는 대통령의 의지를 보여준다는 면에서 흥미로운 서한이었다. 정치적 원칙을 재천명한 이 편지는 조국에 대한 그의 신념을 보여주는 증거의 일면이다. 서한 전문은 아래와 같다:

내가 지난 5월 30일 총선에서 패배했다는 말은 사실이 아니오. 그러나 그 말을 그럴듯하게 만든 정치적으로 관련된 일은 있었소. 두 국회 부의장 중 한 사람인 내무부장관을 지낸 윤치영 씨가 모든 국민이 따라야 할 민주주의 지도 원칙으로 내가 선언했던 '일민(一民)'의 원칙을 기반으로 국민당이라는 작은 규모의 정당을 조직하였소. '일민주의(一民主義)'라고 알려진 이 원칙은 하나의 기준, 즉 양반이건 상민(常民)이건, 부자건 가난하건, 남자건 여자건, 남쪽 출신이건 북쪽 출신이건을 불문하는 국민의 평등을 의미하는 것이오. 한국의 민주주의는 반드시 이 원칙을 바탕으로 해야 하고 남녀노소를 불문한 모든 국민이 이를 지지할 정도로 충분히 민주적이어야 할 것이라고 나는 생각하오.

내가 이 원칙을 천명한 후에 많은 정치인들이 이를 바탕으로 정당을 조직하고자 해 왔소. 내가 그러한 움직임을 지원하는 것을 거부한 이유는, 내 생각에 정당의 이념을 지지하는 사람들 모두가 일민주의 자체보다 정치에 더 관심이 많은 것 같고, 여러 정당의 조직으로 국민적 통합이 위험에 처할 수 있다는 점을 두려워했기 때문이오. 이런 내 생각은 여러 차례 공개적으로 발표되었고 국민들은 내 견해에 묵시적으로 동의해 왔소.

그러나 윤치영은 국민의 지지 세력도 없이 5~60명에 이르는 국회의원으로 구성된 창당 작업을 조용히 계속하였소. 5월 30일의 제2대

총선에서 윤치영은 패배하였고, 이로 인해 사람들은 "대통령 정당의 대표"인 윤치영이 패배하였기 때문에 대통령 자신이 패배한 것이라는 인상을 받게 되었소. 실제로 국민들은 내가 윤치영이나 그 사람의 정당과는 아무런 관계가 없다는 것을 알고 있소.

이번 총선에는 정당에 가입한 사람들보다 무소속으로 출마한 후보들이 더 많이 당선된 것이 사실이오. 이것 또한 정당 관계가 없는 의원들은 정부를 지지하지 않을 것이고, 따라서 내가 국회의 지지를 잃게 되었다는 잘못된 인상을 주게 되었던 것이오. 그런 생각은 잘못된 것이오. 사실은 정반대로 나는 지지를 받고 있소.

내가 정당정치를 선호하지 않는다는 것은 잘 알려진 사실이오. 나는 언제나 한국에서의 정당정치는 시기상조라고 말해 왔소. 나는 국민들에게 한국의 정당제도가 너무 일찍 시작되고 있음을 말하고 있소. 바로 이러한 이유 때문이오. 미국 해방군이 한국에 진주했을 때 미국 언론은 하룻밤 사이에 우후죽순처럼 40개, 60개의 정당이 한국에 생긴다는 보도로 채워졌었소. 이러한 이야기는 점점 과장되어 언론에 보도된 정당의 수가 최대 400개에 이른다는 정도까지 확대되었소. 나는 이러한 터무니없는 중상모략 운동을 중지시키기로 결심하고 실제로 이를 중단시켰소.

서서히 두 주요 정당, 한독당과 한민당이 모습을 드러내기 시작하였소. 두 당 모두 내가 그들의 당원이라고 주장하였으나 나는 이를 부정하였소. 국가를 위한 범국민적인 운동에서 초당적인 협조를 얻기 위해 나는 두 정당으로부터 처음에는 '민통(民統)'이라는 단체에, 나중에는 대한국민회(the Korean National Association)에 공평하게 선발된 몇몇 간부를 임명하였소. 이 두 단체의 유일한 목적은 전체 한국 국민의 통합이었소.

결과는 다소 실망스러웠소. 그 이유는 주로 내가 내리는 모든 조치

에 정당 간의 경쟁심이 반영되었기 때문이오. 각 정당은 두 단체에서
자기 세력을 구축하려고 애썼으며, 이로 인해 우리의 국익을 위한 운
동에 영향을 주었고, 종내에는 단체 자체가 분열되고 그 유지가 불가
능해졌소. 이로 인해 최소한 정당이란 원칙적으로 정당의 이익보다 국
익을 중시해야 한다는 정당 제도에 대해 한국 사람들이 아직 준비가
되어 있지 않다는 증거라는 사실을 나는 확신하게 되었소.

　국민이 정당과 봉건시대의 당파를 구별할 만큼 충분히 교육을 받기
까지는 국가가 서구식 정당 방식을 도입하는 것은 위험하다는 나의 소
신을 나는 지금까지 여러 차례 공개적으로 표명하였소. 나는 국민들이
점진적으로 이에 대한 준비를 갖추도록 교육작업을 진행하고 있는 중
이오. 한국의 모든 사람은 이러한 측면에서의 나의 태도에 대해 알고
있소. 결과적으로 현존하는 가장 강력한 정당인 한민당이 더 이상 나
를 지지하지 않소. 나의 태도가 자기네 정당을 점진적으로 약화시켜
왔다는 것이오.

　이것이 지난 총선에서 무소속 후보자들이 더 많이 뽑힌 주된 이유인
것이오. 다수의 당선자들은 여전히 정당원의 신분을 유지한 채 무소속
으로 등록하였소. 그들이 그렇게 한 것은 유권자들이 일반적으로 정당
인에게 투표하기를 꺼리기 때문이오.

　유엔군이 드넓은 38선 이북 지역을 점령하기 위해 진군해 들어가면서
북한을 어떻게 다루어야 할지에 대한 보다 급박한 문제에 휩쓸려 남한의
내부 정치 상황은 급속히 부차적인 문제가 되어버렸다. 북한의 점령지역
을 누가 어떻게 다스려야 할 것인지에 대한 의문이었다.

　군사 작전에 집중하면서도 결코 개인적 야망도 적지 않았던 맥아더 장
군은 자기들의 명령을 수행하도록 하기 위해 기존의 공산당 정치 구조를
유지한 채로 휘하의 유엔군 장교들이 수복 지구를 통치하는 것을 그야말

로 당연한 일로 생각하였다.

그의 그런 생각의 근거는 명확하였다. 첫째, 점령지를 엄격한 군사 통제 아래 유지함으로써만이 주민이 자기 부대의 이동에 결코 방해가 되지 않는다는 것을 보장할 수 있었다. 그리고 둘째로 그는 점령지 정부를 대한민국에 넘길 명확한 권한이 없다고 생각하였다. 적어도 유엔이나 워싱턴의 상부에서 그러한 권한을 자신에게 부여할 때까지는 말이다.

맥아더는 트루먼 대통령이 우려하는 일이지만 자신을 소련식의 정치위원쯤으로는 여기지 않았다. 그는 군사적 임무를 띤 한 사람의 군사령관이었다. 한국에서 작전을 최초로 시작한 이후로 맥아더는 그러한 역할에서 벗어나지 않으려고 조심하고 있었다. 그가 이루려고 노력한 것은 그의 손에 책임이 주어진 전쟁 혹은 '경찰 활동'을 승리로 이끄는 것이었다. 수복지역의 정치적 처분은 반드시 유엔과 미국에 의해 결정되어야 하고 자기는 그 대리인에 지나지 않는다고 그는 언제나 생각하였다.

이승만도 그에 못지않게 자신의 믿음이 확고하였다. 한국은 오랜 역사와 주권을 가진 독립국이고, 그 운명은 한국 국민의 정부에 의해 결정되어야 한다는 것이었다. 그는 유엔군이 한국의 필요에 봉사하기 위해 한국에 진입한 것이 아니라는 것을 충분히 그리고 분명히 인식하고 있었다. 한국에서의 '경찰 작전'은 세계의 안정과 자유국가들의 안전을 위하여 공산제국주의를 봉쇄하고자 하는 직접적인 목표가 있었다. 다행히 잠시나마 북한의 침략을 격파하고 격퇴시켜야 한다는 정도까지는 한국과 유엔의 목적이 일치하였다. 정말로 다행인 것은 이러한 목적의 공통성이 인천 상륙작전의 압도적인 성공에 의해 연장되었고, 그럼으로써 당분간은 한국의 국가주의자들과 국제연합의 국제주의자들의 공동 목표는 하나로 통일되었다. 그것은 공산당의 북한 점령을 종식시키고 1947년 9월의 원래의 목적, 즉 유엔 감시 아래 한국 전역에 걸쳐서 자유선거를 "실시"한다는 것이었다.

그러나 이러한 공통적 목적의 핵심 내용에서조차도 위험한 불협화음이 존재하였다. 이승만의 판단에 의하면, 1948년 5월 10일의 선거는 북한에서 선거가 가능하게 될 때 실시될 선거에서 채워질 100개의 의석을 국회에 공석으로 남겨둔 상태로 한국 전역에 대한 주권을 갖는 한국 정부를 세웠다는 것이다. 이런 결론으로 보아 이승만은 자기 판단의 적절성이든 합법성에 대해서는 일말의 의문도 없었다. 트루먼 대통령과 그의 주요 동맹국 특히 영국의 클레멘트 애틀리 수상과 인도의 자와할랄 네루 수상은 견해가 달랐다. 공산 제국주의의 "봉쇄"는 탁월한 목표이지만 38선 이북의 지역에 대해서는 유엔이 결정을 내리지 않는 한, 혹은 유엔이 결정을 내릴 때까지는 대한민국 정부가 어떠한 '주권'도 가질 수 없다는 것이었다.

이러한 견해 차이는 북한의 많은 부분이 진격하는 유엔군의 통제 하에 들어옴에 따라서 절대적으로 중요한 문제가 되었다. 가장 중요한 것은 시간이었다. 어떤 정부 형태를 채택하건 아주 신속한 결정이 내려져야 했고, 사태가 너무 급격하게 진행되었기 때문에 정책 협의나 결정을 위한 시간이 극단적으로 제한되었다. 이 문제는 모든 직접 관련 당사자들, 즉 이 대통령, 트루먼 대통령 그리고 맥아더 장군에게도 오해를 살 여지가 없었다. 그리고 트루먼 대통령의 권한을 무시하고 정치적 정책의 결정을 기도하였다는 맥아더 장군에 대한 수많은 비판에도 불구하고, 맥아더는 전적으로 트루먼의 지시에 따라 행동하고 있었다는 것이 진실이다.

이 대통령은 한국의 주권에 대한 자신의 신념이 통하려면 반드시 신속하고 확고한 행동을 취해야 한다는 것을 알고 있었다. 이미 그는 북한 각 도의 도지사를 지명하였고, 진격하는 부대를 뒤따라 들어가 민간 통치를 시작할 수 있도록 인원 배치와 지침을 진행시키고 있었다. 그러나 실제

일어난 일은 각 도가 잇달아 '해방'되어 감에 따라서 맥아더 또한 이를 관리하기 위한 군정관을 임명하고 있었다. 한·미 동맹관계는 피할 수 없는 정책 불일치가 두드러지면서 틈새가 벌어지고 있었다.

이 대통령은 10월 15일 이러한 어려운 상태에 정면으로 맞섰다. 그는 도쿄의 맥아더 장군에게 다음과 같은 전문을 보내 한국 전역을 대한민국 정부의 관할로 간주해 줄 것을 요구하였다. 그 전문은 '외부에 유출하거나, 문서철에 보관하거나, 공개하지 말 것'이라는 자필 메모와 함께 나에게 그 사본을 보내왔는데, 이제 역사가들의 검토를 위해 공개하고자 한다. 나는 전문(電文) 사본을 파기하지 않았으며, 이제는 공개하는 데 적합한 시기가 된 것으로 보인다. 그 전문은 다음과 같다:

새로운 유엔 위원회 결의는 받아들일 수 없습니다.[103]

한국 국민은 유엔 한국 위원단의 감시와 지시 아래에서 스스로의 자유로운 의사에 따라 선거를 실시하고 정부를 수립할 수 있는 양도 불가능한 권리의 유지를 요구하는 바입니다. 어느 국가나 심지어 유엔이라도 외부 세력에 의해 국민에게 강요된 기존 공산주의 조직과 협력하여 내정에 간섭하는 것은 결코 허용할 수 없습니다.

유엔군과 한국군의 귀중한 피의 대가로서 공산당을 격퇴한 지금 북한의 공산주의를 보호하고 부활시키고자 하는 새로운 위원회의 제안은 일고의 가치도 없는 일입니다.

한국 정부는 평화와 질서회복을 위해 2년 전에 임명한 도지사를 적대 행위가 종식되는 곳이면 어디든지 파견하여 민정을 인수할 것입니다. 선거를 실시할 수 있는 상황이 준비되면 북한의 모든 국민에게 평등하게 남한 국민들이 향유하는 것과 동일한 권리와 권한을 제공하고

---

103) 유엔 임시위원회는 대한민국의 권한이 오로지 남한에 한정된다는 것을 표결로 결정하였다.

그들 자신의 도지사를 선출하는 것이 허용될 것입니다. 새로운 유엔위
원회의 바람을 존중하여 본인은 적절한 시기에 사임할 것이나 먼저 이
전쟁의 유일한 목적인 공산당 문제를 해결하지 않으면 안 됩니다. 또
한 남북한 국민의 뜻이 소련이나 그 밖의 외부 강대국의 영향을 받지
않고 반드시 이루어져야 합니다.

맥아더 장군은 이 메시지와 거기에 제시된 문제의 중차대함을 충분히
인식하였다. 그는 이 대통령에게 다음과 같이 회신을 보냈다:

각하의 메시지를 본관의 심정적 지지와 함께 워싱턴에 전달할 것입
니다. 본관은 이 문제를 무초 대사와 함께 논의하였으며, 대사는 귀임
하는 즉시 각하에게 본관의 견해를 전달할 것이며 각하께서는 대사의
조언을 경청하실 것을 강력히 권고하는 바입니다. 또한 본관은 이 문
제가 워싱턴에서 상황 검토를 거치는 동안 각하께서는 지나치게 우려
하지 마시고 이 사안에 대한 공개적 논의를 피할 것을 촉구하는 바입
니다.

이승만과 워싱턴 사이의 협의 과정은 극히 불충분하였다. 트루먼 대통
령은 결코 이승만을 "독립되고 대등한" 국가수반의 지위를 인정하지 않
았고, 맥아더와 국제연합과만 상대하였으며, 이 대통령에게는 진행 중인
상황과 계획되고 있는 내용의 부분적이고 부수적인 정보만을 제공하였
다. 또다시 1947년의 어려웠던 시절처럼 국제정치라는 체스 판에서 주요
선수 중 한 사람의 눈이 가려지고 흔히 무시되는 상황에서 게임이 벌어지
고 있었다.

10월 19일, 이 대통령은 장면 대사에게 불편한 심기를 나타낸 서한을
내게 보내는 사본과 함께 보내왔다. 서한은 이 대통령의 입장에서 미 군
부가 수복된 이북 5도를 관리할 계획을 세우고 있다는 강력한 우려를 표

시한 것이었다. 이 편지에는 북한의 통치 절차에 관해 이 대통령이 맥아
더 장군과 긴밀한 연락이 되지 않고 있다는 것이 분명히 나타나 있다. 옳
든 그르든 이 대통령은 맥아더가 북한에서 일본에서 이루어지고 있는 것
과 아주 유사한 형태로 자신이 "점령지 총독"이 되려 한다고 생각했다.
이 대통령은 아래 서한이 전해주는 바와 같이 무초 대사와 한바탕 파란을
겪었다:

　　나는 어제 무초 대사에게 대단히 많은 전직 미군정 장교들이 민정을
　　인수하기 위해 북한으로 갈 목적으로 다시 돌아오고 있다고 말했소.
　　대사는 신문 보도 내용을 믿지 말라고 하면서 그것은 사실이 아니라고
　　대답했소. 나는 언젠가 그것이 단지 신문보도뿐만이 아님을 입증할 수
　　있는 무엇인가를 대사에게 보여주겠다고 맞받았소. 나는 한국인들에
　　게 다시 군정을 강요하는 것은 실수가 될 것이라는 점을 본국 정부에
　　보고하도록 그에게 조언을 했소. 무초 대사는 매우 냉철한 사람이었
　　소. 자리를 떠나기 전에 대사는 맥아더 장군이 내가 이북 5도의 도지
　　사를 지명해 주기를 바라고 있고 장군이 내가 선택한 사람들을 임명하
　　게 될 것이라는 것이었소.

　　맥아더는 공공연히 유엔을 거스르기를 원하지 않으며, 그런 식으로
　　문제를 해결하는 것이 바람직해 보이기도 하오. 이것은 법령의 규정에
　　따라 군 당국이 임명권을 행사하려고 하는 또 하나의 증거가 될 것이
　　오. 무초 대사는 38선을 돌파하기 전에 내려진 수많은 명령들은 현시
　　점에서는 부적합하며 효력이 없을 것으로 생각된다고 말했소. 의심할
　　여지없이 대사는 상황에 관해 알고 있지만 아무런 조치도 취할 수 없
　　는 형편인 것 같소. 한국 국민들이 명령을 받고 이를 그대로 수행한다
　　는 것은 잘못된 일이고 또 그렇게 돌아가지도 않을 것임을 그는 알고
　　있소.

　이 편지에 첨부된 개인 메모는 그의 오랜 친구인 존 스태거스와 관련하여 내가 겪은 문제가 내 자신의 경험에만 국한된 것이 아님을 보여준다. 편지는 다음과 같이 계속된다. :

　　스태거스 씨가 지금 하고 있거나 과거 한국에서 한 발언에 관해 그와 조용히 만나 대화를 나눠 보았으면 좋겠소. 우리 비서들로부터 보고를 받았지만, 나는 그것을 믿지 않았소. 그는 사람들에게 대한민국 정부에게 사무실을 무상으로 임대해 주고 있고, 과거 이 박사가 워싱턴에 있을 때에도 그렇게 해주었다고 말했소.

　　신문에 보도된 것처럼, 그는 또한 나에게 재정지원을 제공하였다는 이야기도 비쳤다는 것이오. 내 개인적 필요에 의해 친구들로부터 돈을 차용하지 않는다는 것이 언제나 나의 자부심이었소. 나는 존 스태거스(John Staggers)든 그 누구든 한 푼도 요구해 본 적이 없소. 내 신조에 어긋나기 때문이오. 스태거스는 한 번도 내 수입 문제를 다룬 적이 없소.

　이 진술은 이 대통령을 "부패하고 부유한" 사람이라고 지금까지도 끊임없이 묘사하고 있는 사람들의 이해를 돕기 위해 기록하는 바이다. 내가 이 대통령과 친밀한 관계를 맺은 23년의 세월 동안 그가 부유한 사람이 아니라는 것을 알게 되었고, 그가 개인적으로 부패한 사람이 아니었음을 확신하였다. 이런 비난은 지금도 지속되고 있다.

　1975년 샘 레이번(Sam Rayburn)의 전기에도 분명히 보여주고 있듯이, 앨번 바클리(Alben Barkley) 부통령이 워싱턴의 어느 칵테일파티 석상에서 이 대통령은 자기 조국을 위한 ECA 원조조차도 '5%의 개인 커미션'을 챙기지 않으면 승인하지 않았다고 말한 것으로 전해진다. 바클리가 한 말이 잘못 인용된 것이 아니라면, 그가 잘못 알고 있었던 것이다.

　정작 이 대통령이 주장한 것은 대한민국 정부가 자체 판단에 의해 군사

장비 구입을 위해 ECA "대충자금(對充資金: counterpart funds)"의 적어도 5%를 사용하도록 허용되어야 한다는 것이었다. 수에즈 운하 동쪽에 위치한 모든 정부를 언급할 때 "물론 그들은 모두 부패되어 있다"라는 것이 상투적 표현이 되었다. 그러나 사실은 수에즈 운하 서쪽에 위치한 정부들에도 그대로 정확히 적용될 수 있는 표현이다. 그러나 불행히도 귀에 못이 박히도록 되풀이해서 듣게 되면 대부분 그것을 사실로 알게 되는 경우가 많다.

북한 지역의 행정 관리의 논쟁에 관한 10월 19일자 편지에는 이러한 구절도 들어 있다: "우리는 그 일을 하고 있는 자가 대통령도, 맥아더 장군도 아니라 누군가가 문제를 유엔에 상정하여 일을 망치려 하고 있다는 사실을 항상 말해야 하오. 그러나 그것이 국무부라는 것을 우리는 알고 있소."

같은 10월 19일자의 또 다른 서한에서도 이 대통령은 동일한 주제를 다루었다: "소련에 대한 애치슨의 태도는 어느 정도 알려져 있으며 조만간 소련에 대해 유화정책이 아닌 정책을 제시하는 사람에 의해 교체되기를 희망하였소. 그러나 마셜이 임명되어 이 희망은 사라지고 말았소. 그의 눈에는 온통 중공의 농지 재분배론자들만 보이고, 그가 장제스(蔣介石)에게 국공(國共) 연립정부를 협조하여 구성하도록 강요하려고 했기 때문이오. 우리는 이들 두 부서[국무부와 국방부]에 변화의 징후가 나타나기를 살피고 기다려 왔소."

이 두 번째 10월 19일자 ("극비 – 보관하지 말 것"이라고 표시된) 편지에서 이 대통령은 한국군의 원산, 영흥, 함흥 그리고 철원의 재탈환 성공에 대해 언급하면서 이렇게 덧붙였다: "우리는 오늘 평양에 입성할 것이오." 그러고는 북한을 누가 어떻게 통치해야 할지에 대한 불확실하고 복잡한 정치적 상황에 대한 분석을 1,200단어로 정리하였다.

같은 문제로 맥아더도 골머리를 앓고 있었다. 북한의 수복과 통합 한국정부의 수립을 정당화해 줄 유엔 결의안은 그 방법과 시기에 대해서는 의도적으로 모호한 상태로 남겨져 있었다. 이제 유엔군과 한국군이 전체 북한 지역을 탈환해가고 있었으므로 유엔은 소련과 중공을 진정시킬 수 있기를 바라는 뜻에서 북한의 처리에 관한 돌발적인 결정을 조심스레 피하고 있었다. 그 결과 정책의 공백상태를 가져왔다.

맥아더는 북한 5도에 군정을 실시함으로써 그 공백을 메우고자 하였고, 이승만은 대한민국의 관할권을 남북한 전체에 신속히 확장함으로써 이런 상태를 피하고자 했다. 트루먼 대통령은 맥아더와의 웨이크 섬 회담을 마치고 귀환하여 미국의 의도는 한국에 "평화와 독립을 확립하고" 물러나는 것이라고 전 세계에 확언하였다. 그러나 북한 점령의 여파와 함께 북한을 어떻게 처리해야 할지에 대한 문제는 여전히 남았다. 맥아더는 워커 장군에게 자신의 대응을 이렇게 표명하였다:

　　군사적 승리를 얻기 위해 지불된 희생은 만약 그것이 신속하게 평화라는 정치적 이점으로 전환되지 않는다면 무의미할 것이오.… 그러나 나는 전쟁을 종식시키고 결정적으로 태평양에 보다 영속적인 평화를 가져올 수 있는 눈부신 가능성을 확보하는 데 있어서 엄청난 정치적 실패에 직면할 수 있다는 두려움이 느껴지기 시작하고 있소.

이 대통령도 맥아더만큼이나 불안했으나, 그는 유엔에 의해 이미 한반도 "유일한 자주적인 정부"라고 인정된 주권국가의 수반으로서 북한에 대한 통치권을 담당할 책임과 재량권을 갖고 있다고 생각했다. 그러나 명백한 것은, 그가 북한의 수복에 있어서 미국과 유엔의 역할에 의해 제약을 받고 있었고 그럴 수밖에 없었다는 점이다. 그의 10월 19일자 두 번째

편지에는 이렇게 쓰고 있다:

한국 국민의 심정으로는 우리 정부가 해방된 지역을 인수하는 것이 너무나 당연한 일이오. 우리는 오래 전에 이북 5도 도지사를 임명하였소. 그들은 민정을 수립하여 업무를 수행할 것이오. 현지 주민들은 나중에 도지사를 선출하게 될 것이오. 이에 관한 법률이 현재 국회에 회부되어 있소.

대한민국은 이미 토지와 화폐에 관한 처리 방법을 계획해 두었소. 대부분의 돈을 가지고 있는 것은 공산당과 그 협력분자들이기 때문에 화폐교환은 필요하지 않소. 남한 사람들 중에는 공산당이 발행한 돈을 가진 사람이 거의 없소. 그들은 공산당이 아니면 누구에게도 돈을 지불하지 않았기 때문이오. 이것은 돈이 모두 공산주의자의 수중에만 있음을 의미하는 것이오. 최근 막판에 그들은 막대한 금액의 화폐를 시중에 유통시켰소. 이 때문에 최저 환율로도 돈을 교환하는 것은 불가능할 것이오.

토지에 대해서는 소유권을 입증할 수 있는 사람은 누구나 자기 토지를 가질 수 있을 것이오. 소련이 토지개혁에서도 땅을 무상으로 나눠주지는 않았기 때문이오. 일본인이 소유했던 토지는 농부들에게 주어서 수확물의 일부를 정부에 공출함으로써 토지의 대가를 치렀소. 대한민국 정부는 이 토지를 토지개혁법에 따라 처리할 것이오. 이러한 정책과 다른 많은 정책들이 발표되었고, 북한 주민들은 각 도의 지방정부가 세워지기를 열렬히 기대하고 있소.

우리는 유엔 총회의 10월 7일자 결의안이 채택되고 나서 4일 후에야 그것을 받았소. 나는 즉시 무초 대사를 불러서 이에 대한 해명을 요구하고 4개의 단어를 바꿔야 한다고 말했소. 무초는 그러한 취지의 전문을 보내는 것은 필요하지 않다고 주장하였소. 결의안의 내용이 유엔이 대한민국의 참여 없이 선거를 실시한다는 것을 의미하지 않기 때

문에 걱정할 일이 아니라는 것이었소. 나는 꼭 전문을 보내야겠다고
고집했소. 그러나 전문은 그날부터 6일 후에야 워싱턴에 도달했었소.
나는 또한 결의안 중의 문제 부분이 나중에 곤란한 문제를 야기 시키
지 않도록 명확히 하기 위해 한국에 있는 유엔 위원단 위원들을 불러
들였고 유엔 한국통일부흥위원단(UNCURK) 사무국장 카친 대령에게
서한을 보냈소.

유엔의 새로운 임시위원회가 소집되었을 때, 위원회의 발표에 의하
면, 대한민국은 남반부로 국한되고 유엔이 북반부에서 선거를 실시할
것이라고 하였소. 내가 알기로, 이것은 트루먼 대통령과 맥아더 장군
이 원하는 바가 아니라 타협안으로 제시된 것이오. … 임시위원회는 북
한의 모든 조직을 존속시키려는 것이오. 누구나 알고 있는 바와 같이,
사실상 북한에는 한 가지 조직이 있을 뿐이며 그것은 공산당에 의해
통제되고 있다는 것이오.

인도의 중재가 받아들여지고, 세계대전을 피하기 위해 우리가 소련
과 타협해야 하며, 만약 그렇지 않을 경우에는 소련은 모든 힘을 다해
남쪽으로 쳐내려올 것이라는 등의 의견을 트루먼 대통령이 수용했다
는 것은 아주 명확하오. 소련은 위성국들 앞에서 체면을 세우기 위해
이러한 역할을 하고 있는 것이오. 소련은 '세계 대전을 피하는 것'이
미국의 좋은 선거 이슈라는 것을 알고 있고, 애치슨이나 마셜만큼 여
기에 적극 찬동하는 사람도 없다는 것도 알고 있소. 애치슨의 중공에
대한 발언 등, 그의 부드러운 연설 태도는 모두 그의 유화정책을 잘
보여주고 있소. 태평양 전쟁을 되돌아보면 소련이 개입할 당시에 전쟁
은 이미 승리한 상태였소. 소련의 개입으로 피해가 얼마나 컸었소? 이
제 이 전쟁도 거의 승리한 전쟁이오. 적은 붕괴되었고 한국에서 공산
당이 소탕되고 있다는 사실에 의문을 제기할 사람은 없을 것이오.

소련은 자기네 기지로부터 멀리 떨어져서 전쟁을 수행할 여유가 없

소. 아직 준비가 갖춰지지 않은 것이오. 미국 국민들은 소련이 전쟁을 시작하면 소련이 유리할 것이란 것 때문에 공산당에 대해 너무 동요하고 있소. 미국 국민들이 마음의 평화를 되찾도록 진정시켜야 하고 그래야 전쟁을 시작할 수 있을 것이오.

소련 사람들은 자기들이 직접 싸우기보다는 그들의 괴뢰가 싸우기를 원하고 있소. 북한에서는 소련의 괴뢰가 패배했소. 이것은 철의 장막 뒤에 있는 모든 인민들에게 치명적인 결과를 가져올 것이오. 그래서 그들은 남한의 북한 진입을 반대하고 북한 당국과 사법부 등을 존속시킬 것과, 유엔이 선거를 실시한 다음 한국을 통일할 것을 제안하고 있는 것이오. 이것은 "소련이 이 전쟁에 직접 개입하지 않은 것"에 대한 대가임은 명약관화한 일이오.

그러나 소련이 북한 침략군을 훈련시키고, 무장시키고, 지원한 선동자라는 증거가 과연 더 이상 필요할까요? 이승만을 북한에 접근하지 못하게 하는 이유가 무엇이오? 이승만이 국회의 지지를 상실하였다는 워렌 오스틴과 같은 사람들의 주장은 미국 대중들을 만족시키기 위해 한국 정부가 인기가 없으니 북한을 관리해서는 안 된다는 구실을 쌓기 위한 목적으로 나온 것이오.

미국은 언제나 전쟁에 이기고도 평화를 얻지 못하고 있소. 왜 그럴까요? 지난 10월 16일 화요일에 국무부에서 파견된 드럼라이트라는 사람이 나를 찾아와서 대한민국이 남한으로만 국한된다는 임시 위원회의 선언에 대해 내가 어떤 성명도 발표하지 말 것을 요청하였소. 그는 "2, 3개월 정도에 불과하기 하기 때문에" 걱정할 일이 아니라고 말했소. 나는 그에게 이 몇 달 동안에 당신들은 이 전쟁에서 우리가 얻어낸 모든 것을 잃게 될 것이고, 한국 사람들은 다시는 그것을 되찾을 수 없을 것이라고 말해 주었소. 지금까지 한국 국민들은 파괴에도 불구하고 미래에 대한 확신을 가지고 사태를 바라보고 있었소. 조국의 통일이 여러 가지 면에서 자신들의 고난을 덜어줄 것이라는 것을 알기 때문이오. 공장을 가동할 충분한 전력이 제공될 것이고, 광산에서는 내수용과 수출도 할 수 있는 석탄과 광물을 충분히 얻을 수 있을 것이며, 피란민들은 고향으로 돌아갈 수 있게 될 것이오.

그러나 지금 한국 사람들은 모두 자신들에게 무슨 일이 일어날지 걱정하고 있소. 공산당이 있는 곳에는 평화란 있을 수 없고 아무런 해결도 못하고 만사를 몇 달씩 질질 끌고 간다는 것을 알고 있소. 미군 당국에게 어떻게 법령에 따라 정부를 이끌고 나가도록 요구할 수 있겠소? 오늘 무초 대사가 입국할 예정이지만 그가 나에게 입을 다물고 있을 것을 요구하리라는 것을 알고 있소.

한편 미국은 이에 대해 본국의 언론을 조정해서 진실을 호도할 것이오. 미국 국민들에게 세계대전을 피해야 한다는 것보다 더 호소력 있는 말은 없을 것이오. 그들은 전쟁의 대가가 무엇인지, 그리고 전쟁은 지연되는 것일 뿐 피할 수 있는 것이 아니라는 사실을 생각도 못하고 있소. 소련은 준비만 되면 언제든지 행동을 취할 것이고 몇 년 전부터 대외 정책의 로드맵을 만들어 그에 따라 준비가 진행되고 있다는 사실은 누구나 알고 있소. 한국 사람은 말할 것도 없고 미국인들의 피의 대가로 구한 한국을 다시 소련에 팔아넘긴다는 것은 언어도단이오. 그러나 지금 그들은 이런 짓을 시도하려 하고 있소.…

〈뉴욕 타임스〉지의 리처드 존스턴(Richard Johnston) 기자가 내방하여 … 유엔이 북한에서 국민투표를 실시하여 대한민국에 합류하기를 원하는지 여부를 물을 계획이라고 말했소. 그들은 지금 투표를 실시하는 것이 불가능하다는 것을 알고 있소. 약 3주일 후면 북한에 겨울이 닥치는데다가 그렇게 빨리 선거를 실시한다는 것은 불가능하기 때문이오. 존스턴 기자에게 북한에 미군정을 수립하는 문제에 대해 질문했더니 유엔 결의에 어긋나기 때문에 그것은 불가능하다고 말했소. 그러한 것은 계획에도 없고 아무도 그런 생각을 하지 않는다는 것이 그의 고정관념이 되어 있었소. 그래서 나는 그에게 군정법령 사본을 보여주었소. 그는 "어떻게 공산체제를 인정하고 한국이 이를 받아들이기를 기대할 수 있단 말입니까?"라고 분통을 터뜨리며 말했소.

나는 그에게 높은 평가를 받고 있는 미국의 명성이 손상될 것이며, 지금은 모두들 트루먼 대통령과 맥아더 장군을 우러러 보고 있지만 앞으로는 국민의 신망을 잃게 될 것이라는 등의 말을 해주었소. 존스턴은 한국 국민이 그러한 계획을 결코 수용하지 않을 것임을 인정하였소. 그것은 어리석은 시도인 것이오. 그는 정보의 출처를 밝히지 않고 이것을 곧 기사화하겠다는 말을 남기고 자리를 떠났소.

이 대통령이 워싱턴의 장면 대사에게 보낸 10월 25일자 서한에는 처리해야 할 여러 가지 문제들과 그 소요자금에 대한 지침을 언급하고 있다:

미국 이민 문제에 관해 태국 대사관과 접촉하기 바라오. 대사에게 서신을 보낼 외무부 인력이 부족해서 내가 대사에게 보내는 서한에 이 문제를 언급하기로 약속하였소. 우리 이민자들이 정착을 위해 꼭 필요한 비용이 얼마나 될 것이며, 우리 이민자는 농민들뿐일 것이니 그들에게 토지는 얼마 정도 배정될 것인지 그리고 그 밖의 여러 조건을 알려 주시오. 우리 국민이 정당한 대우를 받는다는 것을 확실히 해야 할 것이오.

그 다음에 그는 미국 대사관이 나에게 사본을 보내오지 않았던 것에 대한 장 대사의 최근 보고서에 응답해서 그에게 질문하였다:

대사의 10월 4일자 서한에서 비신스키가 나와 조 박사 그리고 올리버 박사 사이에 주고받은 어떤 연락내용을 폭로했다고 언급하였소. 어떤 내용입니까? 대사는 그것을 부인할 입장에 있지 않았소? 누가 그것이 사실임을 입증할 수 있겠소? 소련 사람들은 거짓말을 하도 잘 지어 내는데 이것도 그런 허위 중의 하나일 수 있소. 필리핀 대표단은 내가 성명서를 너무 많이 발표한다고 비판하였소. 언제 발표한 무엇에 관한 성명이란 말이오? 시간을 절약할 수 있도록 보다 명확히 설명해 주기 바라오.

여기에서 이 대통령의 서한은 다시 한 번 북한의 상황, 즉 북한의 최근 동태 및 대처 방법과 같은 것으로 문맥이 전환된다:

지난 일요일 국방장관이 다른 두 장관과 김활란(金活蘭)과 함께 평양에 갈 때, 그들은 그러한 목적으로 만들어진 얼마간의 포스터를 가지고 갔소. 공산당이 주민들에게 미군과 유엔군이 그들을 모두 살해하려고 쳐들어오고 있다고 말했기 때문에 도시는 거의 비어 있었소. 일부 사람들이 시내로 돌아왔고 시가지를 걷다가 문교부장관 백낙준(白樂濬) 박사와 사회부장관 이윤영(李允榮) 목사가 몇몇 서로 안면이 있던 사람들을 만나기도 했다고 하오. 백선엽(白善燁) 장군도 동행했으며, 그 밖에 몇 명의 미국 기자도 함께 하였소.

평양 주민들이 우리 일행에게 처음 물어본 말은, 누가 당신들을 이곳으로 보냈느냐는 것이었다오. 백 장군이 자기는 평양에서 태어났고, 그들을 해방시키기 위해 싸우고 있고, 대통령이 그들을 보냈는데 이 대통령은 우리의 국부(國父)라고 말해 주었다고 하오. 그러자 그들이 이렇게 되물었소. "그러면 어째서 미군이 이곳에 이렇게 많습니까, 그리고 왜 우리 정부를 몰아냈습니까?" 백낙준 박사는 우리 내각에 북한 출신이 여러 명 있다고 말했소. 그들은 그 말을 믿지 않았소. 공산당은 황해도 고위직에 평양 사람들을 썼고 황해도 사람들은 평양의 높은 자리에 앉아 있다고 그들은 말했소. 전체적으로 한국을 차지하려고 수많은 외국인이 들어올 것이라는 공산당의 선전 때문에 현지 주민들은 외국인에 대해 크게 의심하였소. 그렇다면 미군보다는 왜 대통령이 오지 않았느냐고도 물었다오. 우리 일행은 대통령이 올 것이라고 말했지만, 주민들은 여전히 미국인에 대해 의구심을 품고 있었다는 것이오.

과도 기간이 아무리 길든 짧든 간에, 민정에 미국 사람들이 개입하지 않도록 우리가 주장하는 또 하나의 이유가 바로 이것이오. 북한은 공산당에 의해 대한민국이 미국이나 유엔의 괴뢰에 불과하다는 세뇌 교육을 하도 철저히 받아서 해방된 지역에 즉각적으로 대한민국의 권한이 미치지 않으면 그 어느 것도 여기에 대응하는 것이 불가능한 형편이오. …

바로 어제 평양으로 파견된 200명의 우리 경찰 병력이 해주에서 미제24군단에 의해 저지를 당했다는 보고를 받았소. 그곳은 처치(Church) 장군의 지휘를 받는 미군관할 구역인데 그는 한국인에 대해 한 번도 우호적인 적이 없었고 앞으로도 그럴 사람이오. 우리는 워커 장군에게 항의하려고 했으나 그는 오늘 아침 일본으로 떠나버렸기 때문에 만날 수가 없었소. 만약 미국 사람들이 자기들이 있는 곳에는 어느 곳이든 한국 사람이 들어갈 수 없다고 생각한다면 그들은 잘못을 저지르고 있는 것이오. 이미 군 당국이 민정장관을 임명했고, 그는 위원회를 구성하기 위해 30명의 한국 사람들을 지명하였다는 일본 라디오 방송 보도가 있었소. 우리는 이에 대해서는 아무것도 알지 못하오. 이러한 방향에서 가장 최근에 시도되는 일은 조병옥 박사를 민정장관으로 임명하려는 것이오. 그럴 경우 내무장관직은 사임해야 할 것이오.

아시다시피 미국 사람들은 조 박사에 대해 호감을 가지고 있고 미국이 기대하는 대로 무엇이든 할 사람이라 생각하고 있소. 그는 한민당, 흥사단과 깊은 관계를 맺고 있소. 무초 대사는 더 이상의 미군정(AMG)

인물들이 입국하는 것을 중단시켰다고 알려 주었소. 지금도 그 수가 너무 많아서 거의 나라를 운영하고 있는 것처럼 보이는 것 같소.

무초 대사는 본국 정부에서 온 전문을 보여주었소. 내가 UP통신 기자에게 유엔의 결정을 거부한다고 말했다는 것이오. 나는 그런 말을 한 적이 없기 때문에 무초에게 사실이 아니라고 말했소. 도리어 나는 그에게 맥아더 장군이나 국무부로부터 비밀로든 공개적으로든 그들이 북한에서 대한민국에 간섭하지 않겠다는 일종의 서면약속을 받아달라고 요청하였소. 아직 이에 대한 회답은 받지 못했소. 대사를 곤란하게 만들 의도는 없으나 대한민국을 남한으로만 국한한다는 임시위원회의 결의를 받아들일 수 없다는 것도 대사에게 말해 주었소.

대통령직을 사임하고 국민들에게 그 이유를 밝혀야 될까 싶소. 차라리 내부에 앉아서 싸우느니 밖에 나가서 싸우며 은혜를 모르는 사람으로 낙인찍히는 것이 오히려 나을 것 같소. 나는 다른 나라의 손발 노릇을 하거나 앞잡이가 되어서 나라를 팔아먹는 사람은 되지 않을 것이오. 대한민국이 미군이나 유엔 당국의 협조를 받아 북쪽에서 기능을 발휘하기 시작하면 북한 국민들도 진정될 것이오. 그러나 만약 그들이 어떤 종류의 행정을 시행하려고 고집한다면 국민들에게 혼란을 가져오고 그들의 용인을 받지 못할 것이오. …

북한 국민들은 자신의 가정과 생명에 대한 불안감으로 신경이 날카로워진 상태이고, 자기들의 보호를 위해 경찰을 파견해 줄 것을 우리에게 간청하고 있소. 나는 분노가 치밀어 언성을 높였소. 이 나라에서 우리에게 어디로 가라, 무엇을 하라고 명령하는 자가 대관절 누구인가 말이오? 미국은 유엔군과 한국군이 목숨을 바쳐 싸워서 무너뜨린 38선을 다시 만들려는 것이오? 필립 제섭(Philip Jessup)과 흥사단 분자들과 같은 반한(反韓) 선동가들이 제안하는 계획을 수행하려고 든다면 일본을 폐망시키고 미군정에 의해 남한에 만들어졌던 것과 유사한 상황이 북한에 일어나게 될 것이오. 우리는 이런 잘못을 신속히 바로잡기를 바라고 있소. 맥아더 장군을 비롯해서 다른 우호적인 고위 인사들이 상황을 파악하고 있기 때문이오.

편지의 나머지 부분은 유엔에서 진행되고 있는 일을 파악하기 위해 "너무 바쁘다"라고 한 장면 대사를 질책하는 내용이다. 이 대통령은 "대한민국을 반대하는 한국인들"이라는 한 단체가 막대한 돈을 뿌리면서 대한민국 정부가 한국에서 인기가 없어서 만약 대한민국의 체제를 북한까지 확장한다면 "내전과 함께 장기적인 유혈투쟁이 벌어질 것이다, 그러므로 북한 국민들은 과도기 동안 자신의 문제를 스스로 해결하도록 내버려두어야 한다."고 유엔 대표들을 설득하는 운동이 벌어지고 있다고 말했다. 이 박사는 주미 한국대사가 유엔에서 벌어지고 있는 일을 모른다는 것은 "뺨을 맞은 것 같은 엄청나게 부끄러운 일"이라고 끝을 맺었다.

지난 여러 달 동안 이 대통령은 남궁염(David Namkoong) 뉴욕 주재 한국 총영사에게 자금을 모아 영향력 있고 한국에 우호적인 미국인 인사들을 결집시켜 널리 알려진 저팬 소사이어티(Japan Society)와 유사한 한·미 소사이어티(Korean-American Society)의 설립을 촉구해 왔다. 이러한 조직이 한국에 대한 미국 정책에 영향을 미칠 수 있게 되었으면 하는 것이 그의 바람이었다.

이 대통령은 10월 27일자로 남궁 총영사에게 보낸 서한에서 이러한 자기 구상의 실행이 긴급함을 강조하였다. 그는 그 사본 1부를 내게 보내주었다:

나는 지난 번 서한에서 그런 특정 분야에 경험이 있는 사람이 한·미 소사이어티를 맡아 시작하도록 하는 것이 아주 바람직하다고 말한 바 있소. 마땅한 사람이나 함께 일할 만한 사람들을 물색하는 데 최선의 노력을 기울이고 결과를 알려주기 바라오. 우리는 계속 좋은 기회를 놓치는 반면에 국내외의 우리 적들은 이를 아주 잘 활용하고 있소. 그러한 조직이 있었더라면 임시위원회 결의안이 지금 형태로 만들어지지 않을 수 있었을 것이며, 한국 국내에서의 싸움도 크게 줄어들었을 것이오. 나는 언론계의 '친구들'에게 정보를 제공함으로써 적어도 어느 정도까지라도 이를 역전시키기 위해 최선을 다해야만 했소. 물론 나는 즉각 미국과 유엔에 도전한다는 비판을 받았소. 나는 유엔이나 미국의 반감을 사는 것을 원치 않기 때문에 우리는 그런 사태는 반드시 피해야 하오. 그러한 것은 다른 사람들의 몫이오. 우리는 미국 국민의 호의를 저버려서는 안 되오. 그런 일들이 다시는 일어나지 않도록 누군가 뒤에서 움직여서 언론에 영향을 미쳐야 할 것이오. 미국에 신뢰할 수 있는 우리 편 사람들이 없다면 우리는 무력한 상황에 빠질 것이오.

이 대통령은 10월 27일자로 내게 보낸 편지에서 세 가지 난제들을 어떻게 처리하고 있는지에 대해 설명하였다.

첫째는 부산 방어선 전투 시에 공산당에 부역한 사람들을 처벌하거나 사면하는 문제였다. 그는 편지에서 "이제는 알 수 있다시피 서울이나 다른 도시에서도 지금까지 보복은 없었소. 일부 개인적인 경우가 있겠으나 그것은 어쩔 수 없는 일이고 우리 정부는 보복에 강력히 반대하고 있소."

그런 다음 내가 그에게 보낸 전문에 대해 언급하였다. 그것은 내 각별한 친구의 구명을 호소하기 위해 보낸 것이었다. 고려대학교 이인수 교수는 서울이 공산군에게 점령된 후 공산당을 위한 방송에 참여했다는 이유로 한국 군법회의에서 사형이 선고되었다. 내가 우려했던 것은, 이 교수가 실제로 이상적인 공산주의 목표가 실현될 수 있다는 희망으로 부역행위를 저질렀다는 것이었으나, 이 대통령에게 그의 사면을 간청했었다. 백만 이상의 사상자가 발생하고 전국이 엄청나게 황폐화된 가운데 이것은 단 한 사람의 생명에 관한 일이었다. 그를 구할 수 있을 것인가? 이 대통령도 관심을 보였다:

> 이인수 교수 건: 육군 특무대(CIC)가 인천에 은신 중이던 이 교수를 찾아냈으며 우리 모두 그에 대해 크게 걱정하고 있소. 불행하게도 그는 서울에서 피란할 의도가 없었고 오히려 공산당을 환영하였소. 그런 혐의가 있는 그를 석방하기는 매우 어려운 일이오. 그의 학식 등으로 보아 현재 시점에서 큰 도움이 될 수 있는 몇 안 되는 인물 가운데 한 사람이지만 우리가 개인적으로 할 수 있는 일은 거의 없소. 이 교수에 관해 몇 사람들과 이야기하고 있고 그들 나름대로 최선을 다할 것이오. 그가 과거 영국에 있을 때 그의 배경에 관해 당신에게 편지로 설명했던 기억이 나오.

이 교수는 며칠 후 처형되었다. 나는 고통스러운 공허감에 사로 잡혔다.

이 대통령이 특히 관심을 가졌던 두 번째 문제는 북한이 수복됨에 따라서 유엔에서 북한의 처리문제가 결정될 때까지는 유엔군이 북한 지역을 통치할 것이라고 발표한 맥아더의 지침이었다. 이 대통령은 이 계획을 용인할 수 없었다. 그는 이렇게 썼다: "미국인들은 누가 누구인지도 모르면서 현지 주민을 다루게 될 것이오. 숨어 있던 공산분자들도 모두 다시 나타날 것이오. 국민들의 혼란상은 엄청날 것이오." 그는 다음과 같이 덧붙였다:

> 북한의 다가오는 선거가 어떤 형국으로 실시될지 상상할 수 있을 것이오. 순전히 외국인들만이 북한을 통치하고 있는 가운데 공산당에 의해 세뇌되고 그들이 가르친 것만을 알고 있는 북한 주민은 대한민국에

반대표를 던질 것이오. 그들은 유엔이나 미제국주의자들의 꼭두각시가 되기를 원치 않소. …

무초 대사가 어제 도쿄와 워싱턴을 방문하기 위해 출국하였소. 나는 그에게 그러한 것들을 수용하기보다는 차라리 대통령직을 사임하겠다고 말했소. 그는 상황의 심각성을 알고 있소. 우리 권리를 고집하지 않을 수 없게 되어 미안한 일이지만, 모든 일이 진행되고 난 뒤보다는 지금 문제를 매듭짓는 것이 더 낫다고 그에게 말해 주었소.

세 번째 긴급한 관심사는 물자가 보급되지 않고 국민들이 어떻게 살 수 있느냐 하는 문제였다. 대만에서 들어오는 소량의 긴급 보급품을 제외하면 식량을 수입할 수 있는 어떠한 채비도 갖춰져 있지 않았다: "이미 서리가 내리고 추수기도 몇 주일 전에 지났기 때문에 더 이상 수확할 것이 없소. … 유엔군은 식량은 운반해 주지 않고 북한을 통치하고 대한민국이 그곳에 발을 들여놓지 못하게 할 궁리만 하고 있소. … 유엔군은 군사적 측면만을 생각하고 있지만 그것만으로는 불충분하오."

북한 지역의 유엔군 군사통치는 여전히 중대한 문제였다. 이 대통령은 11월 2일자 장 대사에게 보낸 서한에서 멜치오 대령을 새 평양시장으로 임명하였고, 군 당국은 해주 군정관도 임명할 예정이라는 것에 대한 이야기를 했다. 대통령 자신은 항구도시 원산을 방문하기 위해 동해안 제10군단 사령관 에드워드 알몬드 장군에게 서면 허가서를 요청해야만 했다. 그는 평양에도 잠시 들렀는데 "일부 장교들은 전투가 진행되는 동안에는 그러한 정치적 방문을 자제해야 할 것이라는 말도 했다." 그러나 곧 더 중요한 문제가 대두되었다.

10월 15일에서 21일의 1주일 사이에 핸슨 볼드윈은 군 정보의 추산으로 약 25만의 중공군이 한국과 만주 국경선 부근으로 이동했고, 또 다른

20만의 예비 병력이 그곳에서 멀지 않은 후방에 주둔하고 있다고 〈뉴욕 타임스〉지에 보도했었다.

10월 26일에는 한국군 제6사단이 압록강 남방 약 25마일 지점에서 중화기와 박격포의 지원을 받는 공산군과 격전을 벌였다. 북한군은 이미 실질적으로 존재가 사라졌기 때문에 이것은 놀라운 일이었다. 한국군 제1사단도 운산 부근에서 심한 저항을 받았다. 생포된 두 명의 포로는 자기들 부대에 중공군이 있다고 자백했으나 미 8군 사령부는 이 보고를 "별 것 아니다"라고 평가절하하면서 "비웃었다."

10월 30일에는 함흥 근처에서 한국군이 중국인 포로를 잡았다. 다음날 맥아더 사령부는 1개 연대에서 1개 사단 규모의 중공군이 한국군 수도사단에 강력한 반격을 가한 사실을 인정하였다.

11월 3일까지는 중국의 제42군단 전 병력이 한국에 진입한 것으로 판명되었고 미군 부대가 중공군과 최초로 조우하였다. 그러나 도쿄 사령부에서는 이 상황을 "두려워할 만한 일이 아니다"라고 치부하였다.

어느 미군 전사(戰史) 기록자에 의하면 "중공군의 이동과 집결은 미국의 감시의 눈을 피해 이루어졌다. … 공중정찰에서는 이러한 대규모 기동의 어떤 기미도 발견되지 않았다. 민간인 피란민들도 아무런 정보를 가져오지 않았다."

맥아더는 11월 6일 합동참모본부에 "압록강 전역의 모든 교량을 통해 만주로부터 병력과 군수품이 대량으로 쏟아져 들어오고 있다"고 전문을 보내고, 교량과 적의 진격을 지원하는 시설을 폭격할 수 있는 허가를 요청하였다. 그 회답으로 "교량의 한국 측 끝부분"만 폭격할 수 있는 허가가 주어졌다. 다음 날 맥아더는 유엔군을 기총소사를 가하고 폭격하기 위해 중공군 항공기들이 발진하는 만주의 비행장 폭격의 허가를 요청하였다. 압록강 이남에서는 필요하다고 판단되는 경우 군사행동을 취할 수 있

지만 어떠한 일이 있어도 중국 영토는 털끝만큼도 건드리지 말라는 지시가 그에게 내려졌다.104)

11월 24일 맥아더 장군은 한국에서 중공군을 격퇴할 목적으로 대규모 공격을 위한 지상군과 공군병력을 파견하였다. 이것이 바로 그 유명한 "크리스마스는 고향에서!"라는 발표가 있었던 때이다. 짐작컨대, 이것은 유엔군이 압록강 너머로 진격하지 않을 것이며 즉시 한국 영토로부터 철수하고 점령 임무를 한국에 넘기겠다는 것을 중공에 확신시키고자 하는 의도였을 것이다. 또한 트루먼과 미국 국민에게 전면전이 임박한 것이 아니라 하나의 소탕작전에 불과하다는 것을 확인시키려는 의도도 있었다. 나흘도 되지 않아 적군의 힘을 너무도 지나치게 과소평가하였다는 사실이 확인되었다. 유엔군은 곧 황급히 후퇴하게 된다.

트루먼과 맥아더 사이에 오랫동안 불씨가 꺼지지 않고 이어지던 싸움은 이제 클라이맥스를 향해 타오르고 있었다. 트루먼은 "맥아더를 비난한 사람은 아무도 없고 더구나 나는 절대로 그런 적이 없다"라고 주장했지만,105) 맥아더가 그에게 가해진 "지나친 억제조치"로 인해 패배했다는 일련의 성명을 발표한 데 대해 트루먼이 실제로 맥아더를 비난한 것은 사실이다.

압록강에 대한 전반적인 작전에서 맥아더의 군사전략에는 수수께끼 같은 의문이 따른다. 그는 38선 이남에서는 작전수행이 그렇게도 잘 이루어지고 있던 통합사령부를 분리해서 한반도 동부는 에드워드 알몬드 소

---

104) S.L.A. 마셜의 『압록강과 도전』(*The River and the Gauntlet*), 1953, 뉴욕 William Morrow 출판사, 14 페이지. 마셜은 또한 중공군 존재의 정찰 실패에 대해서는 변명이 필요하지 않다고 덧붙였다. 그들은 배낭에 보급품을 꾸리고 중장비 없이 남진하였을 뿐만 아니라 위장의 달인들이었고, 대부분의 경우에 밤에만 이동하고 낮에는 숨어 있었기 때문이다.

105) 트루먼의 『회고록』(*Memoirs*), 제2권 376 페이지 및 372-382 페이지 참조.

장의 제10군단에게, 한반도 서부는 8군을 지휘하는 월튼 워커 중장에게
맡겼다. 이 두 사람은 서로 사이가 원만하지 못했고 전술의 긴밀한 협조
도 이루어진 적이 없었다.

그런 때에 나온 것이 "크리스마스는 고향에서!"라는 성명의 발표였는
데, 맥아더는 약 4만 명의 게릴라 부대가 후방에서 작전 중임을 알면서도
이런 캐치프레이즈를 걸고 자신의 불충분한 병력으로 하여금 수적으로
크게 우세한 적의 지상군에 대해 정면공격을 가하도록 밀어붙였던 것이
다.[106] 더욱이 공격 전력을 둘로 분할하였기 때문에 양쪽 사이에 방어가
되지 않는 공백상태가 생기고 만 것이다. 그에 대해 유일하게 설명되는
것은 이런 것 같다.

6월 말 한국에 파병되었던 최초의 미군부대가 북한군이 미군과 맞붙게
된다는 것을 알게 되면 줄행랑을 칠 것이라고 생각했던 것처럼, 맥아더
역시 중공 정부도 미국과의 대규모 전투가 임박하다는 것처럼 보이면 전
의를 상실하고 중공군을 압록강 너머로 퇴각시킬 것이라고 확신하였다는
것이다.

11월 30일, 이 대통령은 전황에 대한 자신의 평가를 내게 보내왔다. 서
한은 "읽은 후 파기하시오"로 시작하여 "이제는 하나님만이 우리를 도
울 수 있을 것이오"라는 말로 끝을 맺고 있다:

　　우리 국방부는 적의 총공세에 대비하기에는 방어선이 너무 얇다고
　　미군에게 경고하였소. 우리는 약 6만에서 20만의 공산군과 대치하고
　　있는데, 미군 측에서는 적의 저항도 없고 한국에 들어와 있는 중공군

106) 이에 대한 전반적인 상세한 설명은 다음에서 찾아볼 수 있다. 스패니어의 『트루
먼-맥아더 논쟁과 한국 전쟁』(*The Truman-MacArthur Controversy*), 제7장 및 레키
의 『한국 분쟁』(*Conflict*), 제5장 및 제6장, 휘트니의 『맥아더』(*MacArthur*), 제9장
247 페이지에서 유엔군 작전을 "승리"라고 표현하였다. "맥아더가 구원의 손길을
뻗쳐 공산군 포위망을 벗어나 탈출했기" 때문이다. 247쪽

의 수가 그렇게 많지 않다고 주장했소. 미국은 왜 중공군의 규모를 과소평가하려고 하는지 이해할 수가 없소. 아시다시피, 모든 계획은 도쿄에서 세워지고 우리는 그것을 따를 뿐인 상황에서 총공세가 시작되었소. 우리가 싸움을 시작하기만 하면 문제될 것이 없다는 맥아더 장군의 말은 절대적으로 옳은 말이오. 적은 언제나 수적으로 우세하고 우리가 시간을 끌수록 그 수는 더욱 불어날 것이오.

우리는 38선을 넘어가기 위한 승인을 받기 위해 1주일을 서울에서 기다렸소. 평양에서도 더 북진하기 위해 또 기다렸소. 그 다음에는 미국 민주당에 정치적인 도움이 안 되도록 하기 위해 중공군의 개입 사실을 미국 선거일까지 발표를 미루었소. 이러한 시간 손실로 인해 미군이 한국군과 보조를 맞추지 못하게 된 것이오. 미군은 지금처럼 10군단은 10군단대로, 8군은 8군대로 따로 싸움을 벌일 것이 아니라 서로 긴밀한 연락을 유지하면서 하나의 확고한 전선을 형성하고 밀리지 말았어야 했을 것이오.

이러한 논평은 비판이 아니라 육군이 동절기가 시작되기 전에 국경까지 진군하는 것을 불가능하게 만든 하나의 슬픈 현실로서 받아들여야 할 것이오. 이제 강이 얼어붙으면 적군은 교량 없이도 원하는 곳이면 어디에서든지 도강할 수 있는 기회를 갖게 될 것이오. 하나님만이 우리를 이런 처지에서 벗어나도록 도와주실 수 있을 것이오.

그리고는 비교적 기분 좋은 메모가 적혀 있었다: "불행하게도 지난 수일간 기상이 좋지 않아 적군이 밤낮으로 진군했지만 이제 날씨가 좋아져서 그자들을 폭격하는 데 도움이 될 것이오."

이 대통령은 11월 29일 국무회의에서 훌륭한 다른 국가수반처럼 내각의 사기를 북돋우려고 애쓰면서 그들에게 과거에 대한 후회는 이제 그만두고 미래를 위한 계획을 시작하자고 했다. 그는 "중공군의 침략은 한국

을 구하기 위한 하나님의 방법일지도 모른다"고 각료들에게 말했다:

　　만약 소련이 한국에 들어왔다가 한국과 만주 국경 너머로 후퇴하고
나서 유엔에서 어떤 특권이나 양보를 주장하면서 흥정에 나섰다고 가
정해 보면, 미국은 소련과의 협력을 과시하기 위해 무엇인가라도 했을
것이며, 외교적인 승리 대신에 군사적 승리를 거둔 것에 만족했을 것
이오. 유엔군 부대와 장비 등은 조만간 철수되었을 것이고 한국군만이
남겨져 국경선을 지켜야 했을지도 모를 일이오. 아시다시피 국경선은
너무 길어서 효과적으로 방어할 수가 없는 상황이오. 미국 국민의 분
노와 의심이 가라앉고 공산당의 평화선전 공세에 의해 여론이 잠잠해
지면 나중에 때가 되어 준비태세를 갖춘 중공군의 엄청난 병력과 장
비, 현대적 항공 지원, 한국 주변의 전 해안선에 걸친 해군작전 등을
당해낼 길이 없을 것이오. 지금 우리 해안선을 봉쇄하고 있는 해군 함
정들이 철수해 버린다면 어떤 형국이 될지를 상상해 보시오!

　　우리가 한 시도 잊지 말아야 할 것은, 소련의 계획 속에는 한국 정
복이란 것이 들어 있고, 북한의 남침 시도가 실패했다고 하더라도 소
련은 그 계획을 포기하지는 않는다는 사실이오. 우리로서는 지금 한국
에 중공군이 개입하는 것이 유엔군이 철수한 후에 개입하는 것보다 더
유리한 것이오. 그러므로 우리는 싸워야 할 것이오. 최악의 상황이 벌
어질지 모르지만 싸워야 민주주의를 지킬 수가 있소.

　한국에서의 민주주의 수호는 쉽지 않아 보였다. 11월 28일, 맥아더 장
군은 워싱턴에 전문을 보냈다: "본 사령부는 능력이 미치는 한, 가능한
모든 노력을 경주하였으나 현재 통제 불가능한 상태에 직면하였음." 트
루먼은 국가안보회의(NSC)를 비상소집하였으며 여기서 딘 애치슨 장관은
"전쟁을 종식시킬 어떤 방법을 강구해야 할 것"이라는 견해를 표명하였
다.

11월 30일 기자회견에서 트루먼 대통령은 중공군을 격퇴시키기 위해 원자폭탄의 사용을 고려하고 있다고 말했다.

12월 4일에는 영국 수상 클레멘트 애틀리(Clement Attlee)가 워싱턴에 도착하였고, 3일간의 회담 후에 트루먼은, 미국은 동맹국들과의 사전 협의 없이는 결코 원자탄 사용을 시도하지 않을 것이라는 성명을 발표하였다. 월튼 워커 장군은 자기에게 서울을 방어하라고 요구하지 않는다면 남한에서 진지를 지킬 수 있다는 자신감을 워싱턴에 전했다.

〈뉴욕 타임스〉지에 실린 한 기사에 의하면, 이 대통령이 38선을 원 상태로 복구하는 타협책에 동의할 준비가 되어 있다고 주장하였다.

대통령은 12월 6일에 나에게 다음과 같은 전문을 보냈다: "타협이란 있을 수 없소. 나의 신조와 처한 입장을 알고 있을 것이오. 우리 계획에 그 따위 타협은 있을 수 없소."

12월 7일, 이 대통령은 다음과 같이 상황기록을 보내왔다:

현재의 상황은 혼돈과 혼란 상태요. 유엔군은 싸우지도 않고 후퇴하고 있고 한국군은 후퇴를 원하지 않기 때문이오. 다른 한편으로, 한국군은 미군의 지휘 아래에 있기 때문에 고립되지 않으려면 유엔군을 따라야만 하오.

평양 주민들은 피란가기를 원했으나 군 당국은 이를 허용하지 않았소. 도지사의 압력으로 그들은 약 10만 명의 주민을 건너가게 한 후 교량을 폭파했소.

서울에서는 사람들이 남쪽으로 피란을 떠나고 있으며, 상점도 문을 닫고 있는데, 저들은 자기네 직원들을 실어 나르기 위해 비행기를 투입하고 있소. 미국 정부의 우유부단한 정책 결정 태도도 싸우지도 않고 후퇴한다는 사실만큼이나 유엔과 미국의 명예를 손상시키고 있소. 동해안의 한국군 사단은 아직 중부의 우리 병력과 합류할 입장에 있지 않소. 그들이 힘을 합칠 수 있다면 밀고 내려오는 공산군과 충분히 맞설 만할 것이오. 현재는 중공군이 후방으로 쳐지고 약 4만에서 6만의 북한군이 남진하고 있소.

이틀 후 프란체스카 여사는 괴로운 심정으로 서울 포기의 필요성에 대해 설명하는 비통한 심정으로 쓴 서신을 내게 보내왔다:

　　오늘 아침 트루먼 대통령과 애틀리가 발표한 성명은 너무나 실망스럽습니다. 한국을 포기하지 않을 것이라는 트루먼 대통령의 첫 번째 성명에 모든 국민은 활기를 되찾았습니다. 그들은 다시 집을 떠나 얼어붙은 남행길을 떠나지 않아도 된다는 새로운 희망을 얻었습니다. 지금 우리는 중공군이 철수하지 않을 경우에 유엔이 취할 대안을 초조히 기다리고 있습니다. 대통령은 지난번과 마찬가지로 이곳을 떠나지 않고 죽을 각오를 해야 한다고 생각하고 있습니다. 만약 유엔군이 한국에서 철군한다면 대통령의 영도 아래서 공산당과 싸웠던 남한의 2천만 국민은 도륙을 당할 것이기 때문입니다. 야만적 행위에 있어서는 중국인들이 한국 공산당을 무색케 할 것입니다.

　　국민들은 공포에 떨고 있습니다. 밤새 짐을 싸고 길을 떠나고 있습니다. 한강에는 부교 하나가 있을 뿐인데 이것은 차량을 위한 것이고 많은 사람들은 나룻배로 강을 건너야만 합니다. 한강의 일부는 얼어붙어서 그곳으로 건너는 사람들도 있습니다. 유엔군이 떠난다면 남쪽으로 피란하는 것은 무의미할 것입니다. 남쪽으로 가더라도 항공 지원이고 뭐고 아무런 지원이 없을 것이기 때문입니다.

　　올리버 박사님은 공산주의와 맞서 투쟁해 온 한 나라를 공산당의 처분에 맡겨서는 안 된다는 분위기를 불러일으켜 주셔야 합니다. 한국군은 북쪽의 같은 동포와 격렬히 싸워왔으며, 기꺼이 침략자들에 맞서 투쟁할 전의로 넘치고 있습니다. 싸우지도 못하고 물러나야 한다는 사실에 가슴 아파하고 자존심과 사기가 떨어지고 있습니다.

유엔군이 후퇴하는 것은 유엔의 결정을 기다리는 것 이외에는 다른 행동을 할 수 없기 때문입니다. 맥아더 장군은 대통령에게 인내심을 발휘해 달라고 요청하였습니다. 대통령 자신의 인내심도 바닥에 가까워지고 있습니다. 이 말은 비밀로 해주시기 바랍니다.

12월 14일, 유엔 총회는 중공과의 타협을 모색할 권한을 위임받은 정전위원회의 설치안을 52대 5로 가결시켰다. 중공에는 평화조건을 논의하기 위해 뉴욕으로 대표단을 파견해 달라는 초청장을 보냈으며, 우슈취안(伍修權)이 이끄는 대표단이 도착하였다. 중공 대표단은 자기 나라에서 7개국 회의를 개최할 것을 요청했는데 한국으로부터의 외국군 철군, 대만의 중공 이관, 공산 중국의 유엔 가입을 포함하는 아시아의 제반 현안문제를 해결한 다음에야 한국 휴전을 논의하자고 주장하였다. 유엔은 자체의 10월 7일 결의안을 철회하고 38선의 복원을 받아들이려고 했으나 완전히 두 손을 들 생각까지는 없었다.

한국에서는 유엔군이 남한으로 신속하게 퇴각하고 있었다. 미8군 사령관 월튼 워커 장군은 크리스마스를 이틀 앞두고 지프차 전복 사고로 사망했다. 한국정부는 다시 한 번 서울을 버리고 부산으로 옮겨갔다. 합동참모본부는 "한국은 대규모 전쟁을 치를 만한 지역이 아니라고 믿는 바입니다"라고 시작되는 메시지를 맥아더에게 보냈다. 메시지는 한국으로부터의 전면적인 철수 시기와 방법에 관한 맥아더의 판단에 대한 질문으로 이어지면서 맥아더의 기본 임무는 "일본의 방위"라는 점을 상기시켰다.

이에 대한 맥아더의 답변은, 만약 정책 결정으로 허용되기만 하면 해군에 의한 중국 본토의 봉쇄, 중공의 "전쟁 지원 군수산업" 시설에 대한 폭격, "한반도 전쟁을 계속하기로 결정하는 경우에" 대만의 국부군(國府軍)을 이용해서 중국 해안에 침공 병력을 상륙시키도록 장제스를 지원하여 양동작전 전선을 전개함으로써 전쟁을 승리로 이끌 수 있다는 것이었

다.107)

절망스러운 상황은 프란체스카 여사가 황급히 작성한 다음과 같은 짧은 서신에 모두 압축되어 있다: "상황이 매우 좋지 않습니다. 공산군이 물밀듯 남하하고 있으며 미국 대사관은 이미 자기네 직원들을 선박으로 출국시켰습니다. 우리를 위해 기도해 주세요."

그 다음 몇 달 동안 한국은 맥아더 장군이 이름붙인 "전혀 새로운 형태의 전쟁"에서 고대 로마제국에 의해 카르타고가 멸망한 이후 그 어느 나라도 좀처럼 경험하지 못한 참화를 겪게 된다.

---

107) 휘트니(Whitney)의 『맥아더』(*MacArthur*), 제10장.

중공군 개입 다시 남하 후퇴

▲ 유엔군을 따라서 자유세계로 가는 길은 이제는 동해바다뿐, 반드시 북한 피란민
들도 구출해줄 것이라는 믿음 하나로 흥남 철수를 기다리는 북한 주민들과 주민
들을 통제하는 미 육군 - 월드피스 자유연합 제공

▲ 1950년 12월 자유세계로 가기위해 흥남항에 몰려 있던 북한 주민. 갑작스러운
중공군의 침입으로 국군과 유엔군이 이미 원산까지 철수한 이때는 동해 바다만이
이들의 유일한 탈출구였다. 사진은 12월 19일 흥남항의 북한 피란민들이 그린비
치 미 상륙정에 타고 있는 모습 - 월드피스 자유연합 제공

트루먼의 맥아더 해임. 다시 후퇴 남하

◀ 폭파된 평양 대동강 다리에 몰린 피난민들

▲ 유엔군과 국군 100,000여 명이 철수한 흥남철수작전. 당시 유엔군은 자신들의 철수를 지연시키면서까지 100,000여 명에 가까운 북한 피란민을 구출하는 역사적인 흥남 생명구출작전을 진행하였다. 사진은 흥남 철수 당시 14,000명의 북한 피란민을 태우고 마지막으로 흥남항을 떠난 미국 화물선 메러디스 빅토리 호가 거제도에 도착하는 모습으로 3일간의 항해 기간에 물, 먹을거리, 화장실도 없는 배에서 한 사람의 희생자도 없었고, 5명의 아기가 태어났다. 이것은 레너드 라루 선장의 회고처럼, "주님의 손길이 우리 배의 키를 잡고 계셨다." '생명의 항해'였다. —월드피스 자유연합 제공

제15장
실수의 대가(1951년)

1951년의 한국에는 승자가 없었다. 중공도, 소련도, 유엔도, 미국도 분명히 승자는 아니었다. 북한이나 남한은 더더구나 아니었다. 이 해는 많은 나라에서 국가적으로는 그 지위와 위신에 심각한 타격을 받은 한 해였고, 개인적으로는 재산과 가족과 생명을 잃은 가슴 아픈 한 해였다. 더글러스 맥아더 장군은 영광의 자리에서 물러났고, 그를 해임시킨 트루먼은 그것으로 인해, 또한 승산이 없었던 전쟁의 후원자의 역할 때문에도, 대중적인 평판이 크게 악화되었다. 이승만 역시 운명적으로 그에게 주어진 역할 때문에 세계여론에 큰 대가를 치렀다. 한국 전쟁은 누구에게도 성공을 맛볼 수 있도록 되어 있는 그런 전쟁이 아니었다. 특히 1950년 말 무렵에는 이 전쟁은 최악의 상태를 보이기 시작했다.

전장에서는 유엔군과 한국군이 황급히 퇴각하고 있었다. 12월 23일 전사한 워커 장군은 가능한 한 신속히 북한에서 철수하라는 명령을 받고 있었다. 중공과의 전면전 가능성에 대한 유엔의 우려 때문이었다. 워커 장군의 후퇴 작전이 어떤 경우에서도 상당한 시간의 지연이 가능할 수 있었겠는가의 여부에 대해서는 확신이 서지 않는다. 압록강까지의 북진은 성공을 전제로 한 것이어서 어떠한 예비부대나 "후방" 진지가 구축되어 있지 않은 상태였기 때문이다. 워커 장군의 후임자 매튜 리지웨이

(Matthew Ridgeway) 중장은 12월 26일 워싱턴으로부터 도쿄에 도착하자 후퇴를 중지하고 공격으로 전환할 것을 요청하여 맥아더의 허가를 받았다.

이제 유엔군 측에는 한국군과 더불어 16개 국의 병력이 참여하고 있었다. 리지웨이는 다양한 화기(火器)와 장비를 갖춘 훈련된 약 36만5천 명의 병력을 지휘하여 약 48만5천 명의 실전 경험이 풍부하고 군기가 잘 잡힌 공산군과 대치하게 되었다. 공산군의 약 3분의 2는 중공군이고 나머지 대부분은 만주에서 재편성되어 재무장된 북한군이었다. 중공군 제4 야전군과 전투력을 회복한 북한의 12개 사단을 함께 지휘한 린뱌오(林彪) 장군은 김일성이 6~7월에 저지른 것과 같은 공격 실수를 범하지 않았다. 그는 모든 공격력을 개성에서 서울로, 수원으로, 대구로, 그리고 곧바로 부산까지 이어지는 "침투 회랑"에 모든 공격력을 집중시켰다. 소탕작전은 미룰 수 있었다. 린 장군은 부산 방위선을 재구축할 의도는 없었다.

리지웨이 장군은 대구에서 이승만을 만나 단호하게 말했다. "우리는 물러나지 않을 것입니다." 그러나 그건 말처럼 쉽지 않은 일이었다. 맥아더 장군은 12월 30일, 중공군은 유엔군을 한반도에서 몰아낼 수 있는 능력을 갖추고 있다고 합동참모부에 보고하였다. 세계 언론은 이 대통령이 수도를 다시 제주도로 옮기는 것을 검토하고 있다고 보도하였다. 그러나 이 대통령은 크게 화를 내며 이런 보도에 대해 부인하였다.

유엔총회에서는 38선을 다시 설정한다는 방침으로 휴전을 모색하기 위해 12월 14일 51대 5의 다수 표결에 의해 이란의 나즈롤라 엔테잠(Nazrollah Entezam), 인도의 베네갈 라우(Benegal Rau), 캐나다의 레스터 피어슨 등 3인으로 구성된 정전위원회의 설치안이 가결되었다.[108] 1951년 1월 3일, 레스트 피어슨은 대한민국을 해체하고 과도기간 동안 유엔이

---

108) 릴랜드 M. 굿리치(Leland M. Goodrich)의 『한국: 유엔에서의 미국 정책 연구』 (*Korea: A Study of U.S. Policy in the United Nations*), 1956, 뉴욕: 외무 위원회 (Council of Foreign Relations), 제7장.

한국을 통치하면서 미국, 영국, 소련 및 중공으로 구성되는 4대국 감시위원회가 합의하는 방식으로 시행되는 선거를 통해 한국을 통일할 것 등을 공산권에 약속함으로써 정전이 성사될 수 있도록 유엔에 권고하였다. 중공의 반응은 베이징에서 7개국 회의를 소집하여 한국에서뿐만 아니라 대만으로부터도 미군과 유엔군을 철수시키는 문제를 실질적으로 검토해야 한다고 제안한 것이었다.

미국 하원은 1월 19일과 23일 유엔이 중공을 침략자로 규정짓고 적절한 조치를 취할 것을 의결하여 이러한 급격한 철군 요구를 중단시켰다. 미국 대표 워렌 오스틴(Warren Austin)은 유엔은 반드시 10월 7일자 결의안을 지키며 한국으로부터 중공군을 축출하고 유엔 감시하의 선거를 통해 한국을 통일시켜야 한다고 강력히 주장했다. 영국의 글래드윈 젭은 중공이 받아들이지 않으면 한국에서 어떠한 해결책도 효과가 없을 것이라고 역설하였고, 인도의 베네갈 라우는 중공의 한국전 개입은 잘못된 것이지만 그들을 처벌할 것이 아니라 철군하도록 "설득"해야 할 것이라고 주장하였다.

한편, 정부가 직접 개입한 것이 아니라 충분한 보급과 항공지원을 받은 몇 십만의 정규부대가 북한 형제들을 돕고자 하는 개인적 희망에 의해 "자원"하여 참전하였을 뿐이라는 중화인민공화국의 그럴듯한 거짓 주장을 모든 발표자는 한결같이 그대로 받아들였다.

이 대통령은 유엔에서 벌어지는 그런 가식적인 놀음에는 흥미가 없었다. 1월 5일 그는 50만 한국 청년들을 무장시킬 소총과 다른 무기들을 요청하는 편지를 맥아더 장군에게 보냈다. 그는 또한 장제스(蔣介石)가 지원하겠다고 제안한 5만 명의 대만 병력이 한국전쟁에 참전할 수 있도록 허용할 것도 요구하였다. 그 다음날, 그는 트루먼 대통령에게 서한을 보내 젊은 한국인들을 무장시킬 것을 거듭 요청하였다: "하나님께서 건강과 용기와 지혜를 각하에게 내리시길 기원합니다" 라는 인사로 편지를 마무리하면서, 그는 보다 강경한 항전을 요구하기 위해 여러 요인들을 하나의 단락으로 묶어 자신의 생각을 토로하였다:

한 달 전 중공군 무리가 침입한 이후 유엔군은 북쪽 국경선으로부터 철수를 계속하여 적군은 이제 수원까지 이르렀습니다. 전선을 구축할 목적으로 행해진 소위 전략적 퇴각은 한 번도 성공을 거둔 적이 없습니다. 적군이 우리에게 전선을 구축할 기회를 주지 않기 때문입니다. 지금과 같은 속도로 적의 진군을 허용한다면 단시일 내에 대구와 부산에 도달할 것입니다. 그 결과를 생각만 해도 몸서리가 쳐집니다. 우리 한국인들에게 무슨 일이 일어날지를 상상하는 것만도 두려운 일입니다. 적은 한국 내의 모든 반공적인 요소들을 파괴하려고 할 것이며, 또한 살아남아 이런 사실을 세상에 전해줄 정상적인 사람은 남아나지 않을 것이기 때문입니다.

더 불행한 일은 한국의 공산 침략을 저지하기 위해 용감하게 나섰던 각하와 그 밖의 위대한 지도자들에게 이 재앙이 미치게 될 지대한 영향입니다. 그들은 모든 책임을 각하에게 돌리려 할 것이고 그래서 소련과 전 세계의 모든 괴뢰집단들은 기뻐 날뛰게 될 것입니다. 유엔은 또 다른 세계 대전으로부터 자신은 물론 다른 누구도 지키지 못하고 다만 이 전쟁을 점점 더 처참하게 만들 것입니다.

이러한 사태를 극복하려면 우리는 지금 중공 침략군을 격퇴시키고 쳐부수기 위해 할 수 있는 모든 노력을 기울이지 않으면 안 됩니다. 한국인들에게 무기를 제공해서 한국식 게릴라 전략에 따라 전쟁을 수행할 수 있도록 허용하시고, 맥아더 장군으로 하여금 어느 곳에든 공산군의 침략을 막을 수 있는 무기와 심지어는 원자폭탄까지도 사용할 수 있는 권한을 주시기 바랍니다. 모스크바에 폭탄 몇 방이면 그것만으로도 공산세계를 뒤흔들어 놓을 것입니다.

이 대통령은 1월 5일자로 장면 대사에게 보낸 메모에, 유엔에서 논의
되고 시도되고 있는 여러 가지 방식의 전환과 타협조치에 대한 자신의
생각을 피력하였다:

　　나는 친공(親共) 국가들이 제안한 온갖 유엔 결의안에 대해 아무런
　　관심이 없소. 그들 중 일부 국가는 자기들이 처한 입장을 알지 못하고
　　있고 민주주의와 공산주의의 투쟁이 무엇을 의미하는지조차 이해하지
　　못하는 나라들도 있소. 또 어떤 나라는 소련이나 그 괴뢰집단의 비위
　　를 거스르는 것을 두려워하고 있소. 그런 그들에게 무엇을 기대할 수
　　있겠소? 유럽 제국은 각자의 안보에만 노심초사 하지 다른 나라에서
　　무슨 일이 벌어지든 자신의 이해관계에만 관심을 갖고 있소.

　　호주도 약간의 관심은 갖고 있지만 영연방에서 뉴질랜드만이 태평
　　양 지역 문제에 어느 정도 관심이 있을 뿐이오. 이들 두 나라가 태평
　　양 지역에 위치해 있기 때문이오. 그런데도 호주는 정당정치체제로 인
　　해서 찬반 양 진영이 나눠지기 때문에 이쪽이든 저쪽이든 확고한 입장
　　을 내세우지 못하는 형편이오. 한마디로 이런 상황이기 때문에 우리는
　　그들에게서 기대할 것이 별로 없소.

그 후 이 대통령은 꽤 오래도록 생각해오던 결정을 내렸다. 장면 대사
가 워싱턴의 한국 대표로서 적임자가 아니라는 것이다. 그는 장 대사에게
이런 서신을 보냈다: "대사가 인기가 있고 우방국의 신뢰를 얻는다는 것
은 좋은 일이지만 때에 따라서 외교관은 여러 나라에 자국 정부의 입장을
납득시키기 위해 자신의 인기를 희생시켜야 하는 경우도 있는 법이오."

그러고도 이 대통령은 차마 소환한다는 표현이 어려워서 이렇게 에둘
러 말했다: "무초 대사와 이곳에 있는 다른 몇몇 미국인 친구들은 장 대
사가 한국에 꼭 있어야 한다고 생각하고 있소. 그들 생각으로는, 현재로
서는 서울이 가장 중요한 곳이라고 생각하고 있고 나 역시 대사가 당장

한국으로 돌아오는 것이 좋겠다는 생각이오."

사실 이 대통령과 트루먼 대통령의 정책 차이는, 한국 전체의 해방과 통일에 관한 두 사람의 이견(異見)은 피할 길이 없었기 때문에, 너무 날카롭고 긴박해져서 이승만과 무초는 유순하고 유화적인 성품의 장 대사가 이승만과 그가 매일 상대해야 하는 미국인들, 즉 무초나 유엔군 사령부 사이에 중재역을 해준다면 유용한 목적에 도움이 될 수 있을 것이라고 생각하였다.

장면이 워싱턴에 있는 동안 가능한 한 미국 정책에 가깝게 맞추고자 열심히 노력하는 모습을 보여 왔기 때문에 그가 이 대통령으로 하여금 미국에 대한 요구는 줄이고 양보는 더 많이 하도록 영향을 줄 수 있고 또 줄 것이라는 것이 무초의 희망사항이었다.

반면에 이승만은 반드시 공산당을 격퇴하고 한국을 통일시켜야 한다는 자신의 본질적인 입장을 수정할 생각은 추호도 없이 장면이 이러한 정책을 워싱턴과 유엔이 받아들일 수 있는 방식으로 의사전달을 할 수 있기를 바랐다. 이승만의 해법은 장면을 권한은 별로 없지만 상징적 직위인 국무총리에 임명하는 것이었다.

1월 6일, 이 대통령은 내게 한국이 처한 곤경에 대한 자신의 해석을 서한으로 보냈다:

> 중공군이 약 한 달 전에 한국을 침공한 이후, 전선 양쪽에서 매일 수천의 인명이 희생되고 있소. 그야말로 수백만의 남북한 사람들이 자기 집에서 쫓겨나 산으로 들판으로, 도처에서 방황하며 추위와 기아로 무수히 죽어가고 있소. 그런데도 유엔은 여전히 무의미한 결의안에 매달리고 있소.
>
> 맥아더 장군은 중공군의 공격에 관해 어떻게 대처해야 할지를 결정해 달라고 요청하는 보고서를 유엔에 제출한 이후 어떤 조치를 취해야 할지 모르는 상태에 있소. 자연히 주한 유엔군도 일종의 긴장상태에서

안정을 하지 못하고 있소. 유엔군은 국경 지역에서 철수하여 평양, 개성, 서울을 저항 없이 차례로 내어주었고, 지금 적군은 수원까지 내려왔소. 개성과 서울 두 도시는 거의 비어버린 상태라오. 떠날 수 있는 사람들은 공산 살인마들로부터 목숨을 부지하기 위해 모두 남쪽으로 도망쳤소. 그러나 지금까지 적군이 남진해온 속도로 미루어보아 대구와 부산에 도달하는 것은 시간문제일 것이오.

유엔군은 평양시 외곽에서 그랬던 것처럼 서울, 김포, 인천 그리고 다른 장소에 비축해 놓은 모든 전쟁 보급품을 소각해 버렸소. 서울 남부의 여러 전략 지점에 비축해 놓은 쌀도 적군에게 노획될 위험에 처해 있소. 그래도 불쌍한 피란민들은 유엔에서는 아직도 되지도 않는 소리를 떠들어대면서 적군이 빠르게 밀고 내려오는 것을 방치하고 있는 줄도 모르고 유엔군이 설마하니 한반도 전체를 중공군이 점령하도록 내버려두지는 않으리라고 확신하고 부산이 자기네들의 목숨을 구할 수 있는 안전한 장소라고 믿고 있는 것이오.

이 대통령은 한국군의 무장 필요성을 역설하면서 이렇게 주장하였다: "우리는 죽을 각오로 싸울 것이며 적에게 패배를 안겨 말살시키고 말 것이오. … 이것이 우리의 결의이며 유엔도 여기에 이의를 달지 않기를 바라오. 유엔은 이번 전쟁과 같은 세계 위기를 다룰 능력이 없다는 것을 스스로 입증하였소. 지금이라도 사태를 수습하고자 한다면 그들은 맥아더 장군에게 필요한 어떤 무기라도 사용할 수 있는 권한을 주어야 할 것이오. … 지금 그렇게 하지 못하면 유엔이 민주국가들에게 등을 돌리고 소련을 지원하였다는 비난을 면치 못할 것이오."

유엔과 미국 정책에 대한 이러한 이 대통령의 견해는 상응되는 그에 대한 거부감과 적개심이라는 역풍으로 되돌아왔다. 해리 트루먼은 신랄

하게 비판했다: "리지웨이 장군에 대한 초기 테스트의 하나는 대한민국
과 이승만 대통령과의 관계에서 나타났습니다. 한국 정부는 시종일관 한
국의 다양한 청년 집단에게 무기를 지급할 것을 끈질기게 촉구해 왔습니
다. 본인은 정치집단과 다름없는 조직을 무장시키는 데는 동의할 수 없다
는 견해를 합동참모본부에 표명했습니다. …"109)

마크 클라크(Mark Clark) 장군은 이렇게 말했다: "완고한 노인 이승만
은… 자신의 전략 개념과 맞지 않는 사람은 우방이건 적이건 누구와도
대결하려 했습니다.… 나는 그에게 찬사를 보내지 않을 수 없었습니
다.… 존경도 하였습니다.… 개인적으로는 그를 좋아했지만 그는 여전히
내가 본 가장 골치 아픈 우리의 동맹자입니다."110)

합참의장 로턴 콜린스(J. Lawton Collins) 장군은 이승만을 "용맹스러운
노전사(老戰士)"라고 평가하면서, 그의 정책에는 거부감을 보였으나 개인
적으로는 그를 좋아하고 존경하였다.111)

아더 반덴버그(Arthur Vandenburg) 상원의원은 이렇게 말했다: "이 대통
령이 유엔이나 워싱턴 당국과 의견이 맞지 않은 점이 있었다는 것은 유감
입니다.… 그는 위대한 애국자입니다. 그러나 솔직히 말해서 북한이 국
민 투표를 통한 새로운 정부 수립에 동의하지 않는 한, 38선 이북의 민간
통치권을 인수받는 것을 기대해서는 안 된다고 생각합니다.… 기본적으
로 한국 전체의 해방운동은 유엔의 사업입니다.… 여기에는 전 아시아의
운명이 관련되기 때문에 반드시 그렇게 처리되어져야 합니다."112)

109) 트루먼의 『회고록』(Memoirs), 제2권 454 페이지.
110) 마크 W. 클라크의 『다뉴브 강에서 압록강까지』(From the Danube to the Yalu),
   1954, 뉴욕: Harper 출판사, 142-43 페이지.
111) J. 로턴 콜린스의 『평화시의 전쟁: 한국의 역사와 교훈』(War in Peacetime: The
   History and Lessons in Korea), 1969, 보스턴: Houghton Mifflin, 240 페이지.
112) 아서 H. 반덴버그 2세의 『반덴버그 상원의원의 개인 문서』(The Private Papers
   of Senator Vandenburg), 1952, 보스턴: Houghton Mifflin 출판사, 544-45 페이지.

이승만이 혼자서라도 꼭 싸워야 하겠다는 생각은 옳은 것이었다.

당시 유엔 주재 대한민국 상임 옵서버인 임병직(林炳稷) 대령과 나는 이 기간 동안에 미국 동부 전역에서 지역 주민들을 상대로 자주 강연을 했는데, 한국이 "자유롭고 민주적"인 나라가 되어야 한다는 의견에 대해서는 언제나 공감을 받았지만, 이를 달성하기 위한 방법이 되는 전쟁에 대한 일반적인 거부감도 있었다.

1월 6일, 이 대통령에게 보낸 서한에서 나는 이렇게 말했다. "우리의 지도자들이 이미 적에 의해 잔혹하게 감행되고 있는 전쟁을 어떻게 피하기를 바랄 수 있는지를 이해하는 데 머리가 어지러울 지경입니다."

같은 날 나는 미국에서의 홍보 프로그램 관리 책임을 면하게 해줄 것과 그 자리에 후임으로 변영태(卞榮泰)를 임명해 줄 것을 그에게 간청하는 서신을 다시 보냈다: "한국인이 이 프로그램을 관리하는 것이 중요하다고 생각되며, 특히 지난 세대의 모든 비극적 기간 동안 한국에 있었던 한국 사람이 그 자리에 있어야 한다고 생각합니다. 그는 이미 몇 권의 책을 저술하였고 이것으로 존경과 명예스러운 자리를 차지하는 데 크게 도움이 될 것입니다. 물론 나 자신도 필요할 때는 기꺼이 긴밀히 그와 협조하고 모든 면에서 가능한 한 지원을 아끼지 않겠습니다."

1월 21일, 이 대통령은 내가 원한다면 나와 함께 일하도록 변영태를 고용해도 좋다는 답변을 보내왔다. 그러나 얼마 지나지 않아 그는 변영태를 파키스탄에서 열린 한 국제회의의 특파 대사로 임명했다.

그럼에도 이 대통령은 무엇인가 변화는 있어야 한다고 생각했다. 그의 1월 11일자 서한에서는 다음과 같이 말했다: "우리는 한국이 미국 일반 대중에게 직접 호소할 수 있는 홍보 조직을 만들지 못했소."

다음 날 그는 다시 편지를 보내왔다. "일본인들은 그들의 영악스러운 외교와 선전을 통해 언제나 원하는 것을 얻고 있소. 그러나 한국 사람들은 선전의 가치를 모르고 흔히 자기들을 해치려는 자들의 손에 놀아나고 있소."

나는 여름 동안 미국 전역을 순방하면서 미국인들을 상대로 한국에 관해 강연도 하고 대화도 나눌 수 있겠다는 제안을 하였다. 1월 21일, 그는 이렇게 답변하였다: "박사가 여름철 몇 달 동안 한국으로 들어와 나를 도와줄 수 있으면 좋겠지만, 말한 바와 같이, 전국 순회가 유익한 결과를 가져올 것으로 보이니 계획을 추진하기 바라오."

미국에서의 홍보 프로그램이 왜 중요한지는 1월 23일자로 나에게 보낸 문서철에 "철해 두지 말 것"이라고 표시된 그의 서한에 충분히 설명되어 있다:

> 최근 미국 언론 보도에서 유엔군은 "영예롭게 철수"하게 되든가 아니면 "한국에서 쫓겨나게 될 것"이라는 말들이 무성하다는 데 주목하고 있소. 한국의 전쟁터에서 이러한 보도를 읽으면서 이 나라 일반 대중뿐만 아니라 전선에서 싸우고 있는 각국의 군인들도 어처구니없고 동시에 사기를 떨어뜨리는 일로 여겨지오.

> 왜 이런 분별없는 가십 기사가 난무하는 것인지 알 수 없소. 득을 볼 수 있는 것은 소련 밖에는 아무도 없소. 소련이야 전 세계의 붉은 괴뢰 집단들을 고무시키는 이러한 기사거리보다 더 좋을 게 없을 것이오. 이런 기사가 미국 옵서버들의 순전한 상상에서 어떻게 나올 수 있는지 흥미롭기만 하오.

한편 미국은 외교적 절차가 허용하는 한 신속히 한국에서 보다 강경한 입장을 취할 수 있는 길을 열기 위해 분주히 움직이고 있었다. 그러나 주목해야 할 것은, 그 목적이 한반도에서 공산주의자들을 몰아내기 위한 것이 아니라 그들을 38선 이북으로 밀어붙이기 위한 것이었다. 온갖 압력 속에서도 미국은 2월 1일 유엔 총회로 하여금 공산 중국을 "침략자"로 규탄하는 미국이 제안한 결의안을 채택하였다.

그러나 이러한 결론에 이른 것은 타결을 위한 유엔의 노력을 받아들이지 않는 중국에 대해 양해하고 앞으로 논의와 협상이 진행되는 동안에는 침략자를 응징하기 위한 어떠한 조치도 취하지 않겠다는 두 건의 수정안을 미국이 수용한 후에야 가능하였다.

이 정도로까지 조건을 완화했지만 공산국가들과 그들의 동맹국들뿐만 아니라 "제3세계 블록"을 형성하려고 애쓰고 있던 대부분의 중동 국가와 스칸디나비아 국가 등 "중립"국가들까지도 여전히 이 결의안에 반대하였다. 유엔이 한국 전쟁을 계속 수행할 열의가 없다는 것은 명백했으나, 그래도 맥아더 장군은 결국 전쟁에 개입한 중공군을 "침략자"로 취급하여 그들의 진군을 격퇴할 수 있는 권한을 얻어냈다.

이 대통령은 유엔군사령부로부터 유엔군이 공산군에 대항해 맞싸울 때가 되었다는 통지를 받고 2월 7일 나에게 서한을 보내 깊은 안도감과 기쁜 마음으로 전략적으로 불가피했던 퇴각을 이제는 받아들일 수 있다는 용의를 표명하였다. 그러나 실제로는 이렇게 말하고 있었던 것이다: "내가 미국과 유엔의 계획에 대해 반대 캠페인을 벌이자고 주장해온 것은 잊어버리자. 그리고 그들이 이제 싸울 준비가 되었으니 도와주도록 하자":

> 문제는 그들이 말하는 소위 전략적 후퇴라는 것 때문이오. 워커 장군은 북한의 몇몇 지역에 유엔군 지상부대가 포위되어 있다는 사실 때문에 약간 겁을 먹었던 것이었소. 미 해병대는 아주 긴박한 상황에 처해 있었소. 마지막으로 빠져나올 수 있는 길을 연 것은 그들의 끊임없는 전투와 용맹성 때문이었소. 그러나 그 2주일 동안 너무나 많은 인명 손실이 있었소.[113]

워커 장군은 이러한 위험을 피하기 위해 전선을 구축하기로 결심했소. 전선 구축이 완료될 무렵에 적군이 들이닥쳤던 것이오. 그는 다시 물러나서 새로운 전선을 구축해야만 했던 것이오. … 그가 결심한 것은 대구와 부산 주변의 옛 방위선을 다시 구축하자는 것이었소. 한국군과 유엔군은 이러한 궁극적 목표를 알지 못했고 풍문과 비판이 난무했소. 당연히 이로 인해 한국 국민들은 거의 절망적인 상태에 빠지게 되었소. 많은 사람들은 유엔이 아주 빠져나갈 것이라고 생각하였소. 한국으로부터의 완전 철군을 주장하고 있음을 보여주는 여러 징후가 미국에서 발견되었기 때문이오. 그때가 바로 한국 국민들이 더 이상의 후퇴를 거부하고 무기가 있든 없든 북진을 결의한 시기였소.

워커 장군의 급서는 매우 애석한 소식이었소. 그의 후임자 리지웨이 장군이 모든 지상군에게 전선에서 후퇴하지 말 것을 명령하고 이제는 물러서지 않고 진격할 것이라고 선언했소. 리지웨이 장군의 이런 말에 우리 모두는 새로이 사기가 오르게 되었소.…

그런 다음에 그는 장기적인 계획으로 한·미 협회의 설립 문제로 화두를 옮겼다. 이 협회가 친선과 이해를 도모하는 데 중요한 결실을 창출할 것으로 희망하는 구상을 그는 가지고 있었다. "첫째로" 하고 그는 이렇게 말문을 열었다:

한국 정부의 비용으로 어떤 단체를 설립하지는 않을 작정이오. 조직을 발족해서 무한정 유지해 나갈 충분한 자금이 있다고 하더라도 그렇게 해서는 아주 좋지 못한 인상을 주게 될 것이오. 그런 단체가 만들

---

113) 그가 언급한 것은 한국 동부 산악지대에서 공산군에게 포위되었다가 혈로를 뚫고 빠져나온 미 해병 제1사단에 대한 것이다. 사령관 올리버 스미스 소장은 자신의 사단이 패퇴하고 있다는 보도를 접하고 분개하여 기자들을 불러 모아놓고 이렇게 말했다. "여러분, 우리는 후퇴하고 있는 것이 아니오. 단지 다른 방면으로 공격하고 있을 뿐이오."

어진다면 반드시 자급적 기반 위에 설립되어야 할 것이오. 처음에 약
간의 착수 자금은 지원할 수 있겠지만 그것도 가능하면 피하고 싶소.
… 박사와 여러 사람이 이러한 바탕에서 열심히 일한다면 그런 움직
임에 대해 모든 상황이 유리하게 돌아가고 있는 지금, 단시일 내에 1
만 명의 회원을 확보하지 못할 이유가 없을 것이오.

2월 15일, 이 대통령은 대한민국 국무총리에게 단호한 메모를 보내고
미국에서 활용하도록 나에게 그 사본을 보내왔다. 이 각서에서 그는 전쟁
의 목표를 "한반도 경계 내의 어느 곳도 분단이 없도록 국가를 통일하고
우리 영토를 수복하는 것"이라고 자신의 입장을 명확히 정리하였다. 이
에 못 미치는 그 어떤 목표도 받아들일 수 없다고 그는 강조하였다. 그리
고 이렇게 마무리지었다:

　　우리는 올바른 사고를 가진 모든 유엔 회원국들이 우리가 싸우고 있
　는 원칙을 확고히 지지해 주리라는 절대적인 확신을 가지고 있소. 우
　리의 입장이 그들의 입장이고 우리의 전쟁이 그들의 전쟁이기 때문이
　오. 우리는 겉보기로는 민주주의를 지지하는 것 같지만 실상은 바로
　자유세계의 적을 지지하고 있는 국가들에 회원국들이 영향을 받지 않
　기를 바라는 바이오.

전후의 장래 안보를 보장하는 데 필요한 조치까지 내다보면서 2월 20
일 또 다른 메모에 "한국의 국가적 생존은, 부분적으로는 어떠한 이웃
나라도 한국을 손쉬운 먹잇감으로 생각하지 않도록 할 공동안보를 위한
국제협약에 달려 있고, 또 부분적으로는 우리 자신의 군사적 대비 태세에
달려있다"고 지적하였다. 국제협약에 대해서는 "모든 태평양 국가들에
게 유익한 태평양 조약이나 동맹체 결성의 제안이 한 가지 방법이지만,
… 우리 자신의 안전을 보장하기 위해 다른 나라들을 끌어들이려 하는

것처럼 보이고 싶지 않기 때문에 현 시점에서 정부가 이러한 방향으로 주도권을 행사하는 것을 원하지 않는다"고 말했다.

그런 연후에 그는 샌프란시스코에서 조인이 추진되고 있는 대일본 평화조약(the Japanese Peace Treaty)에 대해 거론하면서 이러한 의문을 제기하였다. "미국이 일본과 동맹을 맺을 용의가 있다면 한국도 거기에 포함될 것인가? 그렇지 않으면 미국이 한국과도 별개의 동맹조약을 체결하게 될 것인가?"

세 번째 요소로서 그는 한국은 자체 방위에 필요한 인력은 충분하지만 어떻게 해서든 미국을 설득하여 필요한 무기와 장비를 공급받을 수 있도록 해야 할 것이라고 분명히 밝혔다. 한국에 효과적인 상비군을 확립한다면 인접 국가들이 한국을 공격하고자 하는 유혹을 감소시켜 동양의 평화를 정착시키는 데 도움이 될 것이라고 그는 지적하였다.

한국군의 무장과 함께 남북통일이 될 때까지 전쟁을 수행해야 한다는 강경한 주장으로 인해 이 대통령은 미국과 세계 언론 그리고 유엔의 외교관들 사이에서도 신랄한 인신공격의 대상이 되어 있었다. 그의 견해와 인격을 옹호해야 하는 우리의 과업도 점점 어려워졌다.

5월 1일, 나는 이 대통령에게 다음과 같은 서신을 보냈다:

> 잘 아시다시피 일각에서는 각하와 각하 정부의 평판을 훼손시키고자 하는 분명한 움직임이 있습니다. 각하께서 피란민에 대한 구호와 농민들을 봄철까지 농토로 돌려보낼 귀농계획과 금년 봄에 있을 토지계획 등의 시행에 용의주도하게 최선을 다하신다면 이미지 개선에 도움이 될 수 있을 것이라고 생각합니다. 또한 전쟁포로에 대한 관용과 경찰병력의 엄격한 통제는 언제나 언론의 호의적 반응을 얻을 것입니다.

5월 5일, 나는 같은 문제에 관한 서신을 다시 보냈다:

대한민국이 사실상 토지개혁을 차단했다는 언론의 기사는 그들의 뇌리에 뿌리 깊게 자리 잡고 있어서 진상을 밝힘으로써 이에 대응하는 것은 대단히 중요합니다. … 정확히 어떤 법률이 통과되었는가? 일찌감치 거부권이 행사된 이유는 무엇인가? 얼마나 많은 소작농이 농지 소유자로 전환되고, 얼마나 많은 지주 소유 농지가 자영농지로 바뀌게 되는가? … 이런 의문들에 대한 해명은 반드시 필요하고 반론의 여지가 없도록 확고하게 밝혀야 할 사항입니다.…

홍보라는 관점에서는, 이번 봄에 당장 새로운 법률에 의해 농민들에게 농지 판매를 추진하는 것보다 더 좋은 소식은 없을 것이라고 생각합니다. 그렇게 되면 한국 주재 300여 명의 기자들은 공산군과 교전 중인데도 농지개혁 프로그램이 잘 진행되고 있다는 사실을 일제히 보도할 것입니다.… 114)

그리고 한 가지 더 있습니다! … 임병직이 유엔에서 일을 아주 훌륭히 해내고 있습니다. 〈뉴욕타임스〉지는 그에게 전적으로 호의적이고, 내가 듣기로는 유엔 직원과 기자들로부터도 아주 우호적인 반응을 얻고 있다고 합니다. 물론 그가 기본적인 정책을 바꿀 수는 없지만 한국의 존재를 알리는 데는 한 몫을 하고 있다는 것만은 분명합니다.

그 후 3월 13일에는 단호한 변화가 있었다는 반가운 소식이 있었다. 그래서 이 대통령에게 다음과 같은 서한을 보냈다:

농지 매각의 조치를 촉구한 저의 지난 번 편지를 발송하던 날 〈뉴욕타임스〉지에 새로운 법률에 의해 120만의 소작농가가 농지의 소유주

---

114) 맥아더 사령부는 1951년 1월 10일 현재, 한국 주재 외신 기자가 일본 기자를 제외하고 "247명"이라고 발표하였다. 한국 정부를 자극하지 않기 위해 일본 기자의 수는 발표되지 않았다. 파견 기자 중 32명은 영국, 13명은 호주, 뉴질랜드, 캐나다와 같은 영연방 각국에서 보내졌다. 그 밖의 유럽과 아시아 국가들로부터 파견된 약간의 기자도 있었지만 대다수는 미국 기자들이었다.

가 되었다는 기사가 보도되었습니다. 이것은 대단한 일입니다.… 농지 매각이 어떻게 진행되고 있는지에 대한 보다 상세한 내용이 필요하고 약간의 '인간적인 관심을 끄는 내용'의 이야기꺼리도 있었으면 좋겠습니다.…

또한 백낙준 문교부장관이 한국의 교육상황에 관한 상세한 정보를 제공해 줄 수 있기를 바랍니다. 몇 개의 학교가 아직도 운영되고 있습니까? 교사들은 어떻게 되었습니까? 교과서 상황은? 학교는 피난민 천막에서 수업을 진행하고 있습니까? 섬 지역으로 후송된 피난민 학생들을 위한 학교문제에 어떤 조치를 취하고 있습니까? 교사들의 징집 문제에 대한 방침은 무엇입니까? 우리는 이러한 종류의 정보가 있으면 잘 활용할 수 있을 것입니다.

복지정책에 관한 유사한 정보가 있으면 마찬가지로 매우 유용할 것입니다. 또한 봄철 파종과 농민들의 전반적인 문제점과 같은 소식도 좋습니다. 파종할 씨앗은 구할 수 있습니까? 비료는 어떻습니까? 논밭을 가는 데 쓸 소는 남아 있습니까? 아버지나 일할 수 있는 다 큰 아들들을 잃은 농민 유가족이 그들의 논밭에 농작물을 심을 수 있도록 특별한 협력체제 같은 것이 마련되어 있습니까? 이번 봄에 파종이 예상되는 논의 면적은 얼마로 추정됩니까? 금년 농사를 통해 농민들이 전체 국민 식량수요 중 얼마나 충족시킬 수 있을 것으로 예상됩니까? 어업은 어떤 형편입니까? 해군 함정들이 모든 어선들의 해상 조업을 금하고 있는 것은 아닙니까? 남서부 지역이나 그 밖의 지방에 있는 공장들은 일부라도 가동되고 있습니까? 어떤 공장이 어떤 방법으로 가동되고 있습니까? 전력 사정은 어떻습니까?

전선은 한시도 눈을 뗄 수 없는 상황이었다. 유엔군은 완강한 저항을 받으면서 북쪽으로 밀고 올라갔다. 리지웨이(Ridgway)의 북진은 1월 25에 시작되어 2월 초에는 그 전방 부대가 한강 남쪽 강변에 도달하였다. 이때까지 유엔군은 지나치게 전선을 확장하고 있었고 공산군의 대 반격이 시작되었다. 공산군의 이 공격으로 한국군 제5사단 및 제8사단 그리고 미군 제2사단 38연대가 "대학살의 계곡(Massacre Valley)"이라는 별명을 얻은 전투에서 사실상 궤멸을 면치 못했다. 중공군은 지평리에서 벌어진 격렬한 교전 끝에 마침내 저지당했다. 그곳 전투에서 프랑스군과 미군은 적군을 완전 포위하여 3일 동안 전투를 벌였다.

2월 15일이 되자 공산군은 퇴각을 시작했고, 리지웨이 장군은 맹렬히 적을 추격했다. 그는 이 추격 작전을 "킬러 작전(Operation Killer)"이라고 불렀다.

3월 7일에서 14일까지의 치열한 전투 끝에 서울을 재탈환하였다. 네 번째로 주인이 바뀐 것이다. 다만 서울 시가지에는 이제 부서진 잔해 이외에는 남아 있는 것이 거의 없었다. 대한민국 국방부는 "도시 55개 중 52개가 사라졌다"는 짤막한 뉴스 단신을 발표했다. 약 5천 개의 마을이 파괴된 것으로 추산되고 약 1천만의 피란민들이 자기 집을 떠날 수밖에 없었다.

2월 12일 하원의 공화당 원내대표 조셉 마틴(Joseph Martin)은, 그 대책에 대해서는 많은 사람들의 의견이 일치되지는 않았지만, 모두가 느꼈던 좌절감을 다음과 같이 요약하였다. "우리가 승리하기 위해 한국에 있는 것이 아니라면 수천 명의 미국인 청년들을 죽음으로 내몬 데 대해 이 행정부를 고발해야 할 것입니다."

좌절은 여러 가지 형태로 나타났다.

워싱턴에서는 여러 문제를 해결하기 위한 외교적 실패에 직면한 딘 애치슨 국무장관이 이렇게 말했다. "우리는 중공이 유엔에 대한 도전을 중단할 의사가 없다는 사실을 있는 그대로 정확하게 그리고 냉정히 받아들여야 합니다."

같은 날 1월 13일, 해리 트루먼은 말했다. "최악의 경우 한국에서 철수해야 한다면 그런 방침은 군사적 필요성에 의해 우리에게 강요된 것으로 우리는 그 결과를 정치적으로 받아들이지 않을 것임을 세계에 명확히 밝히는 것이 중요할 것입니다.…"

이 대통령은 한국의 이해관계가 가장 큰데도 전쟁을 좌우하게 될 정책 결정에 자신의 힘이 모자랐기 때문에 누구보다도 큰 좌절감에 빠졌다. 맞붙어 싸우고 있는 양쪽 군대가 한반도에서 서로 일진일퇴를 거듭하면서 한국은 황폐화되어 가고 있었다. 그런데 이에 대해 이 대통령이 할 수 있는 일은 거의 없었다.

콜린스 장군이 말했듯이, 이승만은 "골치 아픈 동맹자"였다. 왜일까? 한국전쟁에 대해 이승만은 전쟁의 목적에 대한 궁극적인 결정권이 있는 핵심 지도자들과는 본질적이고도 근본적으로 상이한 견해를 주장했다는 피할 수 없는 사실 때문이었다. 이 대통령이 트루먼과 애틀리(Attlee) 그리고 네루(Nehru)의 견해와 일치할 수 없었던 것은 마치 위가 아래가 되고, 흑이 백이 되고, 어제가 내일이 될 수 없는 것과 마찬가지였다. 그 불가피한 결과로서, 이승만의 가장 소중한 우군인 이들 지도자들은 또한 그와 가장 날카롭게 대립하는 반대자가 되었다. 공산당에 대처하는 연합국들의 노력의 핵심에는 이런 고유한 본질적인 차이가 있었던 것이다. 이승만은 네루를 경멸하게 되었고, 애틀리를 싫어하게 되었으며, 트루먼에 대해서는 훌륭하고 존경할만하기는 하지만 불행하게도 잘못된 조언에 의해 바른 길을 벗어나 헤매는 사람이라고 생각하게 되었다.

그러나 갈등은 개성의 문제가 아니었다. 이들 세 사람은 모두 이승만을 진정한 애국자이기는 하지만 현실 감각과 요령 및 전 세계적 요구와 민주주의 국가에 대한 세계적인 요구와 책무에 대한 배려가 결여된 사람으로 생각한다고 응수하였다.

만약 이승만이 오로지 편협한 애국심에만 매달려 있었던 사람이었더라면 그와 유엔 지도자들을 갈라놓은 문제는 훨씬 간단하게 해결될 수 있었을 것이다. 최근에도 있었던 사실이지만, 세계사에서 약소국의 구체적인 안위 따위는 열강의 필요에 의해 혹은 그들의 편의를 위해 희생된 일이 한두 번이 아니었다. 한국은 한반도 밖에서는 미국이나 그 어느 곳에서든 큰 지지를 받지 못했다. 만약 이 대통령의 이른바 "우국충정(patriotism)"이 그들에게 장애의 전부라고 인식되었다면, 한국은 훨씬 용이하고 신속하게 희생되었을 것이다.

물론 문제는 더 광범위하고 훨씬 더 복잡다단했다. 미국과 국제연합이 한국전쟁에 개입하여 전쟁을 계속하기로 결정한 것은 그 어떤 지도자들의 마음속에도 "한국 구출"의 목적이 있었기 때문은 결코 아니었다. 그것이 그들의 목표가 아니라는 데 대해서는 모두 다 동의했다. 이승만도 이 사실을 인정했다. 그는 어떤 외국이나 외국 군대도 한국을 위해서 싸우고 희생되는 것을 바라거나 기대하지 않는다고 거듭 말해 왔기 때문이다. 도대체 이 전쟁의 본질이 무엇인지에 대해 뒤집어 생각해 보아도 합의점을 찾기가 쉽지 않았다.

이승만과 맥아더의 입장에서는, 이 전쟁은 근본적으로 "공산당의 음모"에 의해 시작된 세계적 목표를 좌절시키기 위한 것이었다. 트루먼의 입장에서는, 1947년 자신의 그리스-터키 독트린으로 시작된 "대대적인 공산주의 봉쇄 구상"의 일환이었다. 애틀리의 입장에서는, 아마도 한국전쟁은 하나의 불가피한 역겨운 전쟁으로서, 가능한 한 속히 끝장을 내서 미국이 이 전쟁에서 손을 떼고 미국의 일차적인 관심사를 유럽 방위로 되돌릴 수 있도록 하기 위한 것이었다. 판디트 네루의 입장에서는, 공산 국가들과 비 공산 국가 사이의 "긴장"을 완화시킬 수 있도록 이 전쟁을 가장 적절한 시기에 중단시키기 위한 하나의 단순한 "지연작전"이었다.

두 공산 강대국 소련과 중국의 입장에서는, 이 전쟁을 확대하는 것도 끝내는 것도 의미가 없었다.

1951년 봄이 지나고 여름으로 접어들 무렵, 때로는 치열하고 피비린내 나는 전투가 반복되던 한국전쟁은 전쟁이 시작된 지점 부근에서 안정되었다. 소련의 야콥 말리크(Jacob Malik)는 6월 23일 뉴욕 유엔의 라디오를 통한 연설에서 서방 연합국을 "전쟁광"이라고 비난하면서도 휴전이 바람직할 수 있다는 온건한 암시의 표현으로 말을 끝맺었다. 그는 말했다. "첫 단계로 먼저 전투를 중지하고 38선으로부터 상호간의 군대를 철수하도록 규정하는 정전(停戰)을 위한 협상을 교전국간에 시작해야 합니다."

영국 외무성은 말리크의 이러한 발언을 "바로 영국과 다른 여러 나라들이 오랫동안 모색해 오던 것"이라며 환영했다. 트뤼그베 리(Trygve Lie) 유엔사무총장은 노르웨이에서의 휴가를 중단하고 서둘러 뉴욕으로 돌아와서 희망에 찬 평화의 신호를 발표하였다.

유일한 불협화음은 이에 대해 가장 깊이 우려하는 정부의 대통령인 "분통터지는 동맹자"로부터 나왔다. 이 대통령은 6·25 사변 기념일에 행한 연설에서, 유엔은 모든 공산군이 압록강 너머로 격퇴될 때까지 스스로 공언했던 임무에 충실해 줄 것을 요구했다. 그는 말했다: "공산군은 겁을 먹고 참호 속에 웅크리고 있습니다. 그들은 크게 증강되지 않는 한 패배할 것입니다. 우리는 유엔군이 현재의 진격을 계속해 주기를 바라고 있습니다."

전 세계적인 반응은 이 대통령을 무시하거나 혹평을 퍼붓고 소련의 말리크가 내민 달콤한 미끼를 물기 위해 허둥지둥 몰려가는 모습이었다. 네루는 극동에서 적대행위 종식을 요구하기 위해 공산 침략으로부터 충분히 안전한 거리를 두고 있는 것으로 보이는 동남아시아 제국의 규합을 모색하였다. 중동에서 오래 전에 결성되었던 아랍 연맹은 중공에 대해 더 이상의 압력을 가하는 것을 거부하였다.

워싱턴에서 트루먼 대통령은 독립기념일 연설을 통해 "한국은 보다 광범위한 분쟁의 일부"에 지나지 않으며, 이에 관해서는 "완전한 정보를 가지고 있는" 대통령만이 현명한 결정을 내릴 수 있다고 미국 국민에게 주의를 환기시켰다. 영국 언론은 유엔군의 한국 철군을 용이하게 하도록 계획된 혹독한 반(反)이승만 논조를 취하였다.

7월 3일자 노팅엄 〈가디언〉(Guardian)지는 "이승만은 영국의 외교적 기피인물(persona non grata)"이라고 보도했다. 영향력이 큰 맨체스터 〈가디언〉지는 7월 9일 이승만이 "협상을 꼬이게 만들도록" 허용해서는 안 된다고 경고하고, "통일이 가져올 이점 중 하나는 이 박사 정부가 흡수되어 버릴 수 있는 행정부를 들어서게 하는 것"이라고 끝을 맺었다. 강력한 외부의 간섭에 대항하여 자국의 권리를 주장해온 것으로 알려진 아일랜드를 대표하는 신문 〈아이리시 타임스〉(Irish Times)지는 7월 2일 다음과 같은 사설을 실었다:

> 악명 높은 이승만 씨에 대한 감시의 눈을 게을리 해서는 안 될 것이다.… 유엔은 한국과 같이 세계 한 구석의 작고 국제적 관점에서 중요하지 않은 나라를 위해 다시는 자진해서 전쟁에 개입하지 않을 것이다.… 한국은 최종 리허설에 불과하다. 본 공연은 유럽에서 펼쳐질 것이다.

이 대통령이 어쩌다가 이처럼 "악명 높은" 사람이 되었는가, 하는 문제에는 이승만의 명성과 역사적 평가 이상의, 한국전쟁 자체 이상의 중요성이 있다. 그 잘못이 이승만에게 있었던 것인가? 연합국 지도자들에게 있었던 것인가? 그렇지 않으면 처해진 상황 때문이었던가?

여러 해 동안 이 박사와 매우 긴밀한 관계를 맺어온 나의 개인적인 관점에서 볼 때, 그가 "한국의 애국자"라는 이유나 또는 공산 침략에 대항하여 세계의 자유 수호를 위해서는 한국에서 공산당이 도발한 "무력행사"를 단호하고 분명하게 좌절시킬 것을 요구한 그의 보다 대승적 견해를 이유로 그를 탓할 수는 없는 일이었다.

러시아 혁명 이후 오랜 세월에 걸쳐 그의 한결같은 주장은 "공산주의는 콜레라와 다름없다", 그리고 "콜레라와는 타협이 불가능하다"는 것이었다. 오늘날 베트남 전쟁과 그 밖의 여러 가지 사태에 비추어 25년 전의 한국전쟁과 휴전협상을 되돌아 볼 때, 이승만과 견해를 달리했던 사람이라도 어떻게 감히 그의 자세를 "악명 높은" 것이라고 혹평할 수 있었는지 이해하기 곤란하다. 최소한 그의 자세를 이해와 존경의 마음으로 바라보아야 할 만큼 그가 옳았다는 증거는 충분히 있다고 생각된다.

이 글을 쓰고 있는 현 시점에서 미래가 어떻게 전개될지는 아무도 알 수 없다. 어쩌면 공산주의와의 타협이 앞으로 가야 할 길임이 입증될지도 모른다. 또는 민주국가들은 아마도 "타협"이라는 단어는 승리가 아니라 항복의 또 다른 표현임을 깨닫게 될 수도 있을 것이다. 이 대통령에게 반대하던 사람들이라도 자신의 신조를 꿋꿋하게 지켰다는 이유로 그를 비난해서는 안 될 것이다. 그의 신조는 정당할 수도 있었다. 아무튼 당시의 상황을 고려할 때, 그것이 논리적이고 건전한 것이었음은 확실하다.

물론 트루먼 대통령이 표명했던 두려움은 아직도 남아 있다. 한국에서 공산당을 "격퇴"시켜야 한다고 고집하는 것은 원자탄에 의한 엄청난 희생을 비롯하여 말로 표현할 수 없는 전율의 제3차 세계대전을 초래할지도 모르는 일이다. "만약 그때 그랬더라면 어떤 일이 일어났을 것이다" 란 말은 아무도 무슨 일이 일어났을지 모른다는 말이 된다. 이승만이 가 슴 속 깊이 믿고 있었던 것과 같은 정반대의 일이 일어났을 가능성도 얼 마든지 있는 것이다. 다시 말해서, 당시 소련의 핵무기 능력이 겨우 첫 걸음을 떼는 수준이었을 때 공산군을 결정적으로 패퇴시켰더라면 핵전쟁 의 공포가 인류의 존재 자체를 위협하게 될 때까지 미루는 것보다 훨씬 더 안전하였으리라는 것이다.

물론 한국에서 유엔이 확고부동한 입장을 견지했더라면 훗날 쿠바의 핵미사일에 대처했던 존 케네디 대통령이 취한 결연한 태도로 얻어진 것 과 동일한 결과가 한국에서도 이루어졌을 가능성이 있다. 공산군이 퇴각 했을지도 모른다는 말이다. 이것은 지금의 우리로서는 알 수 없는 일일 따름이다.

1951년 봄, 한 치의 땅을 빼앗기 위해 매일 수많은 사상자를 내면서 밀고 밀리는 전투가 계속되는 상황에서는 오해를 낳고 분통이 터질 소지 가 얼마든지 있었다. 정부가 처리해야 할 일은 끝도 없었고, 그것이 시설 들의 대량 파괴와 불행을 당한 엄청난 피란민들의 혼란 속에서 더욱 악화 됨에 따라, 후방의 국민들의 신경도 매우 날카로워져 있었다.

대한민국 정부의 임시수도 부산은 인구 43만의 매력적인 도시에서 150 만의 굶주리고 집도 없는, 이 전쟁의 피해자들이 들끓는, 악취 나는 빈민 가로 변했다. 많은 가족들은 아버지가 죽거나 나이든 아들들은 군대에 징 집되어 간 상태였다. 거리에는 수천 명의 고아들이 거리를 떼를 지어 다 녔다.

이런 상황에서 미국 경제협력국(ECA) 관리들은 정부예산의 균형을 유 지하여 인플레를 통제하도록 이 대통령에게 강력한 압력을 가했다.

3월 15일, 이 대통령은 나와 한국 대사관 김세선(金世旋) 대리대사에게
서한을 보내왔다:

　　8개월 간이나 전쟁 중에 있는 나라에서 세금을 걷는 일이 매우 어
　렵다는 사실을 폴 맥너트 씨에게 설명해 주기 바라오. 거둬들인 세금
　은 정부 경비를 충당하는 데도 빠듯할 정도라오. 그러나 군사비의 지
　출을 위해 충분한 세금을 징수하는 것은 불가능하오. 그러므로 정부
　는 국방예산을 일반예산과 분리시켰소. 우리는 공채를 발행해서 국방
　예산을 조달할 작정이오. 이것이 얼마나 어려운 일인지는 잘 알 것이
　오. 우리의 외국 친구들은 우리에게 세금을 올리고 공채를 발행하도
　록 요구하고 있는데, 이것은 마치 되도록이면 이 정부의 인기를 떨어
　뜨리려고 하는 의도가 있는 듯하오. 돈을 낼만한 국민이 거의 없는
　형편이오.

　　예를 들어, 미8군은 4개 노무(勞務) 부대의 제공을 요구하고 있소.
　하나는 트럭 이동이 불가능한 경우에 이용할 수송부대이고, 다른 하나
　는 유엔군을 위한 산악 보급품을 운반하게 될 지게부대이며, 나머지
　둘은 진격하는 유엔군이 이용할 도로와 교량 보수를 위한 부대라는 것
　이오.

　　우리는 이들에게 하루 두 끼니를 먹이고, 그 밖에도 조리용 난로와
　모포 1장씩을 제공해야 하오. 모포를 제외한 모든 것은 제공하겠다고
　약속하였소. 우리 수중에 모포는 가진 것이 없기 때문이오. 모포는 암
　시장에서 구입해야 하는데 장 당 5천 원씩이나 한다오. 1개 부대 8천
　명에게 공급하려면 4천만 원이 소요되는데 정부 예산에 그럴만한 여
　유가 없소. 어디서 이 돈을 마련한단 말이오? 한편으로는 인플레를 잡
　으라고 요구하고 있으면서 다른 한편으로는 예산도 책정되어 있지 않
　은 물품을 공급하라는 것이오. 미국인들에게는 이런 모포를 한 명당
　한 장씩 공급하는 것은 당연히 별일 아닐 것이오. 이곳의 일부 미국인

들은 미국이 인색하게 굴어서 한국 경제가 망가진 것을 보고나서야 비로소 그런 물자를 지원했어야 한다는 것을 미국 국민들은 모르고 있을 것이라고 하였소. 이것이 이곳에 있는 많은 미국 기자들의 생각이오.…

두 분은 미군정이 결과도 생각하지 않고 돈을 마구 찍어 내던 사실을 기억할 것이오. 우리는 아무 쓸모도 없는 화폐를 인수하지 않을 수 없었소. 우리가 그것을 안정시켰소. 이제 우리는 다시 똑같은 군사체제로 밀려들어가고 있는 것이오.

맥너트 씨와 함께 논의해 주었으면 하는 또 다른 중요한 사안이 있소. 트루먼 대통령이 외국 원조자금으로 5억 달러를 요청하고 위원회 의장으로 넬슨 록펠러(Nelson Rockefeller) 씨를 임명하였소. 이 위원회가 경제협력국(ECA)을 포함한 모든 대외활동의 단일 창구가 될 것이고, 6월 1일에 그 활동을 개시할 것이오.

록펠러 씨와 친교를 쌓는 것이 대단히 중요하오. 아시다시피 그는 일본에 친화적이었고, 지금도 그러할 것이오. 그가 덜레스(Dulles) 씨와 함께 일본에 갔을 때 이미 일본을 위해 무엇을 약속하였는지 잘 알고 있을 것이오. 우리는 록펠러 씨나 그의 위원회에 접근해야 하오. 당연히 맥너트 씨는 위원회의 위원 중 누군가를 알고 있을 것이오. 우리는 트루먼의 4대 목표계획(the Point Four Program)에 참여하지 않으면 안 되오. 우리의 입장은 전쟁 전과는 달라졌소.

민간투자는 가장 중요한 사안의 하나인 것이오. 일본에 사업상 이해관계를 가진 미국인들이 평화조약이나 이해관계가 없었더라면 일본이 누릴 수 없었을 모든 혜택들을 제공하기 위해서 정부에 압력을 가하고 있듯이, 한국에 미국 자본이 투자되어 있으면 미국 투자자들이 우리를 위해 미국에서 싸워줄 수 있을 것이오.…

또한 부산이나 서울, 또는 그 인근에 1급 호텔을 건설하는 데 힐튼

(Hilton) 씨가 관심을 가지도록 할 수 있겠는지를 맥너트 씨에게 알아보시오. 한국에 좋은 호텔이 있으면 틀림없이 많은 미국인들이 한국을 방문하고 싶어 할 것이오. 힐튼 씨는 전쟁에 무엇인가를 기여한다는 생각으로 호텔을 건설해야 할 것이오. 대한민국은 그가 원하는 모든 대가를 제공할 것이오.⋯ 한국이 처음에는 최선의 투자처가 되지 못하겠지만 투자자에게 그리 부담도 되지 않을 것이오. 호텔을 건축하게 되면 다른 프로그램에서 득을 볼 수도 있을 것이오. 지금 우리나라에는 1급 호텔이란 것이 없는 실정이오. 가장 좋은 호텔인 반도호텔은 미국 대사관으로 쓰도록 넘겨주었소. 그 점에 대해서도 언급해 줄만하오.

국내의 또 다른 어려운 일면은 경제 협력국(ECA) 한국사절단 단장 대리가 3월 16일자로 이승만에게 보낸 서한에 나타나 있다.

원래 한국을 위해 구매했던 비료 물량이 한국 부두가 군수품으로 가득 차 있기 때문에 대만으로 방향을 바꿨다는 보고였다. "몇 주일 이내에 소량(6천 톤)의 비료가 일본으로부터 수송될 것입니다." 이미 진행되고 있는 봄철 파종을 위해서는 적어도 50만 톤의 비료가 소요되는 것으로 추산된 바 있다.

한국 전쟁으로부터 어떤 타협을 모색할 갖가지 노력에 관하여 고뇌에 빠진 이 대통령은 효과적으로 활용할 수 있기를 바라면서 상대를 설득할 수 있는 수많은 주장과 호소 방법을 우리에게 소나기처럼 쏟아 부었다.

그는 3월 16일에 "출처를 밝히지 마시오"라고 표시된, 한국에서 공산당을 몰아내기 위한 다음과 같은 실제적인 브리핑을 써 보내왔다: "전쟁에서 우리의 승리가 가까워옴에 따라 타협주의자들과 친공 선동분자들이 우리가 적을 더 북쪽으로 밀어붙이는 데 반대하는 가지각색의 말도 안 되는 구실을 늘어놓으면서 우리를 38선에 묶어두려고 광분하고 있소."

맥아더는 완전한 승리를 원하고 그러한 방향으로 미국을 행동하게 하려고 애쓰고 있다고 그는 지적하였다: "리지웨이 장군도 38선에서 진격을 멈출 것으로는 보이지 않소."

세계 대전으로 비화될 것을 두려워하는 사람들에 대해서는 이렇게 말했다: "만약 소련이 진정으로 전쟁에 뛰어들 용의가 있다면 우리가 국경까지 가서 멈추든 중도에서 멈추든 자기들이 준비가 되었다고 판단되면 언제든지 개입할 것이오."

그는 유엔에서 오고간 말씨름에 대해서도 언급하였다:

그들은 한국 문제를 평화적 방법으로 해결해야 한다고 말하고 있소. 어떤 방법으로 말이오? 타협을 해서? 미국 정부가 그런 방법을 시도해 본 적이 있지 않소? 하지 장군도 같은 말을 하곤 했소. 하지는 전쟁으로 발전할 수 있으니 소련을 자극하지 말라고 했소. 우리가 공개적으로 공산당과 다투는 것도 말렸소. 그렇게 하면 문제를 평화적으로 해결하기가 매우 어려워지기 때문이란 것이었소. 그는 모든 수단을 다 동원해서 소련을 달래려고 했고 결국에는 여러 상황에 비추어 실수를 자인할 수밖에 없었소. 우리가 소련에 대해 유화정책을 시도하는 한, 미국은 모든 면에서 지는 싸움을 하고 있었던 것이오.…

같은 날 3월 16일, 이 대통령은 워싱턴 한국 대사관 한표욱(韓豹頊) 공사에게도 편지를 보내 자기가 미국 고위 관리와 군인들과 전날 가졌던 격렬하고 힘겹게 진행된 회의에 대해 설명하였다:

어제 15일에는 리지웨이 장군과 무초 대사 그리고 콜터 장군의 방문을 받았소. 국방장관이 13일 출국했을 때 나는 비행기로 리지웨이 장군의 사령부를 찾아가야 할 것으로 생각했었소. 장군과 논의하고자 하는 몇 가지 사안이 있었으며 그 중 하나는 38선 문제였소. 장군은 우리 군대가 서울에 재입성한 날 내가 방문해 주기를 기대했던 것 같소.

우리는 그것을 리지웨이 장군 측의 아주 우호적인 제스처로 받아들였소.

대화하는 동안 나는 우리의 다음 목표인 평양과 더 북진하는 문제, 미군의 생명을 구하기 위한 보급기지의 폭격 문제 등에 대해 언급하였소.

장군은 아무 말도 하지 않았지만 무초 대사가 얼굴이 벌개져서 내게 말했소. "각하께서는 제3차 세계대전을 일으키자는 것은 아니겠지요! 우리는 소련군의 남하를 원치 않습니다. 소련이 개입하면 한국은 최악의 상태가 될 것입니다." 대사는 매우 흥분해 있었소.

나는 그에게 우리가 싸우기만 하면 적어도 나라를 되찾게 되고 노예상태의 국민들에게 격려가 될 것이지만, 만약 지금 유화정책을 쓰기 시작하면 후일 미국은 그 대가를 치르게 될 것이고 더 많은 미국인의 생명이 희생될 것이라고 말해 주었소.

무초의 표정에서 "더러운 뒷거래"가 어딘가에서 이루어지고 있다는 생각이 들었소.

며칠 전에는 리지웨이 장군이 38선에서 휴전이 이루어진다면 유엔으로서는 "엄청난 승리"가 될 것이라는 발표를 한 적이 있소. 우리 국민들은 몹시 분노하였소.

이 편지에는 "대외비 — 파기하시오. 신뢰할 수 있는 소식통에 의한 비밀 정보"라고 적힌 쪽지 한 장이 동봉되어 있었다. 그 내용은 다음과 같았다:

주한 미8군(EUSAK) 사령관 리지웨이 장군은 미 국방부로부터 38선 너머로 유엔군의 진격을 금하는 비밀지령을 받았다. 이 지령은 맥아더 장군을 통해 리지웨이 장군에게 전달되었다. 이 지령에서 38선을 돌파하기를 열망하는 한국군 지상군 사령관의 특별한 주의를 요청하였다.

현재 주한 유엔군 병력의 수적 부족과 지난 1월 소-만 국경 일대에서 소련 기갑사단의 잘 훈련된 보병 부대가 알 수 없는 작전을 시작했다는 사실, 그리고 중공군 제1 및 제2 야전군의 약 120만의 훈련된 정규 병력이 만주에서 활발한 움직임을 보이고 있다는 점을 지적하였다.

지령에 의하면, 이러한 상황에서 유엔군이 병력과 장비 양면에서 충분히 증강되지 않는 한 북한으로 진격하는 것은 거의 불가능하다는 것이다. 미국 합동참모본부에 의해 작성된 장차 한국 작전의 목적은 38선에 따라 반영구적 방어 진지를 구축함으로써 한국에 가능한 한 많은 공산 병력을 유지시켜 그들에게 최대한의 피의 대가를 치르도록 하여 중공군과 소련군이 동남아 분쟁 지역에 대한 더 이상의 개입을 방지하는 것이다.

이 정보는 한국 정부가 유엔군이 38선을 돌파할 수 없다는 미 국방성의 결정에 반대할 경우 한국 정부 정책을 검토할 때 이용될 수 있도록 제출되는 것이다.

다음 날 3월 17일, 이 대통령은 트루먼 대통령에게 자신의 "반공정책"과 바로 얼마 전 서울 재탈환을 가져온 그의 "탁월한 영도력과 선견지명의 정치력"에 대해 감사의 편지를 보냈다. 이 서한은 계속해서 한국군에게 무기를 공급해 주도록 호소하는 내용으로 이어졌다. 한국군이 리지웨이의 지휘 아래 유엔군의 공군 및 포병 지원을 받으면 전투 수행의 임무를 넘겨받아 38선 너머로 북진할 수 있다는 것이었다.

같은 날 나는 대사관을 통해 "3월 1일부터 다음 해 3월 1일까지"의 예산 집행을 위한 2만 달러짜리 수표를 받고 최고의 기분으로 이 대통령에게 편지를 썼다:

그곳의 참상이 너무도 마음 아프긴 하지만 오늘은 "동양의 아일랜드인들"이 서울에 재입성한 행복한 날입니다. 이제부터는 서울을 굳게 지키고 금년 봄과 여름에 재건 작업이 잘 추진될 수 있도록 함께 기도해야겠습니다. 38선을 고착화시키려는 시도 대신에 맥아더가 주장한 "기동전(機動戰)" 개념이 유엔에 영향을 미칠 수도 있습니다. 중공은 계속해서 협상을 거부할 것으로 보이며 그럴 경우 38선에서 북진을 중단시키려는 강력한 조치를 아마 포기하게 될지도 모릅니다.…

3월 23일, 이 대통령은 한국의 근황에 대한 정보를 요청했던 3월 14일자 내 편지에 대한 답신을 보내왔다. 그는 각 부처의 장관들에게 필요한 정보를 수집하도록 지시해 놓았으니 정보가 들어오는 대로 알려주겠다고 하였다:

농지판매에 관한 성명서는 받아보았으리라 생각하오.…

야외 수업중인 임시 교사(校舍) 사진 몇 장을 동봉하오. 아시다시피, 대부분의 학교 건물은 미군에 징발되어 군 병원이나 병영으로 사용되고 있소. 그러므로 많은 지역에서 야외에서 수업이 진행되고 있소. 사진이 충분히 현실을 말해주고 있으니 박사께서 이야기를 쓸 수 있을 것이오. … 듣기로는 아이들이 매일 누군가의 집으로부터 야외교실까지 칠판을 들고 왔다갔다 나르고 있다는 것이오. 또한 춥고 바람 부는 궂은날에도 결석하는 학생이 없다는 이야기도 들었소. 교사들도 교회목회자와 마찬가지로 병역이 면제되는 것으로 알고 있소.

파종할 씨앗이 절대 부족하오. 수복 지구에는 전무한 상태요. 소의 도살을 못하게 하는 법이 시행되고 있고 실제로 지켜지고 있소. 한국에는 육류라는 것이 거의 없는 실정이오. 그래서 주미 대사관에 아르헨티나가 기왕에 제공하겠다고 제의한 냉동육 1,500톤을 받을 수 있는지 여부에 대해 아르헨티나 대사관과 협상하도록 지시하였소. 한국에 얼음 공장이 있지만 모두 유엔군이 독점적으로 사용하고 있소. 그러나 대부분의 고기를 통조림으로 가공할 수 있을 것이오. 우리 병사들은 어떤 때는 몇 주일 동안 고기도 야채도 먹지 못하고 있소. 수복지구에는 남아 있는 것이 없기 때문이오. 오늘 서울시장이 서울에서 돌아왔소. 시장의 보고에 의하면, 국민들에게 쌀을 도정(搗精)하도록 했으나 벼의 껍질을 벗기지 않은 채로 보관하는 것이 허용되었다는 것이오. …

비료 문제: 6월 말까지는 반드시 확보해야 할 40만 톤의 물량을 주문해 놓았소.

수복 지구에는 집도 생물도 남아 있는 것이 아무것도 없소. 한국군 예비 병력 20만 명을 농사일을 돕도록 귀가 조치를 하였소. 한국의 가족 간 유대는 대단히 강하오. 비록 아버지나 아들을 잃었다 하더라도 친척들이 도와주게 되어 있소.

비료가 제때 들어오고 유엔군이 주민들의 수복지구로의 귀환을 허용한다면 농민들은 국내 식량수요를 충족시킬 수 있을 것이오. 그러나 북한, 특히 북한의 곡창지대라는 황해도가 수복되지 않으면 피난민들의 식량문제는 외부 원조에 의존할 수밖에 없을 것이오.

어업 문제: 해군 함정들이 어선의 활동에 지장을 주지는 않고 있소. 어업 허가를 받은 사람이면 누구나 조업할 수 있소. 현재 어업은 밥과 함께 먹을 수 있는 부식을 얻을 수 있는 유일한 수단이오. 현재 일선 장병에게는 밥과 함께 먹는 반찬으로 '멸치'라는 작은 물고기가 지급되고 있소. 또한 해조류도 우리 군인들의 주요 음식이 되고 있소.

전력은 충분하오. 발전소가 있는 영월과 38선에 가까운 청평 댐에서 발전(發電)이 되고 있소. 우리에겐 이미 저수지도 있으므로 가능하면 조속히 여러 발전기를 제자리에 설치하여 다시 전기를 생산할 것이오.

위와 같은 것들이 당장 생각나는 현황이오.

그런 다음 대통령의 편지는 "당장 생각나는" 내용에서 주제를 바꿨
다:

공산당 라디오방송국이 프랑스 파리에서 "이승만의 기록문서"라는
프로를 방송하고 있소. 며칠 전에는 무초 대사가 찾아와서 나와 올리
버 박사 사이에 그런 서한이 존재하였음을 박사가 공개적으로 밝힌 것
은 대단히 유감스러운 일이라고 말했소. 트뤼그베 리 사무총장은 유엔
에서 이런 사실을 부인하였소. 공산 분자들이 우리의 모든 사본을 갖
고 있다고 하더라도 그것들은 사본일 뿐이고 우리는 얼마든지 이를 부
인할 수 있소. 사본은 아무나 만들 수 있고 사본에는 서명이 없기 때
문이오.

소련에서는 자기들은 서명이 되어 있는 서신들을 가지고 있다고 주
장하고 있소. 그게 사실이라면, 그들이 박사의 서류철에서 그 서신을
훔친 것이 분명하오. 우리의 사본에는 서명이 없기 때문이오. 그뿐 아
니라 메모에도 대부분 서명이 되어 있지 않소.

같은 날 3월 23일, 나는 그에게 다음과 같은 편지를 썼다:

현재 워싱턴의 분위기는 우리가 특별히 조심한다면 세계대전이 일
어날 가능성은 낮다는 것입니다. 특히 일부 제3국의 이익에 반하는 일
이 있을지라도 평화의 유지를 위해 상당한 희생을 치를 용의가 있다는
분위기라는 것입니다. 그러나 내가 보기에 가장 필요한 것은 상당한
대가를 치르는 한이 있더라도 미국과 유엔과는 긴밀한 협조와 친선을
유지해야 한다는 것입니다. 미국과 유엔의 도움을 받아야 남한의 재건
과 아울러 나라도 지켜질 수 있을 것입니다. 이것은 대단히 중요한 일
이며 이를 확보하기 위해 희생을 치를만한 가치가 충분히 있습니다.

한국 주권의 원칙이 확고히 유지되는 한, 우리는 확신을 가지고 북한을 수복할 기회를 엿볼 수 있을 것으로 생각됩니다.

세계의 불안정한 관계가 오래 지속될 수 없다는 것은 분명합니다. 미국이 힘을 충분히 축적한 다음에 소련에 최후통첩을 던지리라 확신합니다. 그 시점에서 대한민국과 미국의 관계가 견고하다면 북한 문제는 해결될 것입니다.

4월 1일, 나는 같은 호소를 되풀이 하였다: "각하께서는 압록강까지의 북진을 지나치게 주장하지 마시고 여러 사태가 그런 방향으로 영향을 미치도록 참을성 있게 기다리는 것이 더 유리할 것으로 보입니다."

1주일 뒤인 4월 9일, 나는 공산당 방송에서 우리의 서한 내용을 폭로한 이 대통령의 논평에 대한 답신을 보냈다:

공산당이 선전에 이용한 서신 등은 그들이 서울을 처음 점령하고 경무대를 접수했을 때 탈취한 것이 틀림없습니다. 내가 갖고 있던 사본은 잃어버린 것이 하나도 없이 모두 안전금고 속에 보관되어 있습니다. 물론 그들이 문맥의 일부를 인용함으로써 내용의 왜곡 전달은 가능할 것입니다.…

오해를 불러일으킬 만한 그들의 '인용문'에 대한 최선의 응수는 각하의 전반적 정책이 사람들에게 바르게 이해되도록 확실하게 해야 한다는 것입니다. 그런 의미에서 런던의 퍼트남 출판사에서 저의 졸저 『한국 전쟁의 발발 원인』(Why War Came in Korea)의 제목을 바꾼 『한국의 진실』(The Truth about Korea)이란 책을 최근에 발간했는데 정치관계 서적 부문에서 베스트셀러가 되었다는 것입니다. 각하께서도 기뻐하시리라 생각합니다. 그러나 출판사가 판매부수에 대해서는 알려주지 않았습니다.

그 다음에 나는 같은 편지에서 특히 관심이 집중된 또 하나의 주제에 대해 언급하였다. 그것은 한국 전쟁의 목표를 변경해 보려는 맥아더의 역할에 관한 것이었다:

양유찬 대사가 조속히 워싱턴에 부임할 수 있기를 바랍니다. 현재 중공과의 타협적인 휴전을 성취시키기 위해 대한민국을 실질적으로 "팔아넘길" 위험이 있는 것으로 보입니다. 이를 막기 위해서는 전권이 부여된 대사가 자리를 지켜야 할 것입니다. 저희가 들은 바로는 양 대사가 자신의 능력을 충분히 발휘할 적임자임이 입증될 것입니다.

맥아더는 대중들에게 기본적 문제점을 제기한다는 면에서 정말 소임을 잘 하고 있습니다. 다만 그의 견해에 동조하지 않는 많은 사람들은 일개 장군이 외교정책을 입안하고 제시할 권한은 없다고 생각합니다. 그러나 결과적으로 필사적으로 싸우는 적에 대항해서 제대로 전쟁다운 전쟁도 하지 않는 터무니없는 현실에 일반인들의 관심이 모아지고 있는 듯합니다. 다시 한 번 공산군이 총공격을 감행함으로써 우리들의 문제를 해결해 주게 될 것이라는 생각이 듭니다. 그렇게 된다면 물론 우리도 힘껏 맞싸워야 할 것입니다.

놀랜드(Knowland)와 브리지스(Bridges) 상원의원은 각하께서 훈련병 12만 명에 대해 귀향 조치를 한 것에 대해 좋은 반응을 보였고,[115] 앞으로는 각하께서 그동안 여러 번 요청해온 무기지원 문제에 대한 조치도 취할 가능성이 있습니다.

전쟁을 어떻게 수행해 나갈 것인가 하는 문제에 대한 그 모든 불확실성과 이견의 와중에서도 맥아더 장군은 이승만과 마찬가지로 자신이 자멸을 초래할 유화책이라고 생각하던 정책에 대해 점차 더욱 강력하고 더욱

[115] 이 숫자는 이 대통령이 내게 보낸 3월 23일자 서한에서 농사를 지원하기 위해 귀향시킬 것을 고려중이라던 20만 명보다 축소된 최종적인 인원이다.

공개적인 태도를 취하게 되었다.

2월 13일, 맥아더 장군은 한국전쟁에 관한 청문회를 열고 있는 미국 상원위원회에 "이제 중대한 결정을 내려야 합니다. 이 결정은 군사령관으로서 본관에게 부여된 권한의 범위를 크게 벗어나는 결정이고…"라는 내용의 성명서를 전달하였다.

3월 24일, 맥아더는 같은 위원회에 유엔은 "전쟁을 한반도 지역에 국한시키고자 하는 관용적인 노력에서 벗어나야 할 것"이라는 자신의 소신을 표명하였다.

4월 5일, 마틴 하원의원은 아시아 전 지역에서 "공산당 음모자"에 대항하기 위한 전면전을 요구하는 맥아더로부터의 서한을 공개하였다. 맥아더는 이 서한을 "통상적인 편지"라고 성격을 규정하였으나 트루먼 대통령은 직접적인 도전으로 이를 받아들였다.

4월 10일, 트루먼은 맥아더를 즉결로 모든 지휘관직으로부터 해임시켰다. 맥아더의 후임으로 매튜 리지웨이(Matthew Ridgeway) 장군이 임명되고 제임스 A. 밴 플리트(James A. Van Fleet) 중장이 주한 미8군 사령관으로 승진되었다.

이 모든 것이 우리에게 뜻하는 바는, 1950년 10월 7일 유엔 결의안에 선언된 정책을 회복하고 재확인하고자 하는 필사적인 노력이 수포로 돌아갔다는 것을 말해주는 것이었다.

맥아더 장군이 해임된 바로 그날인 4월 10일, 이 대통령은 여름철 동안 계획된 나의 미국 순회강연을 포기해야 할 것이라는 편지를 보내왔다. 편지는 다른 화제로 다음과 같이 이어졌다:

　　지금 나는 여러 문제에 대해 조언을 해주고, 발표문의 내용을 제안하고, 가능하면 그것을 작성해 줄 사람이 없어서 몹시 아쉬운 형편이오. 대부분의 경우 발표문은 재작성이 필요할 정도라오. 주말 내내 숙고한 결과 올리브 박사와 가족이 한국으로 오도록 요청하기로 결심하였소. 이것은 박사의 건의사항 중의 하나이니 망설이지 않고 제의하는 것이오.

잘 생각해 보고 될 수 있으면 동의해 줄 것으로 믿겠소. 우리는 조만간에 서울로 귀환할 예정이고, 경무대 구내에 박사만을 위한 좋은 가옥을 마련하겠소. 내가 알기로 당신은 풀브라이트 장학금을 신청하기보다는 한국 정부에 고용되는 것을 선호하였소.…

이 문제에 대해 잘 생각해보기 바라며, 이곳에서의 쾌적한 생활을 위해 가능한 모든 배려를 다할 것이라는 점을 보장하는 바이오. 결론이 나는 대로 즉시 세부사항에 대해 논의할 수 있을 것이오. 그러므로 몇 가지 제안은 박사의 회답을 받을 때까지 남겨두겠소. ……

[나중에 생각난 것을 그는 이렇게 덧붙였다.] 박사의 여행에 관한 편지를 읽으면서 박사가 미국 국내여행을 하지 않고 서해안으로부터 바로 한국으로 떠나오는 것이 좋지 않을까, 하는 생각을 해보았소. 방금 떠올랐지만, 박사도 좋아하겠다는 생각이 들었소. 본격적으로 일을 다시 시작하기 전에 부인과 함께 대양을 여행하면서 휴식을 취하는 것도 좋을 것이오.

외교행낭이 공항으로 떠나기 직전에 이 대통령은 자필로 쓴 추신에 맥아더 장군의 해임에 대한 그의 첫 번째 반응을 써 보냈다:

맥아더의 제거는 애치슨-마셜 패거리의 승리지만 또한 이로 인해 맥아더가 정치적으로 세상의 이목을 받게 된 것이오. 이곳에 있는 영국인들은 기뻐하며 미국인들에게 말하고 있소. "외교 정책을 이끌고 가는 게 누구인지 잘 보라지." 미국인들은 거의 울상이라오. 모든 면에서 맥아더를 좋아하지 않던 군사 고문단원들조차도 그런 형편에 있소. 군부는 국무부에 의해 이끌려 가는 것을 원하지 않소. 우리가 듣기

로, 군인들은 맥아더의 제거에 반대하고 있소. 이들은 중공을 폭격해
서 전쟁을 종식시키기를 원하고 있소.

전쟁은 이제 새로운 국면으로 접어드려 하고 있었다. 이 대통령과 나
의 과업 또한 새로운 국면을 맞이하고 있었다.

4월 17일, 나는 "기꺼이 가겠습니다."라는 답장을 그에게 보냈다.

나는 펜실베이니아 주립대학교에 휴직계를 제출하고 가족과 함께 미국
을 횡단하여 여행길에 올랐다. 목적지는 한국, 미래는 ─ 우리 자신의 미
래도, 한국의 미래도, 세계의 미래도 ─ 불확실했다.

이 전쟁과 이 전쟁에 관련된 외교를 성공이라고 부를 수 있는 사람은
아무도 없었다. 실패는 함께 살아가기에는 불미스러운 부담이었다. 우리
는 실패를 벗어버리고 최선을 다해 새로운 노력을 기울여야 할 것이다.
부담은 많은 사람들에게 지워졌고 상황이 개선될 전망은 밝지 않았다.

제 16 장
금 간 아성(牙城) (1950~52년)

전쟁의 결과 한국과 그 국민에게는 무슨 일이 일어났는가? 즐거우리라는 기대는 그다지 하지 않았지만 이것은 내가 한국에서의 생활을 앞두고 무엇보다도 가슴에 품고 있던 하나의 의문이었다. 낙담할 정도로 상황이 좋지 않으리라는 것은 이미 알고 있었다. 한편, 미국을 떠나기 전에 내가 해야 할 일도 적지 않았다.

트루먼 대통령의 맥아더 해임은 워싱턴 정가에 큰 논란을 불러일으켰다. 파벌적 반감으로 인해 대외정책에 대한 양당 정치가 실종되었고, 공화당원들은 물론 다수의 민주당원들까지도 강력히 맥아더를 옹호하고 트루먼을 비난하면서 격렬한 파벌 싸움으로 발전하여 외교정책에 대한 초당적인 접근이 좌절되고 말았다. 우리가 해야 할 일은 어떤 면에서는 피해가 예상되는 상황과 또 다른 측면에서는 도움이 될 수 있거나 도움이 되도록 만들 수 있는 상황을 최대한 잘 이용하도록 노력하는 것이었다.

4월 15일, 이 대통령에게 정세에 대한 내 나름의 해석과 건의 사항을 편지로 써 보냈다:

맥아더는 더 많은 한국군 부대의 무장에 반대하였고 모든 한일 관계에서 왜인(倭人)의 편을 드는 경향이 있었기 때문에 이런 변화에서 한국은 아주 실질적인 이익을 거두게 될 수도 있습니다. 동시에 아시아 공산주의와의 싸움을 확대하고 강화해야 한다는 이곳에서의 맥아더의 주장은 (1) 유화책을 봉쇄하고, (2) 지금 벌어지고 있는 전투에 대해 추가 지원을 획득한다는 두 가지 측면에서 좋은 효과를 얻을 수 있다는 것이 거의 확실합니다.

밴 플리트가 우수한 야전사령관이고 리지웨이가 훌륭한 최고 행정가임이 입증된다면, 이번 해임 사건은 전체적으로 유리한 영향을 미칠 것입니다. 한편, 우리 모두는 공화당과 민주당의 정파 싸움에 말려들지 않도록 비상한 주의를 기울여야 할 것입니다!

4월 19일, 이 대통령은 편지로 변영태(卞榮泰)를 외무부 장관에 임명했다는 것을 나에게 알리면서 그가 "틀림없이 장관직을 잘 수행할 것"이라고 하였다. 대통령은 전쟁 상황에 대해 보다 희망적으로 생각한다고 표명하고, 외교적인 "타협 전선"이 붕괴될 수도 있다는 희망까지 내비쳤다:

미국이 한국을 포기하도록 영국이 종용했음이 분명하오. 국무부는 전적으로 이에 동조했지만 백악관과 국방부가 지금까지 이를 차단할 수 있었소. 밴 플리트 장군은 "대통령 각하, 우리는 승리를 쟁취할 것이며, 승리 이외에는 그 어떤 생각도 하지 않습니다. 그것이 바로 우리가 여기에 와 있는 이유입니다. 전장의 군인들은 지금 물러서기를 원하지 않습니다." 라고 내게 말해 주었소.

미군은 끝장을 보려 하고 있소. 날씨도 좋아져서 전투 조건도 그다지 나쁘지 않소. 그들은 전쟁이 휴전이나 교착상태에 이른다면 그 희생이 크리라는 것을 알고 있소. 유엔군이 장마나 추운 날씨 때문에 불리한 입장이 되면 적군이 일거에 급습해 올 것이라는 것이오.

이 대통령은 미국 정계에서 서로 반목을 불러일으킨 정파 싸움의 소용

돌이가 공산 침략자들에게 완전 승리를 거두기 위한 지원을 얻고자 그가 기울이고 있는 노력에 도움이 되기보다는 위협이 된다고 생각하였다.

4월 20일, 이 대통령은 유엔의 임병직 대사에게 다음과 같은 편지(그 사본은 내게도 보내주었음)를 보냈다: "한국 문제가 미국의 정당 분쟁에 연루된 것을 유감으로 생각한다는 명확한 성명서를 임 대사가 발표해야 할지의 여부에 대해 은밀히 유엔의 가까운 지인들에게 조언을 구하시오. … 한국전쟁은 미국을 포함한 많은 국가의 안보문제와 실질적으로 관련되어 있소."

임 대사에게 주어진 조언은 대사 자신의 생각에도 전적으로 부합되는 것으로, 이 문제에 관해 공식적으로는 아무런 언급을 하지 않는 것이 훨씬 더 유익하겠고, 다만 미국과 그 밖의 대표단과의 사적인 논의나 비공개를 조건으로 유엔 주재 기자들과의 대담에서 자유로이 그러한 소회를 밝히는 것도 유용할 수 있겠다는 것이었다.

일본과 평화조약을 체결하기 위해 존 포스터 덜레스(John Foster Dulles)가 수행하여 이 해 9월에 조인된 일본과의 평화조약 협상 진행 과정에 이 대통령이 깊은 관심을 보인 것은 당연한 일이었다. 일본에 제공된 대규모의 원조와 일본경제의 급속한 부흥에 대해서 그는 대단히 분개하였다. 이것은 미군정이 한국경제를 소홀히 했었던 점과 유엔이 1945년에 한국을 분단시키기로 한 연합국의 결정으로부터 한국이 벗어날 수 있도록 해줄 용의가 전혀 없다는 사실과는 극명히 대조되는 일이었다. 적국에게 넉넉한 원조를 제공하고 우방에게 저지른 통탄할 잘못을 바로 잡는 것을 거부하는 이러한 명명백백히 부당한 처사는 그의 마음에 사무쳤다. 더욱 괴로운 것은, 자신의 감정을 공개적으로 드러내어 국제 외교에 파문을 일으키는 것은 아주 현명하지 못한 처사가 될 것이라는 사실이었다.

그는 그러한 심정을 나에게 토로하고자 했고 실제로 실행에 옮겼다. 4월 25일자의 메모에서 그는 일본에 대한 관용적이면서 한국인의 국민적 감정과 목표에 대해서는 단호한 거부와 다름없는 차별적 대우에 대해 미국의 여론을 환기시키기 위해 내가 앞장서 주기를 희망한다고 표명하였다. 그의 메모는 무려 2천여 단어에 달했는데, 일본의 근세의 잘못으로부터 16세기 일본의 무장이었던 도요토미 히데요시(豊臣秀吉)의 한국 침략 역사까지 거슬러 올라갔다. 그 중 몇 개 구절은 그의 감정을 잘 드러내고 있다:

태평양 전쟁 전에 태평양을 "일본의 호수"라고 부르던 일본은 세계 정복의 생각을 바꾸지 않은 것 같소.

한국을 일본 영토의 일부로 통치해온 지난 40년간 일본은 한반도 주변의 한국 수역의 어장을 독점하였소. … 생계수단을 빼앗긴 한국인들은 적들을 몰아낼 능력이 없었소. 당연히 한국인들의 피가 끓고 있었소.

배신을 일삼는 일인들은 여기에 만족하지 않고 1941년 12월 7일 진주만을 공격함으로써 미국을 정복하고자 하였소. 페리 제독이 외부 세계와 통상교류를 할 수 있도록 일본 열도를 개방한 후 미국이 일본을 위해서 해온 일들을 상상해 보시오. 일인들은 그런 일에 개의치 않았소. 이들은 패전 후에야 비로소 전쟁 때문에 모든 것을 잃었다는 것을 깨닫게 되었소. 그러나 그들로서는 다행하게도 미국이 일본을 도와주기로 결정을 한 것이오. 미국은 일본의 경제구조를 엄청난 규모로 구축해 주었고, 그래서 일부 아시아 국가의 국민들 중에는 일본만큼 대단한 지원을 받으려면 미국에 선전포고를 할 수밖에 없다고 농담을 할 정도라오.

이 대통령은 한일 간의 역사적 관계를 좀 길게 요약한 다음, 일본 어선의 한국 수역 어로작업을 금지시키기 위해 한국과 일본 중간에 맥아더가 설정해 놓은 가상 경계선에 대해 언급하였다. 이것조차도 효과가 없다면서 대통령은 말을 이었다:

일본 어부들은 이 맥아더 라인을 정당하지 않다고 생각하고 있소. 그들은 어느 곳에서나 고기를 잡고 미국 수역에서조차도 미국의 어업권과 많은 충돌을 일으켰소. 하와이에서는 일본이 실질적으로 어업을 독점하고 있고, 미국과 하와이는 일본의 어업시장 독점체제를 타파하기 위해 두고두고 노력하였소. 그러나 모든 노력은 수포로 돌아갔소.

한·일 양국 어선 사이의 충돌을 방지하기 위해 연합군 최고사령부 (SCAP)는 맥아더 라인의 한국 측 해역에서 일본 어선의 어로작업 단속을 중단하도록 한국 정부에 명하였다. 이 대통령은 한국 해군이 맥아더 라인을 수호하겠다고 선언함으로써 이에 응수하였다.

그 이후로 과거의 "맥아더 라인"은 "이승만 라인(Rhee Line)"으로 알려지게 되었다. 또한 이승만은 그의 "반일"감정과 일본 어부들을 괴롭힌 것으로 인해 세계 언론의 심한 비난을 받게 되었다.

문제는 계속 증폭되었다. 4월 26일 프란체스카 여사는 산적해 가는 국내의 정치적 난제들에 대한 사연을 내게 보내왔다:

맥아더 해임의 후폭풍에서 제대로 정신을 차리기도 전에 남편은 장관 세 분의 사임을 요구했습니다. 이 일이 외부에서 어떻게 해석될지 모르겠지만, 대통령께서는 내각의 분열을 방치할 수 없고, 분열하면 집안이 망하기 때문이라고 말씀하신 것으로만 알고 있습니다.

사실 대통령께서는 모든 다툼과 음해를 충분히 오랫동안 참아오셨습니다. 세 장관에게는 정말로 안됐다는 생각까지는 들지 않지만, 대통령께 대해서는 가엾다는 생각이 듭니다. 그는 마치 마술사처럼 세 분의 새로운 장관을 만들어 내야 하기 때문이지요. 한국에 교육 받고 자질을 갖춘 지도급 인사들의 수가 제한되어 있다는 사실은 올리버 박사께서도 아실 것입니다.

그러나 이즈음 중대한 문제가 또다시 전선에서 일어났다. 공산군은 4월 23일 서울 재점령을 호언하면서 100마일 전선에 걸쳐 대규모의 매우 조직적인 공격을 개시한 것이었다.

공산군이 적어도 서부 전선에서는 제공권을 장악했기 때문에 상황은 특히 걱정스러웠다. 1950년 12월 공산군은 650대의 전투기를 투입할 수 있었는데 1951년 6월 말에는 대부분 미그기인 소련의 군용기 공급으로 인해 그 수가 1,050대로 늘어났다. 압록강과 청천강 사이의 중간지역은 "미그기 회랑(Mig Alley)"이라고 알려지게 되었다. 그러나 공산군 공격을 예상한 4월 17일에서 23일 사이에 미 공군의 수퍼포트(Superfort), 통칭 B-29 폭격기의 공산군 공군 기지 폭격으로 제공권을 되찾게 되었다.

공산군이 전선 전체에 걸쳐 약 1주일 동안이나 남쪽으로 밀고 내려온 끝에 유엔군의 결연한 저항에 의해 저지되었는데, 여기에는 영국군 글로스터셔 연대가 실질적으로 궤멸당한 임진강 전투가 포함된다.

5월 2일에는 공산군이 대규모의 보병부대를 전방에 투입하여 "인해(人海: human wave)" 전술을 이용하는 공세를 새로 시작하였다. 그들은 유엔군 인명 손실의 50배에 달하는 손실에도 개의치 않았다. 전임 워커와 리지웨이 못지않게 훌륭한 야전 사령관인 밴 플리트 장군은 엄청난 양의 소나기 포격을 퍼부었는데 이로 인해 이 포격이 "밴 플리트 포화(Van Fleet loads)"라는 이름으로 알려지게 되었다. 그는 이렇게 명령하였다. "촘촘히 포탄 구멍을 내서 우리 병사들이 구멍에서 구멍으로 뛰어넘어 갈 수 있도록 포탄을 퍼부어라. 사람 목숨보다는 포탄을 소비하는 것이 더 낫다."

밴 플리트는 전진하는 보병을 지원하기 위한 포병대의 활용의 또 하나의 근본적인 혁신으로 전진하는 병력에게 유엔군의 이동포로부터 발사된 포탄이 폭발하는 지역에서 50피트 이내의 거리를 유지하도록 명령하였다. 이것은 때때로 아군 병사가 아군 포탄에 의해 부상을 입거나 심하면 전사할 수도 있다는 것을 의미한다. 그러나 이것은 또한 소나기 포격이 멈추고 적군이 포격의 충격에서 정신을 차리지 못하고 폭발에 의한 흙먼지로 그들의 소총이 막히게 되어 사격이 곤란한 상태일 때 아군 병력이 공산군에 돌격할 수 있을 만큼 가까이 접근할 수 있음을 의미하였다. 이 작전은 효과가 있었다. 5월 19일까지 공산군의 공세는 서울까지 이르지 못하고 마침내 저지되었다.

3일 후 8군과 한국군 각 사단 그리고 유엔군 지원부대에 진격을 명하였고, 얼마 지나지 않아 38선보다 약간 북쪽에 전선을 구축할 수 있었다. 다시 한 번 공산군의 공세가 저지되고 유엔의 정치 지도자들이 다음에 취해야 할 조치를 결정할 때까지 기다리면서 유엔군은 또다시 북진을 중단했다.

밴 플리트 장군이 추진한 또 하나의 중요한 구상은 대한민국 병사들을 현대화시키고 장비의 지급과 훈련을 시켜 이들을 활용하는 것이었다.

밴 플리트 장군은 한국 육군이 책임진 진지를 사수하는 데 있어서 신뢰할 수 없다는 리지웨이의 견해를 인정하도록 강요받았다. 그러나 밴 플리트는 한국군의 전투능력 탓이 아니라 무기와 훈련, 노련하고 경험을 갖춘 지휘관의 부족이 문제라고 보았다. 밴 플리트는 이 대통령과 협의하여 한국군 장교단의 체계적인 모집과 훈련 프로그램을 시작하였다.

마침내 이 대통령은 오랫동안 간청해 오던 잘 훈련되고 무장된 그리고 훌륭한 지휘관을 둔 한국군을 가질 수 있게 되었다. 대통령은 주저하거나 조건도 달지 않고 수십만의 한국 청년들에게 소총을 쥐어주는 것은 도움이 되지 않으며, 진실하고 충분히 자생력 있는 군대를 만들 수 있고 만들어야 한다는 밴 플리트의 주장을 받아들였다. 이 대통령은 깊이 감사하면서 밴 플리트 장군을 "한국군의 아버지"라고 불렀다. 육해공군 및 해병 사관학교는 확장되고 미군 교관들이 투입되었다. 한국군의 구축 과정이 마침내 진행되고 있었다.

밴 플리트 장군에 의해 시작된 이러한 작업에 의해 입증된 것은 무엇보다도 영향력 있는 미국 지도자들이 생각했던 바와는 달리 이승만이 "무책임하고 무모한 사람"이 아니라는 사실이었다. 트루먼은 한국 청년의 무장을 원하는 이승만의 탄원을 무시하였고, 맥아더와 리지웨이도 모두 이를 반대하도록 조언하였다. 만약 한국 청년들에게 무기가 주어진다면 목숨을 걸고 승리를 위해 싸울 것이라는 이승만의 계속되는 주장으로 인해 모든 사람들은 그를 정신적으로 문제가 있거나 합리적이지 못한 사람이라고 생각하였다. 그러나 이들은 이승만에게 제시할 대안을 갖고 있지 않았다.

자주적인 대한민국 정부 대통령의 합리적인 요구를 진지하고 책임 있게 처리하면 이 대통령도 제안된 프로그램을 흔쾌히 수용하고 지지할 용의가 있음을 밴 플리트가 입증한 셈이다. 그 대가로 밴 플리트가 알게 된 것은, 존경과 신뢰를 보이면 곧바로 보답이 주어진다는 사실이었다.

한국군에 대한 밴 플리트의 확약은 그해 5월 치열한 전투가 벌어지는 전선에 투입된 무장도 불충분하고 훈련도 받지 못한 신병들까지도 사기를 드높여 주었다.

밴 플리트는 5월 13일 대한민국 육군 참모총장 정일권(丁一權)에게 다음과 같은 서신을 보냈다:

본관은 1951년 5월 4일 한국군에게 인제를 함락시키고 인제-강릉 간의 도로 남부의 북한군을 격멸하는 임무를 부여했습니다. 본관은 귀관을 비롯한 귀관의 지휘관들과 협의하고 여러분이 이 작전 수행에 자신이 있음과 그 준비가 되어 있음을 확약받고 임무를 부여했던 것입니다. 한국군 제1사단은 서부전선에서 북한군을 공격하여 만족할만한 전과를 거두었습니다.

본관은 이들 전투의 일일 진행상황을 보고받고, 작전이 진행되는 중에 한국군 부대를 방문하기도 하였습니다. 한국 육군은 부여된 목적을 달성하고 적에게 엄청난 손실을 입혔습니다.

이러한 성과는 전장에서 적에게 심각한 타격을 가할 수 있는 능력의 증거로서 한국군 부대에 자부심과 고무(鼓舞)를 주는 원천이 되어 줄 것입니다. 더욱이 이러한 성과는 한국군이 공산주의자들과의 이 전쟁에서 자기 몫을 할 수 있고 앞으로도 할 것이라는 것을 다른 유엔군 부대들에게 다시 확신시키고 그들의 신뢰를 새로이 하게 될 것입니다. 한국군과 한국 정부 그리고 한국 국민은 이러한 전과에 자긍심을 느낄 만합니다.

이런 훌륭한 군사적 성공에 대해 귀관과 휘하의 장병들에게 축하를 보냅니다.

그러나 전선의 상황이 어느 정도 개선되고 있는 반면에 우리의 국가 홍보 문제는 심각하게 악화되고 있었다. 경제협조처(ECA) 관리들은 이 대통령에게 포격과 폭격으로 크게 파괴된 도시와 산업시설에서 나온 고철 철강 잔해들을 대량으로 구매할 용의가 있다고 알려왔다. 이 대통령은 대한민국이 그 돈을 해군 함정 구매에 사용할 수 있도록 허용된다면 고철을 팔겠다고 답변하였다. 미국 원조담당 관리들은 분개했다. 그들은 그 돈은 긴급구호 프로그램에 지출해야 한다고 생각하고 있었던 것이다. 이 대통령은 단호했다. 그는 지난 여러 달 동안 해안 경비용 해군함정을 구하기 위해 투쟁해온 터였고, 그리고 이제는 일본 어선들의 침입에 대비하여 이승만 라인(평화선)을 지키는 데도 활용할 심산이었다. 장관 세 사람을 사임시킨 중요한 이유는 그들이 미국의 계획에 더욱 "협조적"이어야 한다고 주장했기 때문이다. 그러한 주장은 준(準)독립적인 한국 해군을 구축하고자 하는 대통령의 노력과 어긋났던 것이다.

이러한 것들은 모두 해외언론에 아주 좋지 않은 영향을 미쳤고 이제는 이 대통령을 독단적이고 고집불통이라고 비난하는 것이 다반사가 되었다.

이 대통령과 그의 정부에 대한 호감을 유지하고자 하는 우리의 노력에 대한 또 다른 장애는 이승만과 국회 사이의 심각한 불협화음에 관해 부산에서 쏟아져 들어오는 보도였다. 고철 처리 문제, "이승만 라인" 문제, 전반적인 경찰의 행태, 지속되는 인플레, 불충분한 사회복지 프로그램 등등의 문제로 대통령은 국회의원들로부터 매일같이 쏟아지는 비난의 대상이 되었다. 국회의원들의 비판을 보고 판단하여 미국 언론에 널리 게재되는 논평에서는 이 대통령은 무능하고 인기도 없는 인물처럼 묘사되었다. 이런 종류의 보도가 별 변함없이 계속됨에 따라 나는 이를 막을 어떤 방법을 찾지 않으면 안 되겠다고 생각했다. 그것은 국회에서 요구하는 정도까지 상황을 혁신하거나 그렇지 않으면 나쁜 뉴스를 상쇄할 만한 정말로 좋은 뉴스를 몇 가지 제공하는 것이었다.

5월 11일, 나는 문제를 전반적으로 검토하고 조언을 제공하기 위해 대통령에게 편지를 썼다:

국회의 협조를 얻는 것이 중요한 문제로 보입니다. 매주 한 번씩 국회 지도자들과 협의회를 열고 중요한 문제에 관해 그들의 조언을 따로 물어서 협조를 구할 수 있지 않을까 생각합니다. 협의회로 인해 당분간 중요 정책이 오류로 이어지는 한이 있더라도 말입니다. 그러면 적어도 각하께서 의회의 조언을 받아들이신다는 사실이 알려지게 될 것이고, 그러면 국내와 해외 여론에 의해 그들에게 책임이 있는 것으로 되기 때문에 그들은 꼼짝없이 자기 본분으로 돌아올 수밖에 없을 것입니다.

이역만리에서 이 문제에 관한 조언을 드린다는 것이 저로서는 무척 조심스럽습니다. 그러나 각하와 국회 사이가 크게 분열되어 있기 때문에 적지 않은 불안감이 조성되고 있다는 점은 한국에 계신 각하보다 미국에 있는 제게 더 분명하게 느껴지는 것 같습니다. 국회와의 거리를 좁히기 위해 할 수 있는 일이 있다면 그로 인해 치러야 할 대가만큼의 가치는 있을 것입니다.

그 이틀 후인 5월 13일, 나는 앞서 보낸 조언을 강조하는 편지를 다시 썼다 :

짐작하실 수 있으시겠지만, 미국 각 신문에서 한국 국회가 반기를 든 사건은 중요 뉴스로 전달되고 있습니다. 아직까지 사설로까지 다루어진 것은 보지 못했습니다. 트루먼-맥아더 사이의 논쟁, 애틀리 내각의 베빈 사임, 프랑스 정계의 계속되는 혼란, 그리고 파나마 혁명을 생각해 보시면 다소나마 위안이 되실 것입니다. 세계의 다른 곳에서도 (특히 이란에서) 이러한 위험한 시대의 동요가 느껴지고 있다는 것을 생각나게 합니다. 국회가 이 시대의 문제에 대해 침묵을 지키고 과민한 반응을 보이지 않기를 기대하는 것은 인간 속성에 비추어 지나친 요구가 될 것이라고 생각하는 바입니다.

보다 많은 한국군의 무장, 농민들의 귀농 계획, 피난민 보호, 후방의 치안 대책을 위한 경찰 프로그램, 대일 문제, 인플레 증가의 심각한 위험에 수반된 파괴지역의 복구 등등의 문제가 각하의 관심사인 것과 마찬가지로 당연히 국회의 관심사이기도 합니다. 또한 우리는 사람이 다르면 문제도 다른 각도로 바라보고 문제 해결 방법도 다르다는 것을 인정해야 한다고 생각합니다.

저는 각하와 몇 사람의 영향력 있는 의회 지도자들이 해결책을 강구하기 위해 상호신뢰 속에 함께 만나는 것이 가능하리라고 진심으로 희망하고 있습니다. 문제가 크게 악화된 것은 지금부터 1년 후에 새로운 대통령 선거가 치러질 예정이라는 사실 때문이라는 것은 알고 있습니다. 그러나 그때나 지금도 또 그때까지도 공산당과의 싸움은 계속되고 유엔에서의 정책토론도 계속됩니다. 이러한 외부 문제는 너무나 중대하고 그 적절한 결과는 한국의 장래에 너무나 큰 의미를 지니고 있는데도 이러한 문제들이 국내의 다툼 때문에 대수롭지 않게 보인다는 것은 비극적인 일로 생각됩니다.

우리는 경호116) 학생의 부친과 초대 주미 한국 대사를 역임하고 그 후에 국무총리를 지낸 장면이 국회가 반기를 드는 데 깊이 관여되었다는 뉴스로 몹시 불안합니다. 일부 아주 교활한 정치인들이 이들을 도구로 이용하는 것이 아닌지 궁금합니다. 국가 홍보 프로그램의 관점에서 가장 주목할 만한 여러 문제점에 대한 각하께서 구상하고 계신 계획을 요약한 일련의 명확하고도 합리적인 성명서를 발표하는 것이 대단히 필요한 일이라고 생각됩니다.… 그러면 전 세계와 한국 국민들이 각하의 입장을 이해하게 될 것입니다. 국회는 각하께서 선택하신 논쟁의 장에서 각하와 맞서야 할 것입니다. 국회가 효과적인 공격을 할 수 없도록 각하의 견해를 설명하실 수 있을 것이라고 확신하는 바입니다. 미국 국민과 정부에 영향을 미치는 데 있어서 가장 유용하리라고 판단되는 사안을 열거하기 위해 멀리서나마 몇 가지 문제점과 기본적 관점을 정리해 보도록 하겠습니다.

1. **한국군의 무장** : 한국의 방위에 대한 전반적인 요구와 공산침략을

---

116) 이경호는 펜실베이니아 주립대학의 사택인 내 집에 살던 한국인 대학생이었다. 그의 부친은 농림부 장관을 역임하였다.

막기 위한 유엔 프로그램의 성취에 부합되도록 추진되어야 함. 이 군사력은 한국이 통일될 경우 평화를 수호하게 될 것임.

2. 토지 개혁 : 지주 소유로 남아 있는 전 농토를 새로운 법률이 정하는 바에 따라 가능한 한 신속히 매각해야 함. 이 법률은 전국적으로 확대 적용해야 할 것임. 이 프로그램의 목적은 소작농을 10% 미만으로 감소시키고 동시에 과거의 지주들로 하여금 귀속 공장의 매수를 가능케 함으로써 새로운 중소기업가 층을 형성하려는 데 있음.

3. 귀속(歸屬) 재산 : 한국을 사회주의 국가가 아닌 자유기업 사회를 만드는 것을 목표로 광산, 철도, 통신 시설 및 일부 특정 제한된 보유 재산을 제외하고 모두 매각해야 함.

4. 인플레 관리 : 공장의 재건, 수산업의 회복 및 절대 필요량 이상의 지폐 증발 억제 등을 통해 인플레를 억제하고, 한편 2,500 : 1의 원－달러 환율을 인하하여 이미 비공식 또는 준(準)공식으로 통용되고 있는 6,000 : 1 환율을 수용할 의향을 대통령께서 밝힘으로써 미 고문단과 관계 개선을 도모하는 것이 도움이 될 것임.

5. 대일 관계 : 가능하면 대한해협에 있는 쓰시마(對馬島)의 반환 요구와 아울러 어선과 어구의 반환 및 맥아더 라인의 재확인과 그 침범의 단속 강화를 제외하고는, 배상 요구를 철회하여 일본과의 상호 이해를 위한 각하의 합리적인 해결방식을 강조해야 함. 또한 재일 한국인에게는 일본에 거류하는 모든 외국인들과 동등한 처우를 할 것. 한·일 간의 무역은 상호 이익에 입각할 것, 등.

6. **대통령 선거** : 국민들의 직접선거에 의한 대통령 선출을 규정하도록 헌법 개정을 요구함. 이것은 미국과 다른 나라에서도 지지를 받을 것이며 현행 헌법에 의해 대통령을 선출하는 국회에서의 권력다툼을 종식시키는 데 큰 도움이 될 것으로 사료됨. 국회에 있는 각하의 정적들도 이러한 제안을 공식적으로 반대하기는 어려울 것으로 판단됨.

7. **통일 문제** : 공정한 판단에서 그리고 전쟁을 종식시키고 평화를 회복하기 위한 유일한 방법으로서 한국은 반드시 통일되어야 한다는 각하의 견해를 재확인 하실 것. 대한민국의 통치권이 사실상 한반도 전체로 확대되고 북한의 선거에 의해 국회 예비의석 100석을 채워야 한다는 사실과 더불어 유엔의 보호 아래 심사와 승인절차를 거친 북한인들이 1952년 5월 대통령 선거에 참여하도록 함. 대한민국의 모든 법률은 자동적으로 북한 전역에 적용된다는 사실 등을 상기시켜야 됨.

8. **법 시행** : 모든 테러를 근절하기 위해 사법부와 경찰의 개혁을 요구하실 것. 현대식 경찰관의 훈련을 위한 시설 확충을 요구하실 것.

9. **내각** : 가능하다고 판단하신다면 모든 각료의 임명에 대해 미국의 경우처럼 국회 인준을 필요로 하도록 하되 내각은 대통령에게 책임을 지도록 하고, 국무총리의 직무가 모호하다는 논쟁을 종식시키기 위해 국무총리직을 없애거나 그의 임무를 보다 명확히 규정하는 개헌안을 제안한다면 미국 정부와 여론의 많은 지지를 받을 것임.

10. **언론자유** : 각하께서 해 오신 바와 같이 언론자유에 대한 각하의

확고한 소신을 다시 강조하시고 공보처(公報處)가 신문을 억압할 수 있는 권한을 제거하실 것. 이러한 기능을 명예훼손 및 반역죄에 관한 법률에 의해 법원에 맡기실 것.

11. **교육** : 민주국가는 대중교육의 확고한 토대 위에 세워진다는 각하의 신념을 재강조하시고, 이 분야에서 지금까지 이미 성취한 업적을 널리 알리실 것.

제가 언급한 것과 같은 정도의 중요성을 갖는 그 밖의 다른 문제들에 대해서도 생각이 떠오르실 것입니다. 어쩌면 말씀드린 전반적 내용은 각하께서 1946년 초에 발표하시고 이승만 계획으로 전 세계에 알려졌던 그 유명한 21개 조항만큼 중요할 수 있습니다. 이 조항들이 신중하게 작성되어 발표되면 국회의 공격이 있더라도 그것은 각하 개인에 대한 공격이 아니라 각하께서 제시한 진취적이고도 건전한 계획에 대한 공격이 될 것입니다.

이후의 여러 논의를 통해 각하께서 한국과 전 세계 여론의 관심을 확고하게 이 계획에 모아질 수 있도록 노력하실 수 있다면 국회의 저항이 있을 때마다 국회에서 거부하고자 하는 것이 이 계획의 어느 부분에 해당되는가를 되물어 볼 수 있습니다. 그렇게 함으로써 협조를 거부하는 경우 국회는 아주 어려운 입장에 몰리게 될 것입니다.

이러한 계획의 발표와 관련하여 각하께서 또한 이 계획의 이행 방법을 논의하기 위해 선정된 대표적인 국회 지도자들과 주례 회의를 개최하는 계획도 발표하신다면 각하의 입지는 대단히 탄탄해질 것으로 사료됩니다. 이것은 각하의 입장에서 도량이 넓은 대인다운 제스처가 될 것이며 지금 벌이고 있는 싸움에서 세계적으로 동정을 획득하는 데 많은 도움이 될 것으로 믿습니다.

이 편지는 내가 한국에 도착한 후의 나의 입장을 명확히 하고 강화시켜 보려는 생각에서 또 하나의 제안을 하는 것으로 마무리되었다. 많은 미국 관리들이 나와 이 대통령과의 관계를 불안함과 의구심으로 바라본다는 것을 나는 잘 알고 있었다. 나 자신을 위해, 또한 앞으로 내가 이루어낼 수 있는 것을 고려해 볼 때, 나는 확고한 상호신뢰의 기반을 구축하기를 열망하였다.

이러한 제안은 나 자신의 입장뿐만 아니라 대통령의 입장도 보호하기 위해 조심스럽게 제시되었다:

> 제가 한국으로 가기 전에 도쿄에서 리지웨이 장군을 만나보는 것이 좋을지 각하의 생각은 어떠하십니까? 이렇게 하는 것이 내가 대한민국과 연합군 총사령부(SCAP) 그리고 유엔군 사령부의 상호 관심사가 되는 제반 문제를 해결하기 위해 최선의 노력을 기울일 것이라는 것을 리지웨이에게 확신시킴으로써 무초 대사의 우려를 누그러뜨리고 또한 제 자신의 입지도 어느 정도 강화시킬 수 있는 방법이 되리라는 생각이 듭니다. 이것이 바람직하다고 생각되시면 도쿄의 대한민국 대표부가 이 면담을 주선할 수도 있을 것입니다. 혹은 제가 직접 면담을 교섭하는 것이 좋겠는지, 아니면 리지웨이를 만나지 않고 조용히 도쿄를 통과해서 바로 들어가는 것이 좋겠습니까? 리지웨이와 무초는 당연히 제가 한국으로 들어가는 것에 대해 신경이 쓰일 것이고, 저의 존재가 문제 해결에 방해가 아니라 도움이 될 것인지 당연히 확인하고 싶어 할 것이라고 생각됩니다.

나의 여러 가지 제안은 바랐던 대로의 효과를 거두지 못했다. 이 대통령이 편지를 받을 무렵에 나는 이미 가족들과 함께 자동차로 미 대륙을 횡단하고 있었고, 그는 보나마나 내가 한국에 도착할 때까지 답변을 미루는 것이 좋겠다고 생각했을 터였다. 선박으로 태평양을 횡단하는 것을 포함한 여유 있는 여행을 우리는 구상하였고, 실제로 우리 가족은 그렇게 하였다.

그러나 중대한 일들이 생기는 바람에 우리의 계획은 틀어졌고 급히 계획을 변경해야 했다. 앞 장에서 밝힌 바와 같이, 야콥 말리크가 6월 23일 휴전회담이 시작될 것이란 암시를 흘렸던 것이다. 소련은 겉보기로는 전쟁 당사자가 아니었기 때문에 이러한 제안은 공식적인 것과는 거리가 멀었다.

도쿄의 유엔군 사령부는 우리가 보기에는 굴욕스러울 정도로 24시간 동안이나 반복하여 북한군 사령부 앞으로 일련의 방송을 통해서 원산 항구에 정박해 있던 덴마크 병원선 '유틀란디아(Jutlandia)' 호에서 "휴전 논의를 위한 회담"을 갖자고 제안하였다. 김일성은 이 방송을 만 하루 동안 무시함으로써 전쟁에서 패배한 유엔이 휴전을 하자고 사정한다는 인상을 크게 주도록 만들었다. 그런 연후에 그는 그런 회담에는 동의하지만 '유틀란디아' 호 선상에서 하는 것은 거부한다고 무전으로 회신하였다. 대신 "38선 상의 개성 지역에서" 개최할 것을 요구하였다.

유엔군 사령부는 휴전회담 장소에 대한 이러한 변경의 중요성을 미처 충분히 이해하지 못했다. 남북 사이의 주요 "회랑(corridor)"의 중간 지점에서 회담을 개최한다는 것은 회담이 지속되는 한 북측에 대한 강력한 공격이 불가능하리라는 것은 보장된 것이나 다름없었다. 회담이 얼마나 걸릴지는 누구도 예측할 수 없었다. 우리 측에서는 그 누구도 이 회담이 오래 계속되리라고는 예상하지 않았다.

이 대통령으로부터 잡히는 대로 제일 빠른 비행기 편으로 즉시 부산으로 들어오라는 전문을 받았다. 의외로 빨리 휴전협정이 성사될 것 같은 일반적인 기대감이 있었다. 1차 세계대전을 끝낸 휴전회담 역시 단 몇 시간 만에 끝났고, 2차 세계대전을 마감한 회담 또한 며칠만 걸렸을 뿐이다. 나의 주된 관심사는 이 대통령이 전쟁 타결에 관한 한국 정부의 입장을 정리하는 것을 도와줄 수 있도록 휴전합의가 내가 도착한 다음에 이루어지는 것이었다. 실제로 그러한 합의가 성사되는 데는 2년 이상이 더 소요되어야 했다.

한국의 분단을 고착화시킬 휴전합의를 막고자 하는 이 대통령의 결의로 인해 매우 긴장된 국제적 상황이 연출되고 있었다. 당연히 "분쟁 지역(conflict area)' 한국으로 들어가는 나의 심경에도 강한 영향을 주었다. 1951년 7월 1일, 나는 시애틀 공항에서 비행기가 이륙하기 직전 가족에게 다음과 같은 편지를 썼다:

한국의 위기가 호전되지 않고 악화일로에 있음은 분명하오. 이 대통령은 굳건히 버티고 있소. 이제는 유엔군이 계엄령에 의해서든 한국군 장성들과 정치인들이 연합하여 대통령에게 반기를 들고 강압적으로라도 유엔의 조건을 수락하도록 설득하든 간에 대통령직에서 "물러나도록" 하려는 노력이 벌어질 것이 확실하오. 상황이 *극단적인* 긴장상태로 치달을까 두렵소.

내가 보기에 이런 사태를 막을 수 있는 유일한 가능성은 공산군이 전면적 공세를 취해 우리로 하여금 이러한 "곤경"에서 벗어날 수 있도록 해주는 것이오. 그러나 그들이 그런 짓을 하기에는 너무 약은 인간들이오!

오후 6시 50분에 이륙할 비행기에 겨우 타게 되었소. 마음이 심란하오. 합의에 도달하기는 어려울 것이고 생활은 극단적 긴장의 연속이될 것이오.

내가 7월 3일 부산 공항에 도착했을 때, 표면적으로는 예상과 달리 조용하였다. 리지웨이 장군은 마침 휴전회담 장소로 공산당이 택한 개성을 받아들이고 7월 5일에 대화를 시작할 것을 제안한 상태였다. 북한은 그 대신 연락대표 회담을 7월 7일에 하자고 하였다. 실제 회담은 7월 10일에 이루어졌다.

한편, 나는 대통령 관저에서 공항으로 보내온 승용차를 타고 대통령을 만나러 관저로 갔다. 관저는 1에이커쯤 되는 정원으로 둘러싸인, 부산 시가지가 내려다보이는 산중턱에 있는 평범한 주택이었다. 대통령 부부는 나를 따뜻하게 맞아주었고 우리는 업무적인 문제에 대해서는 언급하지 않고 오래간만에 만난 옛 친구로서 환담을 나누었다. 그러나 30분 정도의 시간이 지나자 이 대통령은 나를 아래층의 "영빈관(guest house)"으로 안내해서 나의 사무실을 보여주었다. 책상과 의자 그리고 타자기만이 덩그러니 놓여 있는 방이었다.

그는 나에게 한국 측 대변인 백선엽 장군을 통해 유엔군 대표단에 제출할 자신의 성명서 사본을 건네주었다. 예상했던 대로, 성명서는 공산 침략군을 한반도에서 모조리 몰아내고 대한민국 정부에 의해 나라가 통일될 때까지 반드시 전쟁을 계속해야 한다는 비타협적인 요구로 되어 있다. 성명서는 계속해서 유엔군 사령부에게 이 계획에 동의해 줄 것을 요구하고, 만약 미국과 유엔총회에서 정해 놓은 제약으로 인해 동의해 줄 수 없다면 적을 몰아내기 위해 한국군 자체만으로 북진할 수 있도록 승인하고 지원해 달라고 덧붙였다.

대통령은 나에게 성명서를 다듬고 "수락될 수 있도록 표현해 줄 것"을 요구하였다. 그것은 극히 어려운 일로 보였다.

내가 배경 자료를 요청하자 그는 12월 말 중공군이 밀고 내려와 서울을 점령한 이후 자기 집무실에 보관해온 "일지(log)"를 이용할 수 있도록 해 주었다. "일지"에는 대통령의 주요 활동사항과 중요 사건에 대한 그의 반응이 기록되어 있었다. 그것은 이 대통령이 유엔 및 한국 국회와의 '비타협적 자세'를 견지해온 이유를 밝혀주는 기록이었다. "일지"를 읽어내려 가는 동안 나의 눈길을 끈 대목은 다음과 같은 것들이다:

1951년 1월 7일:

군대가 퇴각하고 있다는 사실에 우리 모두들 가슴 아파 한다. 그런 수많은 적군을 폭격으로 날려버리고 적의 진격을 저지하지 않는 이유를 이해할 수 없다. 비행기들은 밤낮으로 날아다니지만 공산군을 막아낼 형편이 안 되는 것으로 보인다.

대통령은 청년운동 지도자를 불러 무장 여부와 관계없이 약 10만 명의 청년을 원주 전선으로 올려 보내 배후 지역에 머물면서 적의 침투를 막으라고 명령하였다. 그들이 현재 입고 있는 복장 그대로 올라간다면 아군 공군기들이 그들을 구별하지 못하고 적으로 오인하여 폭격할 수 있다는 문제가 제기되었다. 육군 당국은 여러 차례 논의 끝에 약 7만 5천 벌의 군복을 찾아보기로 동의하였다. 신발은 구할 가망이 없었다. 육군은 이들을 원주로 보낼 수 있도록 짚신과 즈크화(천으로 만든 운동화)를 시장에 주문하였다. 미군은 처음에는 여기에 크게 반대하였지만 결국 동의하였다.

1월 8일:

국방부 장관이 대구(大邱)에서 내려와 미군은 무슨 생각을 하고 있는지 도무지 알 수 없다고 보고하였다. 미군의 전술은 전과 다름없다. 미군은 구식 전쟁방식만을 믿고 그들의 중화기를 갖고 다른 일은 아무것도 못한다.… 그는 또한 어느 미군 장교가 미군은 견고한 전선을 유지하면서 방위선을 축소하고 서서히 퇴각하게 될 것이라고 말했다고 보고하였다. 미군은 2개월 동안 대규모 진격을 위한 준비가 되지 않을 것이다.

추수는 90%까지 끝나고 철도 창고에서 수송만 기다리고 있다. 많은 곳이 곧 적들의 수중에 넘어갈 것이다. 국방부 장관은 그것을 수송하기 위해 리지웨이 장군에게 트럭을 지원해 줄 것을 요청하였다. 트럭은 제공되었으나 휘발유가 없는 상황이다. 또 다시 수송이 지연되다가 결국 8군에서 휘발유를 공급하였다.…

미군은 이틀만 더 있었더라면 서울을 방어할 수 있었을 것이라고 생각한다. 리지웨이 장군은 전체적인 전열을 다시 가다듬으려 하고 있지만 그것을 완료하기에는 시간이 모자란 것으로 보인다. 적군은 서울에서 1주일을 머뭇거렸던 작년 6월의 실수를 되풀이 하지 않았다.

1월 9일:

오늘 아침 원주를 적군에 내주었다는 소식을 들었다. 대통령은 즉시 대구로 가서 청년들을 만나고 또한 국민 모두가 밀물처럼 내려오는 적군을 막도록 해야겠다고 말했다. 이곳 부산에 앉아서 다른 사람에게 전쟁수행을 맡겨 둘 수는 없다고 생각했다.

한국 국민은 싸우기를 원하는데도 충분한 기회가 주어지지 않는다. 언제나 젊은이들의 열정의 김을 빼는 구실이 있다. 우리는 이곳에서 모병하여 훈련시켜야 한다. 청년층의 수가 충분히 50만 명은 된다. 미군이 그들을 오키나와든 사이판이든, 그 밖에 어디든 데려가서 4개월만 훈련시켜 준다면 전쟁에서 승리한 후 유엔군이 철수할 경우 우리 자체의 군대를 가질 수 있게 될 것이다.

오후 국무회의에서는 인플레 문제가 제기되었다. 지금까지 유엔군은 4억 원을 차용해 갔는데 그에 대한 은행 지불준비금이 없다. 예산은 균형예산인데 군에서는 돈이 필요하고 은행 지불준비금이 없으니 은행은 돈을 찍어낼 수밖에 없다.

1월 12일:

대통령은 리지웨이 장군을 만나러 항공편으로 대구로 갔다. 대통령은 리지웨이에게 이렇게 말했다. "중공군은 순전히 사람 머리수로 싸우고 있소. 사람이라면 우리도 있소. 우리의 훈련된 젊은이들은 최전방에 서거나 전선의 공백지역을 채우거나 혹은 후방에 배치되어 적의 침투를 막을 준비가 되어 있소. 그들은 공산군을 막기 위해서라면 무엇이든 기꺼이 수행할 용의를 가지고 있소. 장군이 그들에게 무기나 수류탄을 제공하신다면 그들은 과소평가할 수 없는 효율적인 전력이 될 것이오."

리지웨이 장군은 자기도 그 점을 잘 알고는 있으나 현대전에서 패거리 싸움을 벌일 수는 없고 도움이 되기보다는 방해가 될 것이라고 말하였다. 청년 그룹이 더 남쪽으로 이동하여 전쟁이나 그 작전 수행에 방해가 되지 않도록 하는 것이 훨씬 나을 것이라고 말했다. 대통령은 그것이 원하는 바라면 청년 그룹을 일선에서 더 남쪽으로 이동시키겠노라고 답변하셨다.

국방부장관은 한국군 전체를 정일권 장군의 지휘 아래 두도록 건의하였다. 현재 미군에 배속되어 있는 한국군은 한국군 사령부의 명령을 받지 않는다고 일종의 우월감을 갖고 있는데 그것은 좋지 않은 현상이다. 리지웨이는 건의에 일리가 있다고 판단하고 다음날 그러한 취지의 명령을 내렸다.

1월 13일:

영국이 유엔에 휴전 결의안을 제출하였다는 보도가 들어왔다. 대통령은 이에 관한 성명을 발표하고자 하였으나 내방객이 너무 많아서 그렇게 할 수 없었다. 오후 5시 국방부장관이 찾아와서 일부 국회의원들에 대한 불만과 부산은 최악의 도시라고 토로하였다. 부유한 사람들은

자신의 재산만을 걱정하고 해외로 떠날 궁리만 한다. 이들은 패배주의
적 분위기를 조성하는 데에 기여하는 자들이다. 일반 국민들은 희망에
차 있고 어려움을 잘 견뎌낸다. 국민은 정부가 자기들과 함께 하는 한
구원받고 있다고 느낀다.

1월 25일:

고철을 구매하겠다고 브렌 씨가 내방하였다. 대통령은 미국이 한국
에서 돕고 있는 일에 감사하여 대가 없이 고철을 미국에 제공하고자
한다고 말했다. 브렌은 그것은 불가능한 일이라고 말했다. 이유인즉,
모든 제조 작업은 개인 소유의 공장에서 행해지고 고철을 구매하는 것
은 민간자본이며 전쟁물자를 생산하는 것도 민간 기업이기 때문이라
는 것이다.

우리는 미국이 확고한 태도를 유지하고 유엔의 어떠한 임시방편적
인 대책에도 양보하지 않기를 기도할 뿐이다. 네루(Nehru)는 공산주의
자라는 낙인이 찍혀야 마땅한 사람이다. 미국 국민이 그들 자식들의
귀한 생명을 공산당에게 외교적 승리의 기회를 제공하기 위해서 희생
시키는 것이 결코 아니라는 사실을 우리는 잘 알고 있다. 미국이 일어
나 싸우고자 하는 결연한 의지를 보이면 그 순간에 중공군을 몰아낼
수 있다는 것을 우리 국민도 유엔군도 또한 알고 있다. 소련은 감히
어쩌지 못할 것이다. 미국의 외교적 나약성 때문에 이 전쟁에서 패배
할 수도 있다.

1월 28일:

장면 대사가 도쿄로부터 도착하여 대통령에게 국무총리 직을 수락
할 수 없고 워싱턴으로 돌아가야 한다고 말했다. 그는 국무총리와 같
은 중요한 직책을 맡기를 원하지 않기 때문에 한국에 머물지 않겠다는

단호한 태도를 보였다. 그는 워싱턴에서 일을 더 잘 할 수 있다고 생
각한다. 등등.

1월 30일:

우리 사무실에서 장면 대사에게 국무총리 임명을 축하하는 뜻에서
간단한 다과회를 베풀겠다는 통지를 보냈다. 장면은 며칠 동안 숙고해
보아야 하기 때문에 다과회에 참석할 수 없다고 하였다.

2월 1일:

대통령은 알몬드 장군에게 훈장을 수여하고 리지웨이 장군과 협의
차 대구로 갔다. 정일권 장군은 총공세를 위해 한국군에게 지역을 할
당하는 데 대해 반대하였다. 정 장군은 한국군에게 더 많은 장비가
제공되지 않는 한 유엔군의 일부가 되기를 원하지 않는다고 리지웨이
장군에게 말했다. "우리 국민들이 우리 군이 할 수 없는 것을 기대하
지 않도록 차라리 독자적인 현 상태를 유지하고자 합니다. 외부에서
는 한국군이 유엔군 부대와 동일한 장비를 갖추고 있다고 믿을 테지
만 장군께서도 아시다시피 우리의 중포(重砲)는 17문(門)에 불과한 반
면에 유엔군은 72문이나 갖고 있습니다. 장군은 지상군 지원을 위한
400대의 항공기를 가지고 있지만 우리에겐 1대도 없습니다. 우리가
항공기 지원을 요청하더라도 이루어지는 일이 거의 없습니다. 우리
측의 일선 통신상태가 불량하기 때문에 항공기와 연락할 길이 없습니
다."

리지웨이는 정일권에게 한국군에 대한 공중지원을 약속했다.

2월 2일:

드디어 장면 대사가 국무총리직을 수락하였다. 국방부 장관은 그에

게 이렇게 말했다. "수락하셔야 합니다. 아니면 사람들은 장 대사께서 한국에 남아 있기를 두려워한다고 말할 것입니다."

3월 18일:

대통령은 대구로 가서 한국군 참모들과 만났다. 그는 우리의 목표는 한국 통일이고 그러므로 다른 사람들이 무슨 짓을 하든지 우리는 38선을 돌파해야 한다고 말하였다. 대통령은 참모들에게 우리 통일계획에 참견할 권리를 가진 자는 아무도 없다고 하였다. 한국군이 그 선을 넘어간다고 미국이 그것을 발표하지 않을 것이고, 리지웨이가 제지하지도 않을 것임을 우리는 알고 있다. 이미 38선 너머로 정찰대가 보내지고 있다.

대통령은 또한 미국 육군장관 프랭크 페이스, 리지웨이 장군, 콜터 장군, 스미스 제독을 비롯해서 무초 대사와도 만났다. 대통령은 그들에게 말했다: "미군이 한국에 있는 것은 한국을 방어하기 위한 것이 아니라 미국의 위신 때문인 것이오. 나는 미국을 희생시켜서 한국의 이익을 꾀하겠다는 생각은 단 한 순간도 해본 적이 없소. 한국을 희생시켜서 미국의 입지를 강화시킬 수만 있다면 나는 그렇게 하겠소. 미국이 여러 나라들 중에서 그 리더십을 유지하는 한 언젠가는 한국이 살아날 수 있기 때문이오. 그러나 미국의 영향력이 쇠퇴한다면 자유세계에는 희망이 없소."

그런 다음에 그들이 한국군 장교들이 충분히 훈련되어 있지 못하다고 생각한다면 한국군 부대에 미군 장교들을 받아들일 것이라고 말했다. 대통령의 결론은 다음과 같다: "그러나 한국군은 압록강까지 계속 밀고 올라갈 것이고, 여러분은 그런 작전을 수행하는 한국군을 비난해서는 안 될 것이오."

이 "일지"는 매우 상세하면서도 정황을 잘 설명하고 있었다. 내가 알고자 했던 전체적인 상황을 확인하고 완성시켜 주는 세부 사항들로 가득차 있었다. 그리고는 국회와의 트러블에 대한 이 박사의 시각을 설명하는 긴 구절의 글을 발견하였다. 세계언론은 그러한 국회와의 불화가 대통령의 독재적인 입법부 간섭을 보여주는 "증거"라고 주장하고 있었다:

4월 24일:

내무부장관 조병옥(趙炳玉)은 오랫동안 한민당과 흥사단 운동을 성공시키기 위해 자신의 권력과 정부 자금을 사용해 왔다. 그는 오로지 차기 선거에서 경찰과 민간 행정당국을 장악하려는 목적으로 거의 대부분의 도지사를 한민당원으로 교체하였다. 대통령이 보기에는 자신이든 그 누구든 이렇게 일찍이 선거운동을 시작해야 한다는 것은 어리석은 짓으로 여겨졌다. 대통령은 먼저 전쟁터에서의 전쟁에 이겨야만 선거도 치를 수 있기 때문에, 이러한 이야기들을 모두 제쳐놓고 국민들에게 이런 문제에 많은 관심을 쏟지 않도록 촉구하셨다.

조병옥은 마침내 열심히 선거운동에 골몰하고 있던 신익희(申翼熙)를 자기편으로 끌어들이게 되었다. 두 사람은 마침내 신익희가 대통령 후보가 되고 조병옥이 국무총리를 맡기로 합의하였다. 또 하나의 조합도 검토되었는데, 이를테면 신익희 대통령, 김성수를 부통령으로 하고 조병옥을 국무총리로 한다는 것이다. 때로는 장면도 국무총리로 고려된다.

작년 8월 국회는 조병옥 내무부장관과 신성모(申性模) 국방부장관의 사임을 요구한 바 있다. 대통령은 이 중요한 시기에 개각은 있을 수 없다고 판단하였다. 국회에서 큰 소동이 벌어졌다. 조 장관은 그의 비자금 대부분을 국회의원의 접대와 지원에 사용하였다. 조 장관이 그의 한국인 친구들과 콜터, 무초 등과 같은 미국인들을 위해 열어 주는 파티는 장안의 화제였다. 최근에야 여성 단체와 교회 모임이 정화운동 조직을 구성하였다. 국민들은 술과 여자들이 접대하는 떠들썩한 파티에 분개하고 있다. 조병옥은 어느 때보다 술을 더 많이 마시고 자신을 반대하는 사람들을 매수하고 있다.

경찰 총수인 장택상(張澤相)은 조병옥과 어울리지 않았다. 상황이 그렇다 보니 조병옥은 자기가 뜻한 바대로 일을 해 나갈 수 없어서 국방부장관이 되기 위해 노력하고 있다. 국방부장관 자리는 더 많은 자리를 나눠줄 수 있고 더 많은 사람들을 통제할 수 있으므로 자신의 계획을 추진하는 데 도움이 되기 때문이다.

국회는 더 이상 조 장관의 해임을 요구하지 않았다. 조병옥은 끊임없이 국회에서 문제를 일으킬 만한 정보를 의원들에게 제공하였다. 정부가 1월에 서울에서 부산으로 내려온 이후 조 장관은 자신의 모든 정치공작을 펴기 위해 대구가 아니라 부산에 머물고 있다. 그는 일을 협의하기 위해 대통령을 찾는 일은 없고 국무회의에 참석하는 것이 전부다. 대통령은 현 전시상황에 피해가 가지 않도록 개각 계획을 하지 않고 있다.

오늘 아침 조 장관은 사퇴서를 보내고 대통령에게 상처를 주려는 의도된 성명서를 발표하였다. 조병옥은 어느 정도 선까지 자신의 자리를 굳혔고 앞으로도 대통령에게 강력히 대항할 것이 분명하다. 공개적으로 나서지는 않겠지만 대통령의 재선을 방해하려고 노력할 것이다. 안타깝게도 조병옥은 대통령이 재선에 나서지 않을 것이라는 것을 모르고 있다. 이것은 극비지만, 대통령은 1952년 5월 이후에 은퇴하기로 확고한 결정을 내리셨다. 우리는 그때까지 국제정치가 더 이상 한국을 팔아먹을 수 없는 단계까지 전쟁 상황이 진전되어 있기를 바랄 뿐이다. 대통령은 재선에 출마하지 않을 것임을 발표하려고 하셨지만 국내와 국제적으로 엄청난 파장을 몰고 올 것이기 때문에 주변에서 재선출마포기 발표를 하지 않도록 설득하였다. 많은 대통령 후보자들에게 많은 새로운 지평이 열리게 될 것이다. 대통령은 공산주의에 대해서는 확고한 반대 입장을 견지하지만 다른 문제에 대해서는 보다 유연하다는 것을 국민들은 알고 있다.

5월 4일:

대통령은 국방장관과 정일권 장군을 만나러 대구로 갔다. 정일권은 며칠 전의 주한미군 군사 고문단(KMAG)과의 어려웠던 일에 대해 설명하였다. 밴 플리트 장군이 내린 명령을 한 KMAG 장교가 정 장군에게 전달하였다. 정 장군은 밴 플리트 장군의 명령에는 복종하겠지만 그의 부하의 명령에는 복종할 수 없다고 했다. KMAG는 자문하는 기관이지 명령을 하달할 권한이 없다는 것이다. 정 장군은 한 시간 동안 자신의 입장을 설명한 끝에 마침내 관철시켰다고 말했다.

무초 대사가 대통령을 찾아와서 조병옥의 사표를 받아들인 데 대해 항의하였다. 조병옥은 무초의 사람이고 그들은 조병옥을 통해 다음 선거를 통제할 수 있을 것으로 기대하고 있었다. 그는 무척 기분이 좋지 않은 상태였다. 그는 정치상황이 매우 혼란스럽다고 말했다. 대통령은 대사에게 한국정치가 미국정치보다는 혼란스럽지 않다고 말했다.

조병옥은 이제 무대에서 퇴장하였고 내무부의 조력 없이는 대통령 선거에서 승리하기가 어렵기 때문에 무초는 대타를 찾고 있다. 그 인물이 다름 아닌 목소리가 상냥한 장면(張勉)이다. 무초는 자기 사람 하나를 잃었지만 여전히 다음 선거에서 승리하고 싶어 하고 있다. 미국 국무부는 앞으로 상당 기간 동안 한국을 그들의 손바닥 안에 두려고 한다. 이 선거는 미국의 국지전 계획을 위해 중요하다. 미국은 그런 계획에 동의해 줄 수 있는 한국 대통령을 둘 수만 있다면 한반도의 절반을 중국에게 양보할 수도 있다. 이 대통령을 재선시키게 되면 이러한 계획을 실행에 옮기지 못할 것이다. 이들은 이 대통령이 무조건 지속적으로 완전한 한국의 독립을 주장할 것임을 알고 있다.

5월 2일에는 부통령이 내방하여 "모든 사람들"이 국무총리와 국방부장관을 겸임토록 하여 장면에게 그 자리를 맡도록 하는 것이 최선의 방안으로 생각한다는 말을 전했다. 지난 일요일에는 신성모 장관이 저녁에 무초 대사를 그의 관저로 방문하였다. 무초의 첫 마디는 "신 장관은 대통령과 함께 선거계략을 꾸미고 있다지요"라는 것이었다. 신 장관은 자기 귀를 의심하면서 되물었다: "무슨 말씀입니까?" 그는 무초와 두 시간 동안 대화를 나눴다. 무초는 군사 고문단과의 협력이 잘 이루어지지 않는다는 등의 불평을 하였다.

정일권 장관이 내방하여 정치적인 책략에 의해 군이 동요하도록 해서는 안 될 것이라고 대통령께 말했다. 그는 신성모가 합참 의장에 임명될 수 있도록 합참의장 자리를 사임하겠다고 하였다. 이렇게 되면 인사이동이 크지 않기 때문에 군은 이를 환영할 것이다. 그는 모두들 현재 서울 시장인 이기붕(李起鵬)이 국방부장관이 되기를 원한다고 말했다. 대통령은 이기붕이 현재 서울시장 직을 훌륭하게 수행하고 있기 때문에 마음이 썩 내키지는 않았으나 이기붕만큼 충성스럽고 자기가 완전히 신임할 수 있는 인물도 없었다.

5월 10일:

어제 부통령이 대통령과 협의도 없이 국회에 사직서를 제출하였다. 그는 정부가 부패하였다는 등을 내용으로 하는 성명서를 발표하였다. 장면 총리가 대통령을 찾아와 부통령의 사직서를 반려할 것을 요청하였다. 대통령은 장 총리에게 부통령도 자유시민이고 자신이 원한다면 사임할 수 있다고 말했다. 그러자 부통령은 국회에 그의 사임 이유에 관한 성명서를 발표하였고, 국회는 대통령께 국회에 출석하여 그의 사임에 대해 설명할 것을 요구하였다.

대통령은 넌더리나다는 뜻을 국회에 전했다: "의원 여러분들은 모두 우리 청년들이 지금 나라를 위해 싸우면서 죽어가고 있다는 사실을 잊고 있습니다. 여러분들은 그들에게 할 수 있는 모든 지원을 보내야 할 텐데 그렇게 하지 못하면서 밖에서 공산당이 우리를 치고 있는 마당에 내부에서 나라를 분열시키려 하고 있습니다. 본인은 아무 할 말이 없습니다. 부통령은 본인의 조언도 요청하지 않고 사임했습니다. 이 정부에 대해 그가 한 비난에 대해서는 그가 답변해야 할 것입니다."

국회는 오늘 부통령의 사임을 거부하기로 의결하였다.

나는 이 대통령의 한 심복 비서가 작성한 것으로 생각되는 "일지"를 적어 내려가면서, 다루기 쉽지 않은 상황에서 잘못되어 가는 것이 하나 둘이 아니라는 것을 똑똑히 알 수 있었다. 5월 13일자로 내가 보낸 상세한 제안에 대해 이 대통령이 왜 답변을 하지 않았는지 비로소 알 수 있을 듯하였다.

멀리 떨어져서 국외자의 관점에서 처리해야 할 항목을 정리하고 그 실시할 방법을 요령있고 정확하게 밝히는 일은 어렵지 않은 일이었다. "여러 계획에 대한 합의를 도출하기 위해 선정된 국회 지도자들과 정기적인 회합"을 제안 하다니, 정말로 내 생각이 부족했구나! 이곳이 사실과 필요성을 검토·정리하여 합리적이고 균형 잡힌 해결책을 도출해내는 예의바른 토의 문화 사회가 아니라는 것은 분명하였다. 토론과 상호조정은 고사하고 야심과 적의와 합종연횡과 상대방의 의견 따위는 허용하지 않는 관행이 난무하고 있었다.

목록을 읽어가면서 이 대통령과 함께 논의하기 위해 조심스럽게 챙겨

온 내가 썼던 편지의 사본을 발견하였다:

　　"토지 개혁" — 그러나 피란민을 어떻게 자기 농토로 되돌려 보내
고, 비료는 어디에서 구하며, 파종할 씨앗과 여기 저기 내버려지거나
망가져 버린 농기구들은 어디에서 찾아온단 말인가?

　　"인플레 관리" — 어디를 둘러봐도 궁핍과 부족과 절실히 필요한
것뿐인 이 나라에서 인플레 관리라고? 부산의 대통령 관저에 앉아서
목록을 들여다보니 펜실베이니아 우리 집 서재의 책상에 앉았을 때 생
각되던 것처럼 쉬워 보이는 일은 거의 없었다.

별안간 마치 새로운 계시처럼 나는 책임을 맡고 있는 대한민국을 위한
국가홍보라는 업무가 얼마나 엄청나게 어려운지를 깨닫고 막막한 느낌이
들었다. 대관절 어떻게 냉장고와 자동차, 잘 다듬어진 잔디밭을 갖추고
편안히 살고 있는 중산층 미국인들에게 전쟁으로 인해 모든 것이 파괴되
고 망가지고 수많은 극한적 비극이 깔려 있는 가운데서 정부를 조직하고
관리하고자 하는 한국의 분위기나 느낌을 어떻게 전달할 수 있단 말인
가. "그곳" 미국이 아닌 바로 "이곳" 한국 국민들은 그러한 파괴와 비
극을 극복하고 어떻게든 살아남으려고 계속 몸부림을 치고 있는 것이다.

진정으로 나는 단지 거리상으로 수천 마일 떨어져 있을 뿐만 아니라
억겁으로 동떨어진 서로 다른 두 가지 배경을 함께 바라볼 수 있는 현실
적인 관망법을 갖출 필요가 있음을 뼈저리게 느끼고 있었다. 즉, 안락함
과 희망 그리고 기회가 당연한 것으로 여겨지는 미국과 유럽의 서구사회
와, 형언할 수 없는 비극이 겹겹이 쌓인 전쟁 중인 한국은 그만큼 배경이
극단적으로 달랐다. 워싱턴의 대통령 집무실과 유엔의 라운지와 이사회
회의실에 앉아 있는 사람들이 합리적으로 여기는 관점과, 최전선과 파괴
된 도시와 부산의 초라한 정부청사에 있는 사람들의 견해를 어떻게 서로
다 만족시킬 수 있단 말인가?

맨 먼저 나는 연세대학교 총장을 지내고 당시 문교부장관으로 있던 옛 친구 백낙준(白樂濬)의 사무실을 방문하였다. 그는 예일대학교에서 박사 학위를 취득하였고 가장 권위 있는 한국 개신교 교회사(敎會史)를 저술한 사람이다. 그를 보면 언제나 나의 뉴잉글랜드 출신 할아버지가 생각나곤 하였다. 할아버지는 원래 메인주의 아리스투크 카운티 감자 밭으로부터 나중에 오리건주의 컬럼비아 강가의 점토가 많은 산기슭으로 이주하셨 다. 두 사람 모두 체구가 건장하고 희망찬 적극성이 성격의 중심을 이루 고 있었다.

나는 그에게 "무엇보다도 먼저 해결해야 하고 또 우리가 해결할 수 있 는 한국의 실질적 문제는 무엇입니까?"라고 물었다.

백낙준 씨는 창밖을 내다보았다. 거기에는 거리에 가득 찬 헐벗고 굶 주린 피란민들이 작은 주전자를 들고 몇 시간씩 줄을 서서 식수를 얻으려 고 기다리고 있었다. 그들은 그 물로 양치질을 하고 보리와 쌀이 섞인 구 호식량을 끓여 먹게 될 것이다.

그는 대답했다: "파괴된 도시와 공장과 가옥들이 복구되어야 하는데 언젠가는 복구되겠지요. 이런 일들은 우리나라의 외부 방어선이라 하겠 지요. 당연히 우리에게 중요하고도 귀중한 것이지요. 그러나 이들이 자유 국민으로서 한국인들에게 가장 필수불가결한 것은 아닙니다. 어떠한 대 가를 치르더라도 반드시 지켜야 할 것은 우리 내면의 아성(牙城)입니다." 나는 의식주보다 더 중요한 것이 무엇인지 궁금하여 되물었다. "그렇다 면 그 내면의 아성이란 무엇입니까?"

그는 천천히 이렇게 말했다: "진정한 내면의 아성(Inner Citadel)은 우리 민족 고유의 민족성(integrity)입니다. 그들의 마음이고 도덕률이자 지성이 며 의무감이며, 정신적 복원력입니다. 우리가 왜 싸우는지에 대한 이해이 고 결코 패하지 않을 것이라는 한결같은 믿음입니다. 국민들의 가슴 속에

제16장 금 간 아성 ▪ 593

이러한 신념이 확고히 유지되는 한 그 무엇도 그들을 패배시킬 수 없을 것입니다. 그들이 한국인으로서의 자존감을 상실한다면 우리는 이미 패배한 것입니다. 우리 국민은 4천년 동안 우리 민족과 민족의 상징성에 대한 자긍심을 지켜왔습니다. 이것이 바로 우리의 아성(牙城)입니다. 또한 무엇보다도 반드시 지켜내야 할 대상입니다."

백 박사의 말을 들으면서 나는 왜 이승만이 세계 정치 지도자들을 상대로 한국이 통일되어야 하고 자신의 진로를 결정할 자유를 가져야 한다는 주장을 꿋꿋하게 굽히지 않을 수 있을 만큼 강인한지 조금은 더 이해하게 되었다. 한국이 한국인의 것이 아니라면 이 모든 싸움이 무슨 의미가 있단 말인가?

백 박사와 나는 함께 부산 시가지가 내려다보이는 산등성이로 올라갔다. 그는 거기에서 여러 노천학교 중 한 곳에서 수업이 진행 중인 공터를 가리켰다. 아치형으로 된 입구를 천으로 된 깃발들로 덮고 깃발에는 한글로 글자가 쓰여 있었다. 백낙준은 나에게 그 글들을 번역해 주었다. "여기가 우리의 전쟁터이다. 여기에서 우리 자신과 조국의 자유를 지키는 방법을 배운다."

나는 산등성이에서 내려와 골목길을 통해 복잡한 부산 시내를 지나 내가 10여 명의 미군 대령들과 함께 묵고 있던 빅토리 호텔이라고 불리는 초라한 건물로 갔다. 내부에는 잠을 잘 침대와 충분한 음식이 있었다. 호텔 밖을 내다보니 1946년 8월에 내가 방문했을 때는 아름답고 조용하면서도 여유로웠던 도시가 150만 이상의 피란민이 들끓는 시끄러운 빈민촌으로 변해 있었다. 피란민 대부분은 서울이나 그 밖의 여러 도시에서 주머니에 쓸어 담거나 등짐으로 질 수 있는 몇 가지 재산만 챙겨서 편안한 집을 버려두고 피난을 온 사람들이었다.

나는 또한 5년 전 여름에 마주쳤던 한국인들의 기질도 기억되었다. 일본이나 오키나와(沖繩)에서 일본 여자들의 환대를 받으며 즐기던 미국인 병사들은 한국 여인들이 격식을 차려 그들과 거리를 유지하는 데 크게 실망하였다. 미군 병사들의 초콜릿 캔디 같은 과자나 친근한 포옹에 넘어간 몇몇 한국 처녀들은 가족들의 호된 처벌을 받았는데 개중에는 한강다리에서 강으로 던져지는 경우도 있었다. 일본과 달리 한국은 전통적으로 매춘을 결코 관습으로 인정하지 않았다. 중국처럼 한국도 가족의 단합과 훈육이 엄격하였다.

한국인들은 특히 자신들만의 일종의 자부심을 갖고 있었다. 내가 알게 된 사실은, 나의 한국인 친구들과 논쟁에 말려들기 쉽다는 것이었다. 친구들은 자신만의 방식으로 생각하고 반격을 했다. 그들은 쾌활하면서도 공격적이기도 한데, 때로는 두 가지 성향이 함께 나타나기도 하였다. 한국인들은 함께 적과 싸우면서도 서로 다투는 수도 있었다. 그들은 소란스럽고 독선적이며 자립심이 강했다. 과연 존 R. 하지 장군이 "동양의 아일랜드인들(The Irish of the Orient)"이라고 부를 만했다.

이제 이러한 성향이 얼마나 상실되었는가? 이런 감정이 일종의 감탄인지 의문인지는 분명치 않았다. 나는 앞으로 몇 개월 내에 배워야 할 것이 너무 많았다. 이미 한 가지는 명백해졌다. 그것은 내면의 성채가 부서지지는 않았을지라도 적어도 금이 갔다는 것이다. 전쟁의 호된 손길이 고이 간직되어 오던 지난날의 많은 것들을 지워버렸다. 성(性)은 이미 상품화되어 가족의 식량이 필요할 때는 값싸게 팔렸다. 암시장 거래, 불법 화폐 교환, 좀도둑질 등을 비롯해 아마도 정부 내의 대규모 부정부패 또한 다반사가 되고 말았다. 전쟁에 의해 만들어진 정글과 같은 환경에서는 정글의 약육강식 논리가 적용된다.

이 또한 뿌리를 내린 것인가? 보존할 만한 한국의 특성은 남아 있는

가?

나는 대통령 관저의 사무실로 돌아가서 우울한 기분으로 이 대통령이 책상 위에 놓아둔 서류를 바라보았다. 핵심 문장들이 눈에 들어왔다. "원칙에 대한 타협이란 있을 수 없다." "우리는 결코 공산주의에 굴복하지 않을 것이다." "한국은 반드시 통일되어야 하고 반드시 자유가 보장되어야 한다. 그것이 아니라면 결코 만족할 수 없다."

며칠 후면 공산당과 휴전협상이 시작될 예정이었다. 서방세계의 지도자들은 이미 이렇게 결심을 굳히고 있었다. "한국은 분단 상태를 유지해야 한다. 공산당은 달래야 한다. 세계 평화를 지켜야 한다."

이승만도 미국과 유엔의 대변인들도 잘못한 것은 아니었다. 내가 5월 13일자 편지에서 항목별로 분류한 목록처럼, 현장에서 멀리 떨어져 있는 사람들에게는 *타협, 타결, 휴전, 수용, 외교, 합리성, 평화* 등과 같은 매력적인 문구는 너무나 쉽게 떠오르는 표현들이다. 혼돈에 빠진 전시의 한국에서 이런 말들은 마치 멜로디만 있고 가사는 없는 노래처럼 무의미하게 보였다.

제 **17** 장
헌정의 위기(1951~52년)

제
17
장

내가 1951년 가을 이 대통령과 같이 임시수도 부산에서 지내는 동안 그는 대통령 선거를 국회 대신 국민투표에 의한 직선제로 선출하는 헌법 개정안의 제출을 계획하고 있었다. 그는 내게 "이 헌법 개정은 국민들에게 자신의 대통령을 직접 선출할 수 있는 기회를 주기 위해 필요한 일이오."라고 말했다.

1948년 7월, 분과위원회의 여러 차례에 걸친 회의와 제헌국회에서의 열띤 토의 끝에 헌법안이 타결되었을 때 이승만은 국회에서의 초대 대통령 선출에 동의했었다. 이것은 주로 새 정부 수립이 더 이상 지연되지 않도록 하기 위한 방편이었다. 당시에 대통령으로 누구를 선출할 것인지는 쟁점이 되지 않았다. 그 선택 방법이 일반국민의 비밀투표에 의해 이루어지든 국회에서 결정되든, 이승만이 압도적인 표로 선출될 것임을 의심하는 사람은 없었다.

1952년의 대통령 선거가 다가오고 있던 1951년은 상황이 달랐다. 이 무렵 이 박사는 국회에서 광범위하고도 매서운 반대를 받고 있었다. 관측자들은 국회에서 선거가 실시되는 경우 이승만이 패배하리라는 데 대부분 의견을 같이 하였다. 그러나 같은 당파의 많은 열성 지지자들은 이승만의 재선을 위해서 대다수의 국회의원들에게 압력을 행사할 수 있으리라고 믿었다. 지지자들의 생각은 이렇게 하는 것이 국회에서 직선제 개헌에 필요한 3분의 2의 찬성표를 얻기 위해 압력을 행사하는 것보다 더 바람직하다고 생각하였다.

1951년 한여름, 이 대통령은 헌법을 개정하기로 결단을 내렸다. 절대다수의 국민이 자기를 지지한다는 확고한 신념이 있었던 것이다. 더욱이 그는 과거 1948년에도 그랬던 것처럼, 전 국민이 참여하는 직선제가 국가원수의 선출에 있어서 보다 현명한 방법이었다고 그때도 같은 생각을 하고 있었다.

1951년 가을 동안 이 문제에 대해 나는 대통령과 두세 번 의견을 나누었다.

1948년에 간선제, 즉 국회에서의 대통령 선출 방식에 찬성했던 것은 마지못해서 한 조건부 동의였다고 그는 말했다. 한국인이나 미국인을 불문하고 그의 몇몇 측근들은 한결같이 한국 국민이 민주주의에 전혀 익숙하지 않다는 점을 그에게 상기시키면서 국회 선출 방식을 지지하였다. 많은 국민들이 문맹이기 때문에 제공된 정보를 선택할 능력이 부족하다는 것이었다. 미국 헌법이 채택되었을 당시에도 헌법은 선거인단에 의한 대통령 선출을 규정하고, 더 나아가 연방 상원의원도 국민이 아니라 각 주의 입법기관이 선출하도록 규정함으로써 국민 선택권을 제한하였다는 사실을 그들은 지적하였다.

이 박사가 국회에 대통령 선출권을 부여하는 데 동의하였을 때, 그는 "한국 국민이 충분한 능력을 갖추고 있음이 입증되면 반드시 선출 권한을 국민에게 돌려주어야 한다"는 단서를 붙였다.

1951년에 한국인들이 공산침략에 대해 보여준 불굴의 저항정신을 그는 국민들이 국가 원수를 스스로 선택할 수 있는 국민의 권리와 능력의 충분한 증거라고 생각하였다. 그는 이것이 개헌을 주장하는 근본적 이유라고 내게 설명하였다.

나는 그에게 물었다: "각하께서는 국회의원들이 각하를 재선출하지 않을 것이라는 공공연한 의견에 동의하십니까?"

그는 대답했다: "국회가 반대할지도 모르지요. 그 이유를 아시오? 일본과 미국은 제각기 나름대로의 이유로 한국의 대통령이 바뀌기를 원하고 있소. 우리 국회는 한국 국민들을 위해서가 아니라 외국인들의 이해관계를 충족시키기 위해 뇌물도 받고 압력 같은 것도 받고 있는 형편이오."

그는 일본이 여러 가지 이유로 그가 대통령직에서 물러나기를 원한다고 확신하고 있었다. 그 중 한 가지는 한·일 강화조약 체결을 거부하였다는 사실이다. 이것은 적어도 일본이 한국 점령에 대한 배상금 명목으로 거액의 금액을 지불할 것과 일본이 수탈해 간 보배 같은 수많은 유물들을 돌려주기 전까지는 반대하기 때문이다. 또한 한국에 대한 원조는 소비재 수입에 국한시키면서 일본의 산업을 일으키기 위해서는 막대한 원조자금을 제공하는 미국의 정책에 자신이 반대하는 것도 그 이유라고 하였다. 그리고 한국 전쟁에 일본군 병력을 사용하는 것도 단호히 거부하였다는 것도 그 이유의 하나인데, 그가 우려했던 것은 일본인들이 일단 한국에 발을 들여놓으면 마치 1904년에 러·일 전쟁으로 인해 한반도에 진입했을 때와 같이 그대로 한국에 주저앉을지도 모른다는 점이었다. 그가 대통령직에서 물러난다면 일본에게 유리할 것은 분명하였다.

미국으로 말하자면, 전쟁의 목적과 최근 판문점에서 열린 휴전회담의 목적에 관해 이 대통령과의 근본적인 의견 차이로 인해 미국의 최고위 관리들이 심각하게 골머리를 앓고 있었다. 이 대통령이 무력에 의해 남북이 재통일될 때까지 계속해서 싸워야 한다고 주장하는 상황에서 장면과 같은 사람이 대통령 자리를 맡는다면 미국에 크게 도움이 될 것이었다.

장면은 1945년의 한국 분단선을 재설정 하고자 하는 타협안을 받아들일 것으로 보이기 때문이다.

이 대통령은 엄숙하게 말했다: "한 마디로 말해서, 현행 헌법에 의한 대통령 선출은 사실상 한국 국민들의 선택이 아니라 외부로부터 가해지는 압력에 의한 선택이 될 것입니다."

〈뉴욕 타임스〉지의 제임스 레스턴 기자가 1953년 여름 서울의 대통령 관저에서 이 대통령과 인터뷰를 하면서 부드럽게 질문을 던졌다: "대통령 각하, 각하께서 한국 휴전에 반대하시는 것 때문에 미국에서 각하의 인기가 아주 좋지 않습니다." 이에 대해 이 박사는 적절하게 받아 넘겼다: "나는 인기대회에 나와 있는 것이 아니오."

대통령직에 있던 정신없이 분주했던 기간 줄곧, 특히 1951~52년 겨울 동안, 이 대통령의 평정심이 전 세계적 여론에 좌우되지 않았다는 사실은 이 대통령의 심적 평온을 위해서 다행스러운 일이었다. 그러나 실상은 정 반대였다. 이런 중대한 시기에 그에게 퍼부어진 것과 같은 전 세계적인 비난의 폭풍을 견뎌 내야 했던 국가 지도자는 거의 없었고 더욱이 거기서 살아남았을 국가 지도자도 없었을 것이다.

그런 비난의 집중 공격 속에서 그는 마음이 편할 수 없었다. 정말 편치 못했다. 그는 자신의 가장 핵심 목표가 결국 달성될 수 없음을 인식하고 있었고 가장 믿는 오랜 친구들마저도 대부분 자신의 동기에 대해 의구심을 가지고 있다는 것을 알고 있었다. 이승만이 원하는 것은 오로지 대통령직을 유지하는 것일 뿐이라는 비난 공격은 자주 되풀이되었다. 그러나 그는 자신이 정해 놓은 노선에 대해 지금까지 한 번도 흔들린 적이 없다. 자신의 신념을 뒷받침하고 있는 그 토대는 요지부동하며 건전하고 의문의 여지없이 옳다는 것이 그의 생각이었다. 그는 고집이 센 사람이라는 말을 듣는 경우가 많았다. 1951~52년의 개헌 투쟁 동안 이 자질이 가장

잘 나타났다.　`

　이 기간 동안 나는 그의 전기 『이승만: 신화 속의 인물』(Syngman Rhee: The Man behind the Myth)이라는 책을 쓰고 있었는데, 이 책은 도드 미드 (Dodd Mead) 출판사에서 1954년에 출간되었다. 나와 함께 자신의 생애에 대한 이야기를 나누면서 그는 내게 말했다: "내가 주위 환경보다는 내 신념에 의해서 제어되는 사람이라는 것을 이해하지 못하면 당신은 나를 결코 올바르게 표현하지 못할 것이오." 그리고는 쓴웃음을 지으면서 말했다: "물론 이 때문에 자주 곤경에 처하지만 말이오."

　내가 깨달은 것은, 이승만은 세속적이면서도 동시에 신비스러운 사람 이라는 점이다. 그가 평생을 바쳐온 문제는 정치적인 것이었다. 정치적 문제란 사람에 의해 만들어지고 연대적인 행동을 이끌어 내는 설득을 통 해 해결책을 내도록 요구되는 문제를 말한다. 그러나 그는 또한 깊은 종 교적 신념을 가지고 있었다. 이승만 부부가 워싱턴 D.C.에 사는 동안 다 니던 파운드리 감리교회의 프레더릭 브라운 해리스 목사는 그를 "내가 알고 지낸 가장 풍류가 있는 진정한 크리스천 신사" 중 한 사람이라고 하였다.

　대통령 부처는 여러 해 동안 잠자리에 들기 전에 서로 성경구절을 소리 내어 읽어주는 것을 습관으로 삼았다. 그가 가장 즐겨 읽었던 복음서는 마태복음이었는데, 대통령직에 있던 격동의 기간 동안 그는 예수님이 설 파한 "내가 세상에 화평을 주러 온 것이 아니요 검(劍)을 주러 왔노 라", "누구든지 제 목숨을 구하고자 하면 잃을 것이요." 그리고 "모래 위에 지은 집은 서 있지 못하리니"와 같은 구절에 마음이 끌리는 것 같았 다.

　숫하게 쏟아지는 압력이 특히 심해지면 그는 혼자 정원에서 전지가위

를 손에 들고 관목을 다듬거나 작은 배를 타고 나가 낚시를 하면서 시간
을 보내곤 하였다. 때로는 나를 동반하였지만 그럴 때는 언제나 서로 대
화를 나누지 않는 시간으로 이해되었다. 그의 묵상은 반쯤이 기도였다.
그는 문제를 해결해 달라고 하나님께 간구하지는 않았다. 대신 조용한 가
운데 외부의 관심사를 말끔히 없애 버리기 위해 내적으로 정신집중을 하
면서 자신이 하고 있는 일과 자신이 유지하고 있는 직위가 자신의 삶에
의미와 폭을 제공하는 근원적인 신념에 진정으로 일치하는 것인지를 확
인하고자 하였다.

내가 관찰해 온 바로는, 그의 전 생애를 이끌어온 힘은 오로지 국민들
의 행복한 삶의 성취였다. 바로 이것 때문에 1896~97년 동안 그는 조선
왕조의 억압적 반동주의에 반대하고 개혁을 주장하다가 옥살이를 하였
다. 자기 조국에서 일본의 압제를 받던 동포들뿐만 아니라 미국에 살고
있던 한국인들의 애국정신을 살리기 위해 이승만이 40년 동안이나 미국
에서 헌신해 온 것은 다름 아닌 이러한 목표 의식이 있었기 때문이었다.

공산당이 1945년 9월 북한을 손아귀에 넣었을 때, 그리고 그들이 1950
년 남한을 침공하였을 때, 이승만은 한국인의 행복한 삶과 공산제국주의
자들로부터 세계의 자유를 수호하는 것을 동일한 것으로 보았다. 세계를
공산화하려는 마르크스주의자들의 결의를 물리치지 못한다면 어떠한 특
정 국가도 국민도 안전할 수 없다고 그는 확신하였다. 세계열강 지도자들
이 판문점에서 일시적인 휴전을 끌어내려고 아무리 기를 쓰더라도, 자유
세계 국민들이 결말도 나지 않고 끝도 보이지 않는 한국 전쟁에 아무리
지쳐 있다고 하더라도, 이승만은 자신이 진실임이 틀림없다고 확신하는
신념을 희생시키면서까지 그들과 타협하지는 않으려고 하였다.

그의 고집이 세다는 것은 이론의 여지가 없는 사실이다. 그리고 그는
고집스럽게 일련의 신념에 집착하였고 이로부터 벗어나게 되면 치명적이

된다고 생각했다:

> 자유와 공산주의는 반대되는 개념이다. 이 둘은 결합될 수 없다. 공
> 산주의와의 타협은 불가능하다. 그것은 물과 기름을 혼합하려는 것과
> 다름없다. 판문점에서 시도되고 있는 휴전은 본질적으로 잘못된 것이
> 다. 그 휴전은 세계를 양립할 수 없는 지역으로 갈라놓은 깊은 구조적
> 균열을 땜질하려는 시도이므로 온전한 해결책이 될 수 없다.

이승만은 근본적으로 공산주의에 반대했지만, 같은 정도로 강하게 민
주주의에 모든 것을 거는 것도 아니었다. 그의 관점에서 공산주의의 가장
큰 해악은 소수의 폭군 통치자 집단의 야심을 충족시키기 위해 개인 원래
의 모습과 그의 권리가 희생된다는 것이었다. 이 모든 것은 "국가가 쇠
퇴하여 없어진 다음에" 노동자 계급의 이익에 봉사하기 위하여 의도된
것이라는 공산주의 주장의 위선을 그는 비웃었다.

그의 관점에 의하면, 공산주의는 지구상에 존재했던 어떤 전제정치 못
지않은 진정한 독재정치였다. 그러나 공산주의의 대안이 반드시 민주주
의일 필요는 없다는 것이 그의 판단이었다. 오히려 그 대안은 인권과 인
간의 존엄성을 지켜주는 그 자체, 즉 주어진 사회에서 가장 훌륭하게 그
기능을 다할 형태이면 어떤 것이든 된다. 즉 민주주의 또는 대의제도, 또
는 귀족 정치, 또는 국가사회주의 또는 국민 속에 역사적 문화적 뿌리가
있으면 어떤 다른 혼합체제도 된다는 것이다.

플라톤은 이상적인 정치를 "철인 군주(哲人君主: Philosopher king)"에 의
한 정치라고 묘사하였다. 어릴 적에 중국 고전 교육을 받은 이승만은 언
제나 가슴속에 상호의 책임감과 이익으로 다져진 가족적인 복지를 누리
는 하나의 확대된 가족이 국가라는 유교적인 이상을 품고 있었다. 진정으
로 헌신적인 지도자는 국민의 행복을 보장할 수 있다는 것을 그는 믿어

의심치 않았다.

그는 나와의 대화 중에 여러 번 이렇게 말했다: "민주주의의 가장 큰 약점은 대중에 의해 선출된 지도자가 여론화된 대중의 지지에 의존한다는 것이오. 당장 다수의 지지를 받지 못하면 아무것도 할 수 없소. 이로 인해 지도자들이 위축되는 것이오. 그들은 어떤 방향이 올바른 것인지를 스스로에게 묻는 대신에, 어느 프로그램이 가장 많은 표를 얻을 수 있는지를 묻게 되오. 그런 상황의 민주국가의 정책은 신뢰성이 낮게 마련이오. 대중의 감정 변화에 따라 정책도 바뀌게 되는 것이오. 지도자가 오늘 공약한 정책을 내일에는 폐기하는 것이 유리하다고 생각할 수도 있을지 모르니까 말이오."

그것은 단순히 우발적인 정서가 아니었다. 그것은 그의 가장 심오한 신념 속에 깊숙이 자리 잡고 있었다. 이것은 동시에 정치 지도자로서 그의 덕목과 과오의 근본적 원인이 되어 있었다.

그에게는 언제나 미국이 가장 중요한 고려 대상국임은 물론이지만, 그는 한국과 유엔의 동맹국과의 관계를 고려하여 이렇게 설명하였다: "서방 국가의 국민이 전쟁을 지지하는 것은 전쟁의 목표에 대한 믿음이 있기 때문이오. 그러다가 전쟁이 어려워지고 목적을 달성하기도 곤란해지면 그들은 희생을 감당하기 어렵다는 것을 깨닫게 되오. 정치지도자들은 이러한 여론의 변화에 민감하오. 지도자들은 국민이 원하는 방향으로 가야 한다고 생각하오. 국민이 분열되면 국가는 무력해지고 마는 것이오. 어느 쪽 방향으로도 나아갈 수 없기 때문이오. 그 결과는 혼란과 방황이 있을 뿐이오. 이것은 민주국가들이 이를 극복하는 방법을 배우지 못한 가장 큰 잘못인 것이오."

그는 계속해서 말을 이었다: "반면에 공산국가에서는 지도자들이 자신의 목표를 정하면 거기에서 벗어나지 않소. 국민의 생각 따위는 중요하지 않소. 지도자는 국민에게 자신이 하고 싶은 말만 하고 국민이 하고자 하는 이야기에는 애써 귀를 기울이지 않소. 국민이 무엇을 생각하는지는 그들에게 중요하지 않은 것이오. 바로 이런 까닭에 공산국가가 강하고 민주국가가 약한 것이오. 우리에게 필요한 것은 올바른 것을 기반으로 하는 정책을 지키는 일이오."

"장기적으로 볼 때 민주국가가 하는 일이 바로 그것입니다. 국민들은 기본적으로 올바른 원칙을 선택하니까요."라고 나는 그에게 말했다.

내가 이런 식의 결론적인 말을 하면 그는 내 말에 찬성하지 않는다기보다는 대화를 끝내자는 듯 너그러운 미소를 짓곤 하였다. 그는 이렇게 대답했다: "대부분의 정치적 결정은 장기적인 차원에서 내려지는 것이 아니라 쫓기듯 스트레스 속에서 이루어지는 것이오. 국민들이 장기적 차원에서 내리는 결정을 어떻게 기대할 수 있겠소?"

이승만이 자신을 단지 일반적인 의미의 철인(哲人)이라고 생각은 했겠지만 플라톤이 말한 개념의 "군주(君主: king)"라고 여겼다고는 생각되지 않는다. 즉각적인 정책 결정이라는 압박을 받지 않았던 길고 긴 망명시절에 그는 가장 바탕이 되는 원칙에 대해 생각할 흔치 않은 기회들이 있었다. 현직에 있지 않은 사람만이 누릴 수 있는 사치랄까, 자신에게 기회가 있다면 어떤 조치를 취해야 할 것인가에 대해 생각할 수 있는 시간이 있었다. 그리고 언젠가 결정 권한이 주어진다면 쉽게 방침을 바꿀 수 없는 개인적인 가이드라인을 마련하였다. 편법이란 것은 그가 결코 받아들이지 않았던 마음의 습관이었다.

철학자처럼 그는 기본적으로 정부의 성격과 목적에 관해 깊이 생각하였고, 또한 통치자와 같이 권력을 사회적, 정치적 목표를 달성하는 수단이라고 인정하였기 때문에 권력을 소중하게 생각하였다.

그의 정치 철학은 로크(John Locke)나 제퍼슨(Thomas Jefferson)에서 따온 것 못지않게 공자(孔子)의 가르침에서 따온 것이다. 그는 평등주의자는 아니었다. 일반 관찰자들이 매양 부정하는 일이지만, 그는 공자처럼 평등성보다는 호혜주의를 신봉하였다. 각 사회 구성원은 자신의 역할에 따라 모두 권리와 책임이 있다. 국가에 유익이 되는 것은 사회의 다양한 각 분야 전체 사람에게 가치가 있는 국가적 목표를 위해 온 국민이 함께 협력할 때뿐이다. 물론 보존되어야 할 권리가 있다. 그러나 그에 못지않게 중요한 것은 수행해야 할 의무가 있다는 것이다.

그의 기본적 정치철학을 글로 정리한 것은 청년 시절에 옥살이를 할 때였다. 『독립정신』(The Spirit of Independence)이라는 그의 저서를 충분히 이해하지 않고서는 이승만이란 사람을 제대로 이해할 수 없다. 이 책은 그의 깊은 신념에서 우러나온 것이다. 이 책은 그가 다시 자유의 몸이 되리라는 희망도 거의 없었고 특히 한국이라는 나라의 수장이 될 것이라는 기대는 전혀 가질 수도 없던 때 쓰인 것이다. 이 책은 공리주의적인 고려 없이 자신의 근본적 소신을 상술한 것이다.

『독립정신』은 영어로 번역된 적도 없고 오늘날 국내, 국외를 막론하고 잘 알려져 있지 않다. 조지아주 콜럼버스에 있는 조지아 주립대학에서 국제법을 강의하는 채남열 교수가 나를 위해 번역해 준 이 책의 몇몇 구절을 보면 이승만의 지도 이념의 성격이 분명히 나타나 있다:

친애하는 대한의 동지들이여, 여러분은 나이나 성별 또는 직위와 관계없이 모두 대한제국에 속하고 이 나라 백성의 일원입니다. 여러분 각자의 어깨 위에는 나라를 세워야 할 책임이 지워져 있습니다.

국민이 함께 협력하지 않는 주된 원인은 이 나라가 누구의 나라인지를 모르기 때문입니다. 사람들은 흔히 자기 나라를 위해 일하는 것이

남을 위해 일하는 것이라고 생각합니다. 이들은 다른 사람을 위해 일하는 것이 진실로 자기 자신을 위해 일하는 것임을 깨닫지 못합니다. 그러므로 모두들 자기가 해야 할 일을 다른 사람이 해주기를 기다립니다. 여러분의 집에 불이 나면 다른 사람들이 모른 척한다고 서둘러 불을 끄지 않겠습니까? 다른 사람이 도와주든 말든 불길에 뛰어들어 무엇이라도 건질 수 있는 것을 건져야 하지 않겠습니까?

여러분의 마음속에 애국심이 없다면 그 마음은 여러분의 적입니다. 여러분의 생각이 공동 대의를 위한 투쟁을 포기하도록 한다면 여러분은 그런 자신의 생각과 싸워야 합니다. 지금 이 순간에 우리 자신의 생각을 시험해 봅시다. 만약 조국의 안녕을 저버릴 생각이 조금이라도 든다면 당장 그러한 생각을 잘라내 버리십시오. 우리가 해야 할 일을 다른 사람이 앞장서거나 해주기를 기다리지 말고 여러분 스스로 일어나야 합니다. 여러분이 지금 그렇게 하지 않으면 나라를 세우는 일은 결코 이루어지지 않을 것입니다.

우리 모두 힘을 모아 우리나라를 부유하고, 힘 있고, 문명된 국민의 나라로 만듭시다. 마음속에 독립이라는 두 글자를 품으십시오. 가장 중요한 것은 절망감을 버리는 것입니다. 우리는 반드시 부지런한 일꾼이 되어야 합니다. 우리 하나하나의 개별적 헌신이 굳건한 국가라는 수확으로 성장하게 될 씨앗입니다.

한 국가에서 많은 국민들이 생존하기 위해 단결합니다. 국가의 관리들은 조직의 업무를 수행해야 할 책임이 있는 사람들입니다.… 국민의 도움이 바로 관리들의 힘의 원천입니다. 국민들이 주의를 기울이지 않으면 부패가 숨어듭니다.

앞서 지적한 바와 같이, 이 나라에서 사는 것은 거친 바다를 항해하는 배 위의 승객에 비유할 수 있습니다. 자기나라 일에 관심도 보이지 않고 그것은 고위 관리들의 일이라고 주장할 만큼 여러분은 어떻게 그

처럼 무관심할 수가 있습니까? 혼자만 살려고 애쓰거나 배의 선장만
을 구하려고 하다가는 그 배는 난파당하고 말 것입니다.

통치자가 아무리 현명하더라도 국민의 도움이 없으면 나라를 다스
릴 수 없습니다. 그러므로 국민의 책임은 막중합니다. 국민을 통치자
의 노예로 만드는 것은 위험한 일입니다. 백성들은 경외심을 가지고
올바른 원칙에 따라서 통치자에게 봉사해야 하고 현명한 말로 간언을
해야 합니다. 통치자는 국민이 마음속으로부터 복종하도록 덕을 가지
고 국민을 교화시켜야 합니다.

여러분과 여러분의 나라 사이의 관계가 너무나 거리가 멀어서 나라
를 사랑하거나 나라를 구하기 위해 노력해야 할 이유가 없다고 생각할
지도 모릅니다. 그러므로 반드시 두 종류의 적을 경계해야 합니다. 첫
째는 나라를 파괴하려는 자들이고, 둘째는 아무런 희망이나 책임감도
없이 피동적으로 앉아서 수수방관만 하는 사람들입니다.[117]

이승만의 전 생애는 이러한 글귀를 통해 가장 올바르게 해석될 것이며,
이 1952~53년 기간 동안의 격동적이고 논란에 싸인 사건들 역시 가장
정확히 해석되리라 본다.

1952년에 이미 77세의 고령으로 그의 나이와 엄청난 업무량을 감안해
서 가끔 나는 지나치게 일에 열중한다고 이 박사에게 쓴 소리를 하곤 했
다. 업무 부담을 줄이고 더 많은 휴식을 취하라는 내 간청을 그는 무시해
버렸다. "신체 근육은 써야 튼튼해지고 쓰지 않으면 힘이 빠지는 법이
오. 그건 두뇌도 마찬가지요. 휴식이 아니라 일을 해야 튼튼해지는 것이
오"라고 말하면서, 그는 자신의 신조를 가벼이 생각하지 않았다: "내가
그것을 하지 않으면 그것은 결코 이루어질 수 없소."

---

117) 로버트 T. 올리버의 『이승만: 신화 속의 인물』, 1954, 뉴욕 Dodd, Mead 출
판사, 57-59 페이지.

"불길에 뛰어들어라"는 그의 조언은 1951~52년 겨울 동안 그가 국회를 다룬 방법을 어떻게 결정했는가를 말해 주는 적절한 표현으로 생각된다. 대한민국 정부수립 당시부터 그는 할 수만 있으면 국회의 대통령 선출 권한을 국민의 직선제로 개헌할 것을 생각해 왔었다. 이제 1952년 제2대 대통령 선거가 다가옴에 따라 이것은 시급한 문제가 되었다. 본인의 부인에도 불구하고 이승만은 재선을 노리고 출마할 것이 확실하였다. 자기의 생각으로, 자기 말고 누가 38선을 없애기 위해 필요한 전쟁을 계속해 나가겠는가? 국회에서 뽑을 사람은 분명히 없을 것이다. 국회에 대한 미국의 압력은 단호할 정도로 강력하였다. 미국 국무부가 선호하는 조병옥이나 장면은 "유감스럽게도", 그러나 의심할 여지없이, 휴전의 대가로 남북 분단을 복구하려는 유엔의 계획에 협조할 것이다.

이 대통령은 자신에게 닥친 이 같은 싸움에 굴하지 않고 맞섰다. 국회를 "설득"하여 자체의 가장 큰 권한을 투표로 포기하도록 하는 것은 불가능하였다. 그것은 전혀 터무니없는 생각이었다. 그렇게 하도록 강제시킬 수밖에 없었다. 그는 두 가지 방법으로 이 목적을 달성하려고 하였다. 첫 번째는 압도적인 규모의 일반 국민의 지지를 모으는 일이었다. 이것은 각 도의 정치조직을 통해 이루어졌는데 여기에서 국회가 개헌안을 가결하도록 요구하기 위해 정부 공무원들과 경찰이 준 독립적 청년단체들과 연합하여 대통령을 지지하는 열기를 자극하고 "부산으로의 행진"을 조직하도록 하였다.

또 하나의 방법은 국회의원들에게 직접 압력을 가하는 것이었다. 이 대통령은 5월 18일 강인한 성격의 이범석(李範奭)을 내무부장관으로 기용하였고, 이 장관은 1주일 후에 "공산주의 잠입자들과 테러 분자들을 근절하기 위해" 부산 지역에 계엄을 선포하였다. 국회는 의원 과반수가 기권한 가운데 96 : 3의 표결로 계엄령 선포를 거부하였다. 이 대통령은

"광범위한 공산당 지하조직이 적발되었다"고 경고하고, 경찰이 47명의 국회의원을 심문하도록 하였으며, 그 중 9명을 수감시켰다.

5월 28일에는 남한의 모든 도시에서 이승만의 재선을 요구하는 대규모 시위가 벌어졌다. 사흘 뒤 이범석 장관은 장면의 비서를 포함한 11명의 인사를 이 대통령 암살을 모의한 혐의로 체포하였다.

부산에는 이 대통령이 국회를 해산하고 새로운 총선을 요구하며 흥분한 국민들이 그의 재선에 찬성표를 던질 국회의원들을 선출하게 될 것이라는 소문이 떠돌았다. 같은 시기에 제주도의 포로수용소에서 대규모 폭동이 발생하여 공산당이 대한민국 정부의 전복을 획책하고 있다는 이승만의 주장을 뒷받침하였다.

트루먼 대통령은 이 대통령에게 의회를 해산하는 '돌이킬 수 없는 조치'를 취하지 말도록 경고하였다. 〈크리스천 사이언스 모니터〉지는 이 대통령의 "정치 권력을 영구화하기 위한 필사적인 시도"에 반대하는 사설을 실었다. 〈워싱턴 포스트〉지는 이승만의 "월권행위와 비타협적 태도가 유엔 사령부뿐만 아니라 자유세계 전체에 부담을 주고 있다."는 견해를 개진하였다.

국회의원들은 헌법 개정에 관한 표결을 피하기 위해 국회 개원을 거부하였다. 7월 2일, 불과 86명의 의원만이 출석하자 이 대통령은 불출석 의원들을 검거하여 7월 5일 본회의에 참석시키라고 경찰에 명령하였다. 이날 아침 단 12명의 의원만이 자리를 비운 가운데 국회는 대통령 직선의 보통선거 실시와 별도의 참의원 설치를 규정하는 개정 헌법안을 163 : 0으로 가결시켰다. 그 대신 국회는 불신임 투표에 의해 내각을 해산할 수 있는 권한을 부여받았다. 그 결과 미국의 정부 제도와 거의 근사한 정부 형태를 갖게 되었고 여기에 대부분의 유럽 국가에서 채용하고 있는 행정부에 대한 견제제도가 가미된 방식의 개헌이었다.

8월 6일에 실시된 직선제 대통령 선거에서 이승만은 약 500만 표를 얻었고 대결을 펼친 조봉암(曺奉岩)은 80만 표를 득표했다. 그는 1948년 이승만 정권의 초대 농림부 장관을 지낸 바 있다. 유엔 한국위원단은 선거 결과가 의심할 여지없이 전체 유권자들의 의사를 반영한 것이라고 평가하였다.

분명한 것은, 한국에서 하나의 혁명이 이루어졌다는 것이다. 비록 비폭력 무혈혁명이었지만 혁명임은 확실하다. 전 세계에서 비난의 목소리가 드높아지고 이승만의 처리 방식에 "독단적"이라는 꼬리표를 붙였으며, 이때부터 흔히 그를 "독재자"라고 부르게 되었다. 그가 경찰력을 동원하지 않았더라면 국회가 결코 헌법을 개정하지 않았으리라는 것은 명약관화하다. 이승만의 행동을 가장 맹렬히 비난하는 사람이라도 대한민국 대통령을 선택할 수 있는 주권이 마땅히 국민에게 속한다는 명제에는 이의가 없을 것이다. 비록 이번 선거가 완벽하지는 않았더라도 국민의 의사를 반영하였다는 유엔위원단의 조사결과에 따라서 민주진영 우방들이 그 결과를 받아들이지 않을 수 없게 되었다.

주한 유엔군 사령부는 전혀 당황스러워 하지 않았다. 이승만의 재선으로 남한 국민들이 확고하게 반공주의를 유지하여 후방의 혼란도 일어나지 않을 것임이 보장되기 때문이었다. 이 상황은 이승만을 "작은 장제스 (蔣介石)"이라고 경멸적으로 일축한 오언 래티모어의 말이 얼마나 맞지 않은 주장인지를 잘 보여준다.

자신의 정부와 국민의 결속을 유지할 힘이 없다던 이승만은 완벽한 통솔력을 지속적으로 발휘하였다. 제임스 A. 밴 플리트 장군은 〈라이프〉(Life)지의 한 기사에서 이승만을 "우리 시대의 가장 위대한 사상가, 학자, 정치가이자 애국자 중 한 사람"이라고 칭송하면서, 유엔의 이상(理想)을 위해 "그의 무게는 다이아몬드의 무게만한 값어치를 지녔다"고 평가했다. 반면에 윈스턴 처칠은 격노하여 "우리는 이승만을 위해 북한을 재정복하지 않을 것"이라고 선언하였다.

흔히 정치적 문제에서 그러하듯이, 1952년의 개헌 성공의 결과는 복합적인 양상으로 나타났다. 무엇보다도 이것은 이 대통령이 자기중심적이고 야심에 찬 독재자라는 세계의 고정관념을 확실히 심어주는 데 크게 일조하였다. 또한 전쟁을 계속하는 데 대한 세계의 반대 여론을 확고히 하는 데도 큰 작용을 하였다. 게다가 한국 국민들 사이에서 조차도 이승만을 좋지 않게 평가하게 되는 확실한 근거를 제공하게 되었다.

반면에 한국에서는 국민 직선에 의한 대통령 선출이라는 유일하게 옹호될 수 있는 민주주의 기반을 확립하게 되었다. 또한 세계의 지지를 상실하였다는 것도 결국 절대적인 고려 사항은 아니었다. 왜냐하면 자유세계 각국 국민과 정부는 1952년의 개헌 사건보다 오래 전에 이미 거의 어떠한 조건으로라도 전쟁을 종결시켜야 한다는 결정을 내린 상태였기 때문이다. 1951년 6~7월에 휴전회담이 시작된 이후, 한국 분단상태의 존속은 기정사실화된 결론이었다. 그것은 이 대통령이 무슨 수를 쓰더라도 피할 수 없는 결론이었다. 그러나 그것은 또한 결코 그가 흔쾌히 받아들일 수 없는 결과이기도 하였다.

이 대통령은 독일 함부르크에서 출판되는 잡지 〈칸츨리트〉(Kanzlit)지의 해설 기사 요청에 응하여 보낸 한 발표문에 당시 상황에 대한 자신의 해석을 요약하였다. 발표문의 어조는 개헌에 대한 사과는 고사하고 결과에 대해 완전히 만족하고 있음을 보여주었다.

발표된 내용의 전체 문장은 다음과 같다:

"7월 4일 국회에서 163대 0의 표결로 통과된 개헌의 결과로 한국은 8월 5일에 첫 번째 국민의 직접선거를 통한 대통령 선거를 실시하였다. 대통령에는 4명, 부통령에는 9명의 후보가 출마하였다. 선거는 유엔 한국위원단과의 협의와 동 위원단의 감시 아래 실시되었다."

"솔직히 말해서, 본인은 대한민국이 어떻게 유엔에 대해 이 이상의 전폭적인 협조를 보내고 민주주의 절차에 대한 헌신을 보다 잘 입증할 수 있을지 그 방법을 알지 못한다. 최근 몇몇 중동과 남미 국가에서 폭력적인 혁명운동이 일어나 정부가 교체되었다. 한국 민주주의는 이제 시작단계이고 전쟁과 이로 인한 황폐화, 그리고 인플레의 극한적 상황에 시달리고 있지만, 우리의 헌법 개정은 폭력 없이 압도적인 국민의 의사에 따른 결과이다."

"새로운 헌법 규정 아래서 민주주의는 크게 진전되고 우리 역사상 과거 어느 때보다 더욱 확고하게 뿌리를 내렸다. 우리는 과거 4년의 기록에 자부심을 가질 만하다고 생각한다."

"완전한 토지개혁 프로그램이 달성되어 소작농은 완전히 사라졌다. 교육 자원은 식민지 통치 35년간 일본이 한국인들에게 허용했던 최대 수준보다 4배나 증가하였다. 선거권은 모든 한국 성인들에게 확대되었을 뿐만 아니라 실제로 지난 4차례의 연속된 전국 규모 투표 참여율은 평균 90%에 달했다."

"우리는 단원제(單院制) 입법부를 양원제(兩院制)로 전환함으로써 견제와 균형을 위한 제도를 강화하였다. 공산당의 전복 음모와 선전공세는 국민이 선출한 민주정부에 대한 국민의 충성심 기반을 약화시키는 데 완전히 실패하였다. 금년 4월과 5월에는 과거에 지명직이었던 17,558명의 지방 공무원들을 최초로 국민들이 직접 선출하였다."

"우리 군은 전력이 크게 강화되었다. 비판의 자유와 완전한 정치 참여의 자유가 보호되고 또한 자유로이 행사되어 왔다. 우리가 인내하지 않으면 안 되었던 모든 파괴와 고통에도 불구하고 우리 국민의 사기는 높게 유지되고 있다. 세계 각국의 각축장에서 중립주의라는 불확실한 이점을 추구하는 대신에 유엔과 뜻을 같이 할 것을 신중하게 선택함으로써 우리가 치러야 했던 엄청난 대가에도 불구하고 전 세계 민주 우방들에 대한 우리 한국의 충심에 의문이 제기된 적은 없다."

"한국의 우방들은 한국 내부 민주주의의 건전성에 큰 관심을 보여 왔다. 8월 5일 선거에서 나온 국민들의 몰표는 결정적인 답변이 될 것이다. 원하는 후보자들에게는 누구나 자신의 정견을 유권자들에게 호소하기 위한 모든 이점을 자유로이 활용하도록 허용되었다. 공정성을 보장하기 위해 유엔 위원단이 모든 과정을 바로 우리의 한중간에서 참관하였다. 선거운동은 공개적으로 효과적으로 이루어졌다."

"국민이 자신의 목소리를 낸 것이다. 우리는 결과를 따를 뿐이다. 우리의 우방도 역시 그렇게 하리라고 믿는다. 대한민국은 한국 국민의 주권의식에 기반을 두고 있다. 그런 기반 없이는 나라를 가질 수 없을 것이다. 이러한 바탕 위에서 우리는 지속적으로 건설하고, 개발하고, 발전해 나갈 것이다."

제18장
껄끄러운 동맹 – 반공포로 석방(1952-53년)

이 대통령은 1952년의 헌정 위기에 세계가 실망하게 되자 자유세계 국민들의 호의를 되찾을 수 있는 수단이 절실히 필요하였다. 1952년 8월 10일, 나는 대통령에게 다음과 같은 편지를 썼다:

감히 몇 가지 조언을 드리고자 합니다. 각하께서는 저의 깊은 우정과 충심을 잘 아시기 때문에 노여워하시지 않으실 줄 압니다. 이번 개헌에서 승리를 성취한 데에는 외국인들의 호의 상실이라는 큰 대가가 뒤따랐습니다. 이제 각하의 입지가 단합된 한국 국민들에 의하여 재확인되었으니 최대한 관용과 화해의 자세를 보여줄 수 있는 여유가 생기셨을 것입니다. 또한 각하의 마음에도 그러실 뜻이 있으신 것으로 알고 있습니다. 서방세계는 각하께서 이번 승리를 어떤 방향으로 이용하실 것인지를 예의 주시하고 있을 것입니다. 각하의 의중이 서방의 영향으로부터 벗어나기 위해 점점 더 거리를 두려고 한다는 의구심이 적지 않습니다. 이러한 분위기에 대해 강력히 대응해야 할 것입니다. 한국은 미국과 여타 서방 제국의 우의와 지원이 절실히 필요하기 때문입니다.

각하께서 감격스러운 승리를 거두신 김에 이제 협력한다는 것을 확신시킬 수 있는 자세를 취하신다면 미국과 유럽 각국의 민심과 정책 양면에서 정말 엄청난 승리를 거둘 수 있을 것이라고 생각합니다. 그것은 이란의 반미 강경론자 모사덱(Mossadegh)이 취한 행동과 뚜렷한 대조를 이루어 그 결과는 보다 인상적일 것입니다. 저는 다음과 같이 제안해 보겠습니다:

1. 한국 청년들의 행정기능 훈련을 위해, 한국 정부와 운크라(UNKRA: 국제연합 한국재건단) 기금에서 각각 공동 지원하고 교수진도 한국인과 외국인으로 구성되는 정부 수련원을 서울에 설립하는 데에 대해 유엔 위원단이 한국 정부를 지원하도록 요청할 수 있습니다. 이것은 현재 진행되고 있는 것과 크게 다르지는 않지만 훈련기관의 설립을 위해 공식적으로 유엔 위원단과 운크라의 지원을 요청함으로써 각하에 대한 우호적인 분위기를 창출할 수 있을 것입니다.

2. 각하께서 유엔 위원단에 특별히 경찰의 조직과 방침을 돕기 위해 내무장관에게 고문관을 임명해 주도록 요청할 수 있습니다. 경찰이 한국정부 독재의 도구라는 의심이 계속 남아 있습니다. 유엔위원단의 후원을 받는 고문관이 임명되면 각하에게 손해될 것은 없고 해외의 신뢰를 다시 찾는 데 큰 도움이 될 것이라 확신합니다. 이것은 또한 국내에서도 대한청년단의 영향력을 견제한다는 면에서 도움이 될 수 있습니다. 서방 제국으로부터 보다 우수한 장비를 지원받고 경찰관들의 처우를 개선하기 위해서도 도움이 될 것이 거의 확실합니다.

3. 유엔 위원단 위원들과 정부 각료들을 위한 가든파티 같은 것을 베푸시는 것도 좋을 것입니다. 그 목적은 정확히 한국 정부와 유엔 위원단 사이의 긴밀하고도 우호적인 관계를 갖고자 하는 각하의 결의를 극적으로 강조하자는 것입니다.…

이 대통령은 8월 28일 양유찬(梁裕燦) 주미 대사에게 보내는 서신의 사본을 통해 간접적으로 나에게 회신을 보내왔다. 그 내용은 다음과 같

다: "한국에 관한 일부 부정적인 비판과 잘못된 정보에 대응하기 위해 올리버 박사가 좋은 프로그램을 제안하였소. 전체적으로 훌륭한 계획이오. 나는 올리버 박사에게 양 대사와 함께 전체 프로그램을 검토하고 양 대사의 의견을 듣고 결과를 나에게 알려달라고 하였소."

9월 4일, 대통령은 나에게 다음과 같이 써 보냈다: "주한 미 군사고문단(KMAG)은 경찰 경력이 있는 상당수의 고문관을 배정하였소. … 우리가 고문관을 선택할 수 있다면 훨씬 더 좋을 텐데 말이오. …"

우리 업무에 대한 대통령의 전반적 신뢰와 어려운 국가 홍보문제를 다루는 데 있어서 도움이 될 수 있는 일은 무엇이든 하겠다는 그의 열의는 내가 1952년 10월에 그에게서 받은 날자가 표시되지 않은 메모에 잘 나타나 있다. 유엔에서 배포하기 위해 우리가 준비하고 있던 팸플릿에 관해 언급하면서 그는 이렇게 말했다:

몇 가지 제안을 하니 올리버 박사가 팸플릿에 포함시키는 것이 적합한지 검토해 주기 바라오. 그러나 내가 기록한 모든 것을 그렇게 말했다고 해서 포함시키지는 마시오. 박사가 각 사안에 대한 판단을 내려서 전체적으로 제외시켜야 할 것은 제외시키고 포함시키기로 결정된 것은 보다 적절한 방식으로 표현을 잘 다듬어 주기 바라오. 올리버 박사는 내 말을 인용할 때는 신중하게 노골적으로 표현한 말을 그대로 전달하지 않기를 바라오. …

시간이 없어서 내가 직접 타자를 쳐서 그대로 보내오. 모두에게 행운을 빕니다.

그의 신뢰와 협력 정신이 모두의 마음을 훈훈하게 해주었다. 그러나 표현을 다듬는다고 그가 미국과 유엔이 주장하는 것과 극단적으로 반대되는 정책을 적극적으로 추구하기로 결심을 굳히고 있다는 명백한 사실을 완화시킬 수는 없었다.

1952년의 선거를 끝낸 다음에 대통령이 가장 큰 노력을 쏟아 넣은 것은 다름 아닌 북한의 재점령이었다. 거기에는 감당하기 힘든 장애물이 있었다. 장애물에는 북한군과 중공군뿐만이 아니라 자유세계의 태도와 정책 또한 포함된다. 민주 진영 각국의 국민들은 전쟁에 환멸을 느꼈다. 유엔군으로 파견한 각국 정부는 자국 군대가 승리를 위해 굳이 애쓰지 못하도록 제지하였고, 그렇다고 패배를 당하는 것도 있을 수 없는 일이기 때문에, 이 전쟁은 끝도 없이 계속되어 영원히 결말을 내지 못하도록 운명 지어진 것 같았다.

전쟁 수행을 관장하는 정책은 더욱 더 암담하였다. 유엔총회에서 채택된 1950년 10월 7일자 결의안에 의하면, 공산 침략자를 격퇴시키고 무력에 의해 한국을 통일하는 것이 유엔의 정책이었다. 중공군이 전쟁에 개입한 이후에 이 정책은 소리 없이 무시되었다. 이 정책은 여전히 "공식적"인 것이었기 때문에 이를 대체할 다른 정책을 채택할 수도 없었다. 그에 따라 전쟁에서의 참전 유엔군의 목표는 언급되지도 않고 불확실한 상태로 남아 있었다. 분명한 것은, 민주진영 지도부의 의도는 "무슨 일"이 일어나기만을 기다리면서 전진도 후퇴도 하지 않고 계속해서 한국의 "전선을 유지하는" 것이었다.

이승만에게는 그러한 불확실성은 없었다. 그에게 조금이라도 의미가 있는 유일한 목표는 북한의 수복뿐이었다. 반복해서 밝힌 대통령의 이러한 목표 때문에 그는 우방들의 지지도 얻지 못했고 전 세계로부터 비난의 화살만이 쏟아졌다. 교착상태가 바랄 수 있는 최선인 것처럼 보였다.

그런 가운데 1952년 이 대통령이 고대하던 천우신조의 상황이 발생하였다. 공산주의자들의 도를 넘는 어리석은 행동으로 세계 여론의 흐름이

618 ■ 이승만의 대미 투쟁 (하)

확실히 반전되고 전투가 재개될 수 있는 분위기가 조성되었던 것이다. 공산군 사령부는 2월에 유엔군이 북한군 부대에 대하여 "세균전"을 벌인 증거를 갖고 있다고 발표하였던 것이다.

7월에는 유엔군이 500명의 공산군 전쟁 포로를 이용하여 신무기를 실험하고 있다고 북한 신문들이 보도하였다. 그들은 또한 원자폭탄의 방사능 효과의 시험에 이용하기 위해 1천 명의 공산군 전쟁포로를 대서양의 한 섬으로 끌고 갔다고 주장했다. 북한 지역에서 질병이 발생하기만 하면 공산군은 북한 사람들이 생물학적 대량파괴의 야만적 실험의 희생자가 되고 있다는 그들의 주장이 사실임을 입증하는 증거라고 의기양양하게 떠들어 댔다.

유엔군에 생포된 한 공산군 병사는 이렇게 심문관에게 진술하였다: "벌레를 잡아오라고 북한 병사들을 산속으로 보냅니다. 그들은 파리와 모기 그리고 벼룩을 원하는데, 그것들을 잡느라고 고생이 말이 아닙니다. 우리가 벌레를 잡아오면 장교들은 그것을 전시하였습니다. 장교들은 부하들에게 미국 비행기가 이 벌레를 투하하였다고 말했습니다."

북한에 잡혀 있는 몇몇 미군 포로들은 유엔군이 북한 민간인들 사이에 질병을 퍼뜨리기 위해 생물(세균) 무기를 사용하고 있다는 사실을 "시인"하도록 설득당했다. 중공과 소련 지도자들은 국제 과학위원회를 조직하여 이를 북한에 파견하였고, 그 위원들은 극도의 전문가적 자제를 보이면서도 "미국인들이 새로운 세균전 기술을 사용하고 있을지 모른다"고 증언하였다. 공산권 언론들은 유엔군을 도덕성이 "시카고 갱단" 수준밖에 안 되는 "제2의 나치(the new Nazis)"라고 부르기 시작하였다. 판문점의 유엔군 측 협상 대표단은 실제로 이 선전공세에 대응해 더욱 단호한 입장을 취했다.

1952년 6월 7일, 유엔군 측 대표단 단장 윌리엄 해리슨 소장은 다음과 같은 강경한 발표를 하였다. "우리는 내일 회담에 참석하지 않겠소." 공산군 대변인의 반응은 보다 강경한 우리 측의 태도로 인해서 얼마나 많은 것을 얻을 수 있는지를 보여준다: "공산 측 대표 남일(南日)은 충격을 받고 불편한 심경으로 해리슨 장군에게 자리에 앉아 조금 더 대화해 보자고 사정했다.⋯ 분명히 그가 받은 지시는 회담을 계속해서 공산 진영의 선전을 매일같이 전 세계 언론에 보도될 수 있도록 하는 것이었다."118)

그러나 그해 10월 유엔총회가 다시 개최되었을 때, 클레멘트 애틀리 수상이 이끄는 영국의 상당한 지원을 받은 인도가 주도하는 "제3세계 중립 국가들"은 그들이 과반수 지배력을 갖고 있음을 다시 한 번 과시하였다. 총회는 수 주일의 토의 끝에 12월 3일 54 : 5의 표결로 양측에 억류되어 있는 포로들을 중립국 송환위원단에 넘길 것을 규정한 인도의 결의안을 채택하였다. 이 위원단의 임무는 포로들을 "심사"하여 자기들 나라로 복귀를 원하지 않는 경우에 복귀가 강요되지 않도록 보호한다는 것이었다. 이것은 더 이상 전투를 벌이지 말고 전쟁을 종식시키자는 공산진영의 요구 쪽에 실속이 있는 조치였다.

1953년 4월 26일, 전쟁의 단계적인 축소를 향한 더 진전된 움직임 속에 본격적인 휴전 회담이 판문점에서 재개되었고, 양측 모두 합의에 도달할 준비를 갖추고 있었다.

한편 유엔에서 한국에 대한 논의가 진행되는 동안 미국에서는 대통령 선거운동이 벌어지고 있었다. 애들레이 스티븐슨과 대결하기 위해 출마한 드와이트 D. 아이젠하워는 자신이 당선되면 "한국으로 갈 것이다"라고 발표하여 자신에 대한 지지기반을 공고히 하였다. 그는 이 모호한 선언의 의미를 명확히 설명해 달라는 요청을 거부하였다. 훌륭한 선거 구호

---

118) 클라크의 『도나우 강에서 압록강까지』(From the Danube to the Yalu), 108 페이지 참조.

가 으레 그렇듯이, 이 선언도 듣는 사람이 자기 좋을 대로 해석할 수 있는 뜻을 담고 있었다. 공산 침략자를 격퇴하기 위한 전면공세를 요구하는 유권자의 입장에서는 유럽에서 파시즘과 나치를 물리친 연합군을 지휘했던 장군이 던진 승리의 굳은 약속이라고 생각하였다. 반면에, 타협적 평화를 선호한 유권자는 소련이 베를린과 중부 유럽으로 진격하여 이들 지역을 점령하는 동안 아이젠하워가 자신이 지휘하던 미군을 이 지역으로 진격시키지 않았던 사실을 회상하며 이 선언을 해석하였다.

11월 초에 아이젠하워가 당선되자 그는 공약을 이행하기 위해 한국을 방문하겠다는 뜻을 즉시 발표하였다. 이 대통령은 새로운 대통령 당선자와의 회담에서 전면적 승리를 위한 자신의 주장을 제시하는 일을 도와주도록 서둘러 한국으로 돌아올 것을 요구하는 무전을 쳤다.

이것은 미국으로 하여금 한국전쟁에 대한 정책을 변경하도록 설득할 수 있는 이승만의 새로운 기회이자 마지막 기회였다. 그는 희망적 생각을 가지면서도 동시에 걱정이 되기도 하였다. 자유세계의 반전 여론이 아주 깊이 자리 잡고 있다는 것을 잘 알고 있었고, 또한 "아이크(Ike: 아이젠하워)"가 소련을 회유함으로써 세계평화를 보장하고자 했던 플랭클린 루즈벨트 대통령과 긴밀히 뜻을 같이 했다는 점도 알고 있었다.

그러나 정책 변화가 가능할지도 모른다는 징후도 없지 않았다. 예를 들어, 아이젠하워는 한국에서 승리하는 것만이 유일하게 합리적인 유엔군의 목표라고 소신을 밝힌 적이 있음이 기록되어 있는 고무적인 사실도 있었다. 아이젠하워가 아직 유럽의 NATO(북대서양조약기구) 군 총사령관으로 있던 1950년 10월 유엔에서는 한반도 통일을 위해 압록강까지의 북진을 요구한 10월 7일자 결의안으로 이어진 한반도 상황에 대한 논의가 한창이던 때, 아이크는 평소 엄격히 유지하던 '비정치적' 역할을 벗어나서 공산주의자들이 한국에서 무력에 호소한 이상 북한을 그들의 지배에서 해방시키지 않는 것은 어리석은 행위가 될 것이라고 선언한 바 있다. 더욱이 아이젠하워와 트루먼은 서로 상대를 너무나 싫어한 나머지 말도 섞지 않는 관계라는 흥미로운 사실도 있었다. 그러므로 이제 "무승부 (no victory)" 정책은 혹시라도 수정될 가능성도 있었다.

아이크의 한국 방문 예정일은 공산군이 그의 비행기를 요격할까 우려되어 극비에 부쳐져 있었다. 당시 펜실베이니아 주립대학교 총장은 아이크의 동생인 밀턴 아이젠하워였는데, 내가 급히 한국에 갈 수 있도록 요청한, 충분한 기간의 휴직을 승인한 분이다. 밀턴 총장은 아이크의 방한 일자를 절대 알려줄 수 없다고 말했다. 그는 아리송하게 미소를 띠우면서 자신이 내 입장이라면 서울에서 추수감사절 만찬을 즐길 계획을 세우겠다면서 넌지시 암시를 주었다. 나는 그 말대로 하였다. 이승만 대통령 부처와 경무대의 가족 다이닝룸에서 조용히 추수감사절 만찬을 함께 하게 된 것이다.

아이젠하워를 위해 우리가 준비한 "정책 방침서(position paper)"는 공산군을 북한에서 몰아내는 것이 세계평화에 이바지할 것이라는 이승만의 신념을 뒷받침하기 위해 할 수 있는 한 신중하고 정성스럽게 작성한 브리핑 서류였다. 우리가 보기에, 여기에서 주장한 논거는 설득력이 있는 것으로 생각되었다. 23년이 지난 뒤 컬럼비아 대학교에서 한국사를 강의하던 부교수 게리 레드야드 박사는 1975년 7월 26일자 〈뉴욕타임스〉지에서 이승만의 정책이 한국 문제의 유일한 해결책이었다고 주장하였다:

통일을 달성하기는 쉽지 않을 것이라고 그는 썼지만, 통일이 아니면 한국의 잔혹한 딜레마는 영원히 해결될 수 없을 것이다. 우리는 분단 한국을 용납될 수 있는 상황이라고 치부해 버리는 오랜 수용적 자세를 버리고 통일 한국이 우리의 궁극적 목표임을 명확히 선언한 다음, 그러한 목적을 향해 일을 추진하는 것이 극히 중요하다. 만약 그렇게 하

지 않는다면 이 위험한 불안한 상황은 핵전쟁의 위험이 상존하는 가운
데 무한정 먼 미래까지 지속될 것이다.

이러한 경고를 강조라도 하듯이, 1975년 6월에는 당시 국방부장관 제
임스 슐레진저가 미국은 한국에서 핵무기를 사용해야 할지도 모른다고
몇 차례나 반복해서 강조하였다. 더욱이 그는 만약 공산당이 다시 시작할
것이라고 빈번히 위협해 왔던 남한에 대한 재침을 감행한다면 이것은 단
순히 보복 차원이 아니라 최초의 방어용 핵무기가 사용될 수 있다고 선언
하였다.

많은 냉철한 관측자들은 만약 유엔군이 한국에서 끝까지 승리를 추구
했더라면 월남 전쟁은 아예 일어나지도 않았을 것이라고 확신하고 있다.
중공군으로 하여금 한국에서 서방 연합군에게 최초의 승리를 거두도록
허용함으로써 마오쩌둥(毛澤東)이 중국 본토에 대한 지배력을 강화하는 데
도움을 주었다고 믿는 사람들도 있다. 20년이 지난 시점에서 바라볼 때,
이 대통령이 주창한 정책은 유엔의 1950년 10월 7일자 정책 선언의 포기
보다 훨씬 더 합리적이고 실리적인 것으로 보인다.

그렇기는 하지만 이 대통령은 아이젠하워의 의중에 대한 나의 보고를
받고 불안감이 더 커졌다. 그 이전 몇 달 동안 나는 밀턴 아이젠하워와
몇 차례 대화를 나눌 기회가 있었다. 아이크가 자기에 대해 "밀턴은 우
리 가족의 두뇌"이고 외교정책에 관해 자신에게 영향력 있는 조언자라고
말한 적이 있다는 것이다.

밀턴 총장과의 이러한 대화를 나누던 중에 나는 공산당이 한국에서 전
쟁을 하기로 작정한 이상 한국에서 이들을 격멸시켜야 한다고 촉구하였
다. 이에 대해 그는 이렇게 대답했다: "그렇지 않네. 시간은 우리 편이
야. 공산당은 공산주의자인 동시에 인간이기도 하네. 사람들은 어디서나

근본적으로 비슷하지 않은가. 공산당에게 생산 능력을 키우도록 하여 평화와 번영의 안락함을 누리는 것을 배울 시간을 가지도록 하면 되네. 그러면 싸우려고 광분하지 않을 것일세. 그때 가서 합리적인 타결을 시도할 수 있을 것이야." 내 판단으로는 대통령 당선자 아이크도 또한 같은 생각을 하는 것 같았다.

우리가 그렇게 정성을 들여 작성한 정책 방침서를 드와이트 아이젠하워가 어떻게 생각할지는 알 길이 없었다. 너무나 당연한 일로, 아직 그가 의견서를 읽어보지도 못했으니까. 아이크가 서울에 당도하자 그는 서둘러 이 대통령을 예방하였다. 그러나 예방은 아무런 논의 없이 짧게 끝나고 말았다. 아이크가 사흘간 한국에 체류하는 동안 그는 전황에 대해 계획되었던 제임스 A. 밴 플리트 장군의 브리핑도 받지 않았다. 그는 한국에 머무르는 동안 낮에는 미군부대를 사열하고 밤에는 브리지와 포커 게임을 하면서 보냈다.

아이크가 토요일 오후 2시에 김포공항을 출발할 예정이기 때문에 이 대통령과 다시 만날 시간이 없을 것이라는 메시지가 경무대의 우리에게 전해졌다. 이승만은 경악했다. 그리고 격노했다. 그는 아이크를 만나기 위해 국무회의를 소집해 놓고 있었으며, 만약 장군이 참석하지 않는다면 부득이 그 사실을 언론에 공개할 수밖에 없다는 격한 어조의 메시지를 보냈다.

시간은 2시가 되었고 이승만과 그의 내각은 그대로 국무회의를 계속 진행하고 있었다. 아이크 측에서는 아무런 소식도 없었다. 그러나 비행기는 출발하지 않았다. 오후 2시 30분이 되자 아이크의 차가 경무대 현관 앞에 멈추어 섰다. 아이크는 입을 굳게 다문 채로 각의 회의실로 들어와서는 90분 동안 이승만과 그의 각료들의 말을 듣기만 했다. 그리고는 자신의 의중에 대해 한 마디 말도 없이 차를 타고 떠나버렸다. 미국으로 돌아가는 도중에 태평양의 한 중간쯤에서 아이크는 한국전쟁을 종결시키기 위해 가능한 한 조속히 휴전을 매듭지으려는 트루먼의 정책을 계속 추진할 것이라는 성명을 발표하였다.

최고 지도부의 변동은 미국뿐만 아니라 소련에서도 일어나고 있었다. 스탈린(Joseph Stalin)이 1953년 3월 5일에 사망하였다. 3월 28일에는 판문점에서 공산측 협상 대표가 교착상태의 휴전회담을 재개할 것을 제안하였다. 그들은 또한 전쟁포로 가운데 환자와 부상자의 즉각적인 교환도 제안하였다. 그 계획은 그때까지 그들이 완강하게 거부하던 것이었다. 몸이 아픈 전쟁포로의 송환 전망은 미국 국민들에게 마치 한 여름 폭염 속에 한 줄기 시원한 산들바람과 같았다. 평화가 가시거리 안에 들어왔다는 희망이 높아졌다.

이승만은 격분하였다. 리지웨이 후임 유엔군 사령관 마크 클라크 장군은 자신의 회고록에서 이렇게 기록하고 있다: "그러자 나는 이 대통령의 비통함과 좌절감에 대한 분풀이 대상이 되었다."

클라크와 신임 주한 미국대사 엘리스 O. 브릭스(Ellis O. Briggs)가 이 대통령의 긴급한 부름을 받고 그를 방문하였다.

대통령은 그들에게 말했다: "우리가 반드시 주장해야 할 한 가지는 우리 영토로부터 중공군이 철수해야 한다는 것이오. 만약 그것이 관철되지 않으면 평화적 타결이란 있을 수 없습니다. 두 분이 나를 위협하더라도 쓸데없는 일이요. 우리는 살기를 원합니다. 생존하기를 원한단 말씀이오. 우리 자신의 운명은 우리가 결정하겠소."[119]

6월 4일, 판문점 협상 대표자들은 유엔총회에서 전년도 12월에 채택된 인도가 후원한 결의안에 포함된 방식을 근거로 하여 모든 전쟁 포로의 교환에 관한 합의에 도달하였다. 한국에 중립국 감시위원단을 설치하되

---

119) 마크 클라크의 앞의 책 269-70 페이지.

인도의 장성이 그 수장을 맡기로 하였다. 이 위원단은 한국에 있는 모든 공산군 포로를 하나하나 철저히 유엔군과 공산군 요원이 면담할 것이라는 계획을 발표하였다. 그 다음에는 공산군 장교가 각 포로들과 한 시간씩이나 개별적으로 대화하여 만약 그들이 남한 잔류를 결정하는 경우 그 가족과 친지들에게 무슨 일이 일어날지를 "설명"하기로 되어 있었다. 이 계획이 실행되면 남쪽에 남아 있을 공산군 포로는 거의 없을 것임이 확실하였다.

이 대통령은 파국적인 상황을 구해 보고자 하는 필사적인 노력의 일환으로 다음과 같은 세 가지 조건이 받아들여진다면 모든 유엔군과 중공군 병력의 동시 철수를 바탕으로 하는 휴전을 수용할 것이라고 브릭스 대사에게 말했다:

1. 미국은 장래 외부의 공격에 대한 방위를 보장하는 조약을 대한민국과 체결할 것.
2. 전쟁으로 파괴된 남한을 재건하기 위한 대규모 경제원조를 제공할 것.
3. 미국 공군과 해군은 남북통일을 위한 새로운 노력의 일환으로 한국군을 지원하기 위해 남한에 계속 잔류할 것.

6월 7일, 이 대통령은 자신의 일관된 양보 거부 의사를 재차 강조하고 대한민국의 독자적인 국방에 대비하기 위해 미국에서 훈련 중이던 모든 한국군 장병 전원에게 귀국명령을 내렸다. 그는 남한 전역에 "특별비상사태"를 선포하였다. 또한 한반도가 다시 통일될 때까지 필요하다면 단독으로라도 전쟁을 계속하겠다는 자신의 정책을 재천명하였다.

아이젠하워 대통령은 이승만에게 전술한 1번과 2번의 조건을 받아들이겠다고 통보하였다. 3번 조건에 대해서는 한국 통일이 미국 정책의 "가장 중요한 목표"로 남아 있을 것임을 약속하였다. 그러나 그는 결코 한국군에 의한 "북진"을 지지하거나 수용하지는 않았다. 이에 대한 이승만의 대응은 한국 국민들에게 전투 선언을 발표하는 것이었다: "우리는 만약 유엔이 휴전을 수용하고 전투를 중단한다면 끝까지 싸움을 계속할 우리의 결의를 확고히 하는 바이다."

어느 기자회견에서 이 대통령은 말했다: "꼭 어려움을 겪어야만 한다면, 우리 후손들은 평화를 누릴 수 있도록 그 고난은 우리 시대로 끝내야 한다." 그리고는 가장 폭발적인 독단적 조치가 취해졌다.

6월 18일, 이 대통령은 남한에 있는 모든 포로수용소의 문을 활짝 열고 모든 공산군 포로를 석방하라고 명령하였다. 그는 상황을 설명하는 다음과 같은 성명서를 발표하였다:

제네바 협약(Geneva Convention)과 인도주의적 원칙에 의하면 한국전쟁 반공 포로들은 마땅히 이미 오래 전에 석방되었어야 했다. 이들 포로의 석방에 관한 우리의 바람에 관해 내가 대화를 나눠본 대부분의 유엔 당국자들은 심정적, 원칙적으로 우리와 뜻을 함께 하였다. 그러나 국제적인 복잡한 문제 때문에 우리는 이 사람들을 부당하게도 지나치게 장기간 억류해 왔다.

이제 유엔군과 공산당의 협정으로 인해 복잡한 국제문제가 더욱 악화되고 심각한 결과로 이어져 우리의 적은 만족시키고 우리 국민들 사이에서는 오해가 발생할 수 있는 상황에 이르게 되었다.

빚어지게 될 중대한 결과를 피하기 위해 본인의 책임 아래 1953년 6월 18일 오늘, 한국인 반공 전쟁포로들의 석방을 명령하였다.

유엔군 사령부와 그 밖의 관련 당국과의 충분한 협의 없이 이러한 조치를 취하게 된 이유는 설명할 필요도 없이 명명백백하다.

각 도의 도지사와 경찰 책임자들에게는 최대의 능력을 발휘하여 이들 반공포로들을 돌보아 주도록 지시하였다.

　이 대통령이 바랐던 것은 이러한 포로 석방이 판문점에서 엄청난 소란과 상호비난을 촉발하여 휴전회담을 무기한 중단시키려는 것이었다. 그러나 반공포로 석방의 결과는 그의 희망을 실현시키지 못하고 자유세계와 공산진영이 똑같이 어떤 대가를 치르든 휴전을 성사시킬 결심이 되어 있다는 그의 두려움을 확인시켜 주었다.

　공산 측은 한반도가 남북으로 분단된 상태에서 휴전을 성립시키기를 열망한 나머지 이러한 포로에 관한 협정에 대한 근본적인 위반 사실이 발생했음에도 불구하고 그대로 그것을 삼켜버렸다. 유엔 측 또한 휴전협정 체결을 갈망했기에 이승만을 비난하는 적에게 동조하였다. 양측은 회담을 계속하기로 합의하였다.

　그에 따라 조국의 지속적인 분단을 막아보려고 이 대통령이 생각해낼 수 있었던 가장 극단적인 조치는 실패로 끝났다. 한국 국민도 세계 각국 정부도 이승만이 휴전이라는 결과를 피하기 위해 최선을 다했다는 점은 분명히 인정하였다. 휴전 회담은 7월 10일에 재개되었고, 마침내 이 비극적 전쟁 드라마의 마지막 장이 펼쳐지려 하고 있었다.

제 19 장
판문점 휴전 타결(1953년 7월)

제
19
장

이승만이 반공포로를 석방한 후 유엔 측 외교관들의 주된 과제는 이 사태를 수습하는 일이었다. 어떻게 하면 다루기 힘든 동맹국인 한국과의 복잡한 관계를 해결할 것인가? 어떤 방법으로 공산 측의 요구에 드러내 놓고 굴복하지도 않고 자기들이 돕기 위해 그 전쟁에 뛰어들었던 우방 한국과의 관계도 공개적으로 단절시키지 않으면서 대한민국 대통령의 결연한 의지에 반하여 전쟁을 종식시킬 수 있겠는가?

아이젠하워 대통령은 이 대통령이 휴전을 수락하도록 설득하기 위한 노력의 일환으로, 이승만을 불굴의 반공주의자이며 훌륭한 신사라고 오랫동안 존경해마지 않던 한 인물을 서울로 파견하였다. 그가 바로 월터 로버트슨(Walter Robertson) 국무부 극동문제 담당 차관보였다. 그는 아시아의 공산주의자들을 잘 알고 있을 뿐만 아니라 이들을 신뢰하지 않을 많은 근거를 갖고 있는 사람이었다. 그렇다고 하더라도 그의 임무는 미국 정부가 결정한 정책을 관철시키는 일이었다.

로버트슨은 6월 24일 서울에 들어왔고 도착 즉시 이 대통령과 회담에 돌입하여 일련의 회담을 매일같이 거듭했다. 회담 시작 후 2주일 동안 그들의 논의는 휴전에 관해 미국과 한국의 정책 사이에 근본적인 차이가 크다는 것을 드러내는 것 이외는 별 진전이 없었다.

나는 7월 7일 서울에 도착하여 곧바로 이 회담에 함께 참석하였다. 회

담 기간 동안 나는 폭넓게 논의 내용을 메모해 두었는데, 그것은 그 당시
상황이 회담에 참여한 우리들에게 어떻게 비쳐졌는가를 설명해 주는 것
이므로 그 메모를 길게 인용한다.

7월 11일, 내가 참여하였던 상황에 대해 다음과 같이 요약하였다:

지난 4일간은 성과 있는 기간이었고 사실상 획기적이었다. 내가 한
국에 도착하여 이 대통령, 백두진(白斗鎭) 그리고 변영태(卞榮泰)와 자
리를 잡고 회의에 들어갔을 때, 그 분위기는 절망적이었다.120)

로버트슨은 합의에 도달하기가 거의 절망적이어서 "당장 내일이라
도 귀국하는 것이 좋겠다"고까지 말한 적이 있었다. 아이젠하워는 로
버트슨이 전달한 특별 메시지를 통해 미국은 한국이 "더 이상 신뢰를
악화시킬 일을 하지 않고" 또한 "협조를 약속"한다면 방위조약의 체
결이 "가능할 수도 있다"고 말했다.

서한은 신랄한 어조였다. 이틀 전에 덜레스로부터 상당히 비우호적
인 장문의 편지를 받았던 사실에 비추어볼 때, 아이젠하워의 메시지
는 특히 비우호적으로 보였다. 덜레스의 서한 내용은, 미국은 참을
수 있을 만큼 참아왔다는 것과, 대한민국 정부의 급격한 태도 변화가
없다면 어떠한 원조나 장래에 대한 보장도 제공하지 않겠다는 것이었
다.

우리가 함께 자리에 앉자 이 대통령은 "신뢰를 악화"시키게 된다고
생각되지 않는 일로서 대한민국이 행할 권리를 보유해야 마땅한 사항
들을 열거하고, 미국에게도 (한국에 협력적이 되려면) 행동으로 옮겨 주기
를 우리가 요청해야 할 사항들을 모두 적어가 보도록 우리에게 요구하
였다. 머지않아 이러한 과정은 절대적인 궁지 외에는 나갈 길이 없다

---

120) 백두진은 재무부장관을 거쳐 당시 국무총리로 있었다. 이 책을 쓰는 시점 (1978)
현재 그는 대한민국 국회의 다수당 정치단체인 유정회(維政會) 의장을 맡고 있다.
한편 변영태는 당시 외무부장관이었다.

는 것이 명백해졌다.

이때 나는 내 언변을 총동원하여 목소리를 높여 다음과 같은 점들을 설명하였다. (1) 미국에는 아직도 한국에 대한 호의의 방대한 저수지가 존재하고 있다. 다만 그것이 조직화되지 못하여 아이젠하워가 취하려는 행위를 신속하게 또는 효율적으로 저지할 힘이 없다. (2) 미국의 일반 대중과 행정부는 전반적으로 모두 한국에 대해 호의를 갖고 있기 때문에, 대한민국은 발생 가능한 만일의 사태가 일어나면 그것을 미국에 떠맡기려는 불가능한 일을 시도할 필요 없이 미국의 진실성과 호의와 우정에 기대를 걸 수 있다고 했다.

변영태는 고개를 숙이고 나의 말에 귀를 기울였지만 반응은 전혀 보이지 않았다. 백두진은 동의한다는 듯 고개를 끄덕였다. 이 대통령은 내가 상황을 이해하지 못한다고 버럭 소리를 지르며, 옛날 미군정 시절과 그들이 자신에게 어떤 속임수를 썼는지를 회상하기 시작하였다. 거의 모든 안건이 미결인 상태로 회의가 파하였다. 로버트슨은 다음 날 "최종 회담"에 참석할 예정이었다.

그러나 그날 오후에 이 대통령이 내게 전화를 걸어 아주 다정하게 이제까지 합의된 내용을 요약하고 문제점이 있는 사안을 정리하여 로버트슨에게 건넬 편지를 내가 생각했던 대로 써보라고 부탁하였다. 내가 편지를 작성하자 그는 단지 한두 단어만 고친 채 그대로 승인하였다. 편지를 바로 타자로 쳐서 그날 밤에 로버트슨에게 전달하였다.

우리는 상황이 극히 심각하는 것은 알고 있었지만 정말로 어느 정도 극도로 절망적인 상태였는지는 깨닫지 못하고 있었다. 약 22년이 지난 1975년 8월 3일 〈뉴욕 타임스〉는 새로이 기밀 해제된 문서들을 근거로 당시에 아이젠하워 대통령, 덜레스 장관 그리고 합동참모부에서 이승만 대통령을 체포하고 한국을 다시 미국 군정 하에 두는 방안을 심각하게 검토하고 있었음을 보여주는 기사를 게재하였다. 이 계획에는 "에버레디 작전(Operation Ever-ready)"이라는 암호명이 붙여졌다. 이 계획은 워싱턴에서 필요하다는 확고한 판단이 내려지면 언제든지 실행에 옮겨질 수 있는 대기상태의 작전계획임을 의미한다. 같은 문서에 의하면, 대통령 선거를 간선제에서 직선제로 바꾸기 위해 고투를 벌였던 1952년 7월에도 비슷한 계획이 준비된 바 있었다고 한다.

이 문서에 의하면, "1953년의 위기는 미국이 남한과 상호 방위조약을 체결하고 이 대통령의 승낙 대가로 상당한 규모의 경제원조를 제공하기로 합의하였을 때 비로소 해결되었다."

1953년 5월 29일에 개최된 국방부와 국무부 관리들의 회합의 회의록에는 다음과 같은 대화가 기록되어 있다:

> 합참의장 J. 로턴 콜린스 장군: "마지막으로 분석해 보면 우리는 일반적으로 말해서 세 가지 대안을 갖고 있습니다. 첫째는 이승만에게 방위조약을 체결해 주는 것이고, 둘째는 이승만과 그 밖의 한국의 비협조적 인물이 있으면 이들을 잡아넣는 것이며, 셋째는 우리가 한국에서 유엔군을 철수시킬 수 있을 때까지 우리와 협력하도록 이승만으로 하여금 이에 대해 동의하도록 하는 것입니다."

> 국무부 극동문제 담당 차관보 월터 S. 로버트슨은 세 번째 옵션은 군사적으로 타당성이 없기 때문에 검토할 가치가 없다고 반대하였다.

> 콜린스 장군은 그것이 가능한 일이라고 말하면서 이렇게 말했다. "우리는 중공군과 대항해서 방위선까지 후퇴할 수 있을 것입니다. 설마 한국군이 우리와 맞서 싸우지는 않을 것입니다. 내 견해로는, 이승만의 협박에 굴복하느니 차라리 그를 보호 감금하는 것이 좋겠습니다."

미국은 물론 그러한 조치를 취하는 것을 매우 망설였다. 만약 그러한 일이 벌어진다면 미국 여론에 상황을 설명하기가 곤란하고 전 세계가 충격을 받을 것이며, 남한 전국이 극심한 무질서 상태에 빠질 것임이 분명하였다. 내가 초안하여 로버트슨에게 보내진 편지는 하나의 탈출구를 제시하였다. 나의 메모에 의하면 그 서한이 발휘한 효과를 보여준다:

로버트슨은 편지를 받고 분명히 아주 기뻐하였다. 로버트슨은 출국을 며칠 동안 연기하겠다는 전언을 보내왔다. 이승만의 요약된 설명서의 내용을 수락한다는 답신이었다. 이승만은 나에게 자신과 로버트슨의 이름으로 발표할 공동성명서 본문을 초안하도록 하였다. 로버트슨도 우리의 초안을 읽어본 후에 자신의 발표문을 작성하였다. 당연히 그의 문안은 몇 가지 불분명한 점이 있었다. 그날 오후에 변영태와 백두진 그리고 나는 로버트슨의 초안을 꼼꼼히 검토하고 몇 가지 사항을 수정하였다. 현재 그 수정된 초안은 그가 가지고 있다. 그리고 우리는 합의가 성사되기를 바라며 적어도 합의에 가까워지고 있다는 희망을 가졌다.

나는 또한 이승만을 대신하여 아이젠하워 앞으로 장문의 서한을 작성하였다. 덜레스에게는 그보다 더 긴 편지를 썼다. 편지의 요점은 이렇다. "나는 휴전이라는 것을 믿지 않지만 당신이 원하는 그 휴전에 동의해 주겠소. 그러므로 만약 휴전이 실패로 끝난다면 한국에 대해 막중한 책임이 있다는 것을 잊지 마십시오."

한편 나는 워싱턴 대사관으로부터 제출된 상호 방위조약의 본문 일부도 수정하였다. 그러나 로버트슨은 워싱턴에 우리의 원문을 전문으로 보낸 후에 조약 본문을 그가 제시한 내용에 접근된 것이어야 한다고 말했다. 물론 문제의 본질은 미국은 모호한 표현을 원하고 대한민국은 명확한 표현을 원한다는 것이다. 그리고 중요한 사안은 통일 문제와 그것을 달성하는 방법이다. …

어제 저녁에는 로버트슨을 주빈으로 하는 미국 대사관 파티에 참석

하였다. 거기에는 이 대통령 부처와 맥스웰 테일러 장군 그리고 한국
의 전 각료 등이 참석하였다. 나는 그곳에서 로버트슨을 대면하였는
데 그것이 나와 그와의 유일한 만남이었다. 물론 브릭스 대사 부처도
만났다. 로버트슨과 브릭스는 나를 따뜻이 대해 주었고 한국에 와주
어서 아주 기쁘게 생각한다고 강조하였다. 당연히 인사치레의 빈말이
었지만 합의가 이루어진 상황에서 그들의 말의 얼마쯤은 진심일 것이
라고 생각한다! 브릭스 대사는 한 일주일쯤 후에 한번 만나 이야기를
나누기 위해 나를 초대하겠다고 약속하였다. 대사는 로버트슨이 내일
미국으로 출국하면 바로 부산을 방문할 예정이 되어 있었다. 나는 또
한 테일러 장군과 가까운 시일 안에 이야기할 기회를 만들어야 한다.
장군에게는 한미 양국의 우의의 표시로서 또한 영구적인 기념물을 남
기기 위해서라도 미군 공병대가 시간 여유가 나면 휴전 기간 동안에
할 수 있는 데까지 서울의 여러 지역을 재건해 줄 것을 제안할 참이
다.

이틀 후에 나는 안도감과 희망을 함께 느끼며 또 다른 메모를 기록했
다. 여기에는 아마도 달성된 결과에 대해 내 자신에 대한 다소 넘치는 자
기만족이 표현되어 있는지도 모른다:

　　이 대통령은 몇 번이고 내가 "매우 적절한 시기"에 들어와 주었다
　　고 말했고, 로버트슨 차관보와 브릭스 대사도 내가 한국에 온 것을 기
　　쁘게 생각한다고 말했다. 실제로 나는 이 대통령이 결정을 내리던 시
　　점에 때맞추어 도착하였고, 그가 휴전과 필요한 그 밖의 대부분의 조
　　건을 수락하는 결정을 내릴 때 내가 영향력을 미쳤다. 어쩌면 그것이
　　결정적이었는지도 모른다. 로버트슨은 최종 합의문을 발표하기 전에
　　아이젠하워의 승인을 기다리고 있지만 나는 이제 합의에 도달했다고
　　확신한다.

이승만이 끝까지 버텼더라면 휴전을 막을 수 있었을는지는 몰라도 그 과정에서 한국 전체를 희생시켰을 것이다. 사실 대통령은 그 전투에서는 졌지만 전쟁에서는 이겼다는 것이 나의 생각이다. 다시 말해서, 한국은 다른 방법으로 얻을 수 있는 것보다 훨씬 더 많은 것을 얻어야 했기 때문이다. 이 대통령이 휴전을 두 달만 더 끌 수 있었더라면 아이젠하워가 이승만의 편으로 돌아섰을지도 모른다. 그러나 일단 막판에 몰려 있었고, 즉각적인 결정이 요구되었다. 이 박사는 다른 경우에서 내가 자주 듣던 감정적인 장황한 비난성 발언도 없이 이 문제를 정말로 멋지게 처리하고 있다.

이승만과 로버트슨의 합의 내용은 그 성격상 물론 공개가 불가능하였다. 합의는 아직도 미국 정부와 유엔의 최종 승인이 필요했기 때문이었다. 실제로 합의사항 중 하나는 어느 쪽도 합의된 내용을 언론에 공개해서는 안 된다는 것이었다. 기본적으로 이승만이 추구한 것은 만약 전쟁이 중단된다면, 판문점에서의 협상이 자유로이 선출된 정부에 의해 한반도를 통일할 수 있는 어떤 기반에 도달하지 못하는 한, 미국은 전투를 재개해야 한다는 보장이었다. 이것은 로버트슨이 약속할 수 있는 권한이 주어진 보장이 아니었다.

그는 그 대안으로 휴전 서류에 서명이 이루어지면 상호 합의를 통한 남북한의 통일을 추구하기 위해 90일 이내에 "정치 회담"을 개최할 것을 제안했다. 이승만이 이 제안을 비실제적인 어리석은 생각으로 성급하게 일축하자 로버트슨은 남한의 복구를 위한 대규모 경제원조를 약속함으로써 상대를 설득하려고 하였다. 이승만은 여기에도 꿈적도 하지 않았다. 그의 견해에 의하면, 공산군이 북한에 도사리고 있는 상태에 있는 분단국의 운명은 영구적으로 불안하고 불안정하다는 것이다. 이러한 상태에서의 경제복구는 무의미하지는 않을지라도 단순한 미봉책에 지나지 않는 것이라고 하였다.

로버트슨은 이승만에게 미국의 의도는 한국이 "아시아 민주주의의 전시장"이 될 만큼 대규모 원조를 제공할 것이라고 확언하였다. 이러한 프로그램의 이면에는 한국이 국내정치에서 정말로 "민주화"를 확립해야 한다는 강한 의미가 숨겨져 있었다. 이승만은 또한 반공포로의 석방이나 비난조 성명의 발표와 같이 휴전협정의 성취에 방해가 되거나 지장을 주는 행동을 자제할 것을 요구받았다. 이 대통령은 그것은 한국 국민의 본질적인 주권과 복지를 희생시키라는 요구라고 생각하고, 그 대가로서 제안된 것이 상대적으로 불충분하다고 판단하였다. 이것이 내가 그 해결책을 찾으려고 애써 왔던 애로사항이었다.

휴전 조건에 대해 미국과 한국의 이견을 조정하는 핵심적인 작업은 끝났다. 그러나 만사가 흔히 그러하듯이 여기에도 여파는 있었다.

같은 날인 7월 13일 늦게, 나는 집으로 근황에 대해 또 한 장의 편지를 보냈다:

신문에서 뉴스거리로 통하는 것, 이를테면 회담에서 "일어난 사건"에 대한 자신만만한 보도를 읽는 것은 굉장히 흥미진진한 일이요. 바로 오늘 아침에 로버트슨이 그의 마지막 회담에서 "강압적으로" 이 대통령에게 제시한 세 가지 사항의 요약이라는 것을 읽었소. 사실은 그 중 어떤 것도 주제로 등장한 적이 없는데도 말이오. 로버트슨과 브릭스는 이 합의를 이루는 데 내가 참여하여 그들에게 도움이 된 데 대해 진심으로 "정말 다행"이라고 말했소. 〈코리안 퍼시픽 프레스〉지가 이제는 국무부에서 훨씬 높게 평가받고 있다고 장담할 수 있소. 이 소식이 당신에게 위로와 안심을 주리라 생각하오.…

이 대통령은 지난 몇 주일간 마음고생을 많이 하셨지만 잘 참아내고 계시오. 지금보다 더 침착하고 감정적으로나 지성적으로 잘 자제하시는 모습을 본 기억이 거의 없을 정도요. 그러나 대통령은 휴식이 절실히 필요하고 우리의 권유를 받아들여 좀 쉬시기를 바라오. 왜냐하면, 앞으로 며칠 동안은 주도권이 워싱턴 측으로 넘어가 있는 상태이기 때문이오. 이 대통령은 충분히 양보를 했기 때문에 만약 일이 성사되지 않는다면 책임은 미국 정부가 져야 하고 결코 대통령에게 전가해서는 안 될 것이오.

다음 며칠 동안 이 대통령은 아주 짧은 휴식을 취했다. 그는 정원을 돌보기도 하고 시골로 꽤 오래 동안 자동차로 드라이브를 나가기도 하였다. 나는 책상머리에 앉아서 미국 잡지사에 보낼 일련의 기사를 작성하였다. 그러다가 휴전회담으로부터 파생된 다른 문제에 관여하게 되었다. 7월 18일에 집으로 보낸 또 하나의 편지에서, 나는 그 내용에 대해 설명하였다:

현재 내가 당면한 큰 "문제"는 이 박사의 "단독 북진" 정책에 반대하는 성명서를 발표하였다고 해서 한국정부가 조병옥(趙炳玉)을 처벌하고 감옥에 보내려는 터무니없는 실수를 저지르지 않도록 하는 일이오. 조병옥이 형법 제103조 "국가 안보를 위태롭게 한 죄"를 저질렀다고 하는 기소장이 작성되었소. 나는 갈홍기(葛弘基) 공보처장과 진헌식(陳憲植) 내무부 장관에게 조병옥에 대해 일절 책임을 묻지 말고 없었던 일로 하라고 촉구하였소. 물론 법에 따라 조병옥에게 유죄판결을 내리고 3년 동안 징역형을 살게 할 수는 있지만, 세계 언론은 한국을 "경찰국가"라고 비난할 것이고, 그러한 식으로 해석이 가능한 법률이 존재한다는 데 충격을 받을 것이오.…

어제 아침에는 이 대통령과 한 시간 넘게 이 문제를 상의하였소. 그는 기꺼이 내말에 귀를 기울여 주었지만 조병옥의 처벌은 불가피하다고 하였소. 나는 그 때문에 세계 여론에서 한국에 대한 평가가 손상된다는 점에서 피해가 너무 크다고 계속 주장하였소. 마지막에는 진 장관과 반공포로의 석방을 지휘한 원용덕(元容德) 장군까지 논의에 합류하였소. 놀랍고 다행스럽게도 그들은 내 말에 동의해 주었고, 일단 조병옥을 처벌하지 않기로 합의하게 되었소.…

휴전 회담의 성공이 가까워오고 있다는 확신에도 불구하고 전 전선에서는 전투가 계속되고 있었다. 때로는 소강상태를 유지하다가 다시 치열한 공방전이 전개되었다. 한국과 미국 사이의 합의가 무난하게 잘 해결된 7월 20일, 나는 아래와 같이 계속되는 전투상황에 관한 기록을 남겼다:

　　이번 주 중에 이 대통령은 테일러 장군을 대동하고 전선을 시찰할 예정이며, 이번에는 나도 따라나설 생각이다. 우리는 방금 격전을 치른 한국군 사단을 방문하여 사단장과 식사를 할 예정이다.

　　지난주에는 한국군 3개 사단이 무너지고 6마일에서 8마일만큼이나 허둥지둥 패주했다가 24시간 정도 만에 재정비해서 진격하여 잃었던 지역을 대부분 회복하였다. 공산군은 한국군이 어디까지 후퇴하였는지를 잘 몰랐고 그래서 소수의 정찰부대로 그 지역을 점령하였다. 후퇴할 때 버려두었던 장비는 대부분 회수하였다. 이것을 보면 한국군은 아직 진짜 최강의 전력이라고 보기는 어렵다. 주된 이유는 순전히 장교들이 필요한 연륜을 쌓지 못했기 때문이다.

같은 날 7월 20일, 나는 또 다른 편지에 공산 측이 일련의 새로운 요구를 제시하고 있던 판문점의 상황을 써 보냈다:

　　"고위급 회담"이라는 휴전회담의 성격으로 인해 일반 대중은 회의에서 무슨 일이 일어나고 있는지 전혀 알 수 없지만, 오늘은 특히 열받는 상황이 벌어졌소. 어제 공산측은 일반인들이 보았더라면 열통이 터질만한 여러 가지 요구를 제시하였소. 우리 쪽의 결론은 이들이 자기들 주장의 전부 또는 일부라도 수용되기를 기대하며 유엔군 측이 얼마나 약하고 소심한지를 시험하고 있다는 것이었소. 유엔군이 시한을 설정하는 강경한 태도를 취하지 않는다면 회담은 장기화될 가능성이 있소. 이 대통령이 이미 로버트슨과 합의를 이루기는 하였지만 만약 유엔군이 어리석게도 이들의 새로운 주장을 받아들인다면 대통령은 이러한 요구를 거부할 것이 확실하오.

상황은 우리가 걱정하던 것만큼이나 좋지 않았다. 유엔 측 대표단은 논평 없이 공산군의 요구를 접수하였다. 당시 나는 메모에 이렇게 기록했다: "그러나 요구들 중 대여섯 개는 이 대통령과 로버트슨 사이에서 이루어진 합의와 완전히 어긋나는 것이었다. 우리는 이 상황이 조속히 해결되기를 바란다. 한국은 합의를 이루는 데 바탕이 된 조건이 준수되지 않는다면 휴전을 방해하지 않기로 한 약속을 지키지 않을 것이다. 나는 미국이 약속을 충실하게 지킬 것이라고 이 대통령에게 장담하고 있었지만 브릭스 대사가 해줄 수 있는 말은 곧 필요한 보장을 얻기 위해 최선을 다하겠다고 하는 것이 고작이었다."

나의 7월 21일자 메모에 지적한 바와 같이, 남한에는 일부 전쟁복구의 징후와 함께 긴장감이 고조되고 있었다:

운크라(UNKRA) 실무자들은 한국 정부가 "협조"만 한다면 많은 일을 할 수 있을 것이라고 말한다. 아직 이야기를 들어보지는 못했지만, 무슨 일이 이루어지는지를 확인하기 위해 운크라 실무자 몇 사람과 대화를 나눌 계획이다. 무슨 일이 이루어질 수 있는지 여부는 별개의 문제이다. 그러나 양측에 불신감이 많다는 것은 분명하다.

긴장감이 상존하고 있는 마당에 그럴 수밖에 없을 것이다. 휴전이 조속히 타결되지 않으면 휴전 타결에 지장을 주는 다른 요소가 터져 나올 수도 있다. 휴전이 타결된 후라도 격렬한 의견 충돌과 트러블이 예상될 수 있는 문제점들이 대단히 많다. 향후 여러 달 동안 긴장을 풀어서는 안 될 것이다.

서울에서는 "소규모의" 복구 작업들이 꽤 많이 진행되고 있다. 대부분 개별 가정이나 개인 기업들에 의한 것이며 일부 대형공사는 한국 정부가 하고 있다. 한국정부에 의해 반도호텔이 제 모습을 되찾고 있고, 남대문을 비롯한 중요 사적들을 개축하고 있다. 중앙청 앞의 거리에 있는 여러 큰 오피스 빌딩 중 하나가 수리되고 있다. 그러나 나머지 서울의 대부분은 손도 대지 못한 채 그대로 남아 있다.

강우량이 많고 비료도 원활히 공급되고 있어서 금년 농사는 풍년이 들 것으로 예상된다. 다른 물가는 올라가도 쌀값은 안정되고 있고 원화 화폐 유통량이 지속적으로 증가하고 있다. 요약하자면, 전반적인 문제는 과거와 큰 차이가 없다 하겠다. 현 내각은 가장 우수한 내각 중 하나로 보이고 점차 행정기술도 잘 습득해 가고 있다.

휴전 조건이 최종적으로 어떤 모습이 될지에 대한 불확실성이 계속 남아 있고, 휴전 합의에 도달하려면 유엔군 측이 이승만과 로버트슨 사이에 이루어진 합의 일부를 거부해야 할 가능성이 실제로 대두되는 가운데 덜레스 미국 국무장관이 상호이해를 위해 이 대통령과 회담할 것을 제안하였다.

이견이 남아 있는 문제는 회담 장소뿐이었다. 덜레스는 태평양 상의 한 섬에서 만나기를 원했다. 그럼으로써 덜레스는 도쿄와 타이완 방문을 피하고 일본이나 중국 문제를 논의하는 것을 피하고자 하였던 것이다. 이승만은 회담 장소로 한국의 진해를 원하였다. 긴장상황이 계속되고 있는 한국을 떠나지 않는 것이 현명하리라고 생각했을 뿐만 아니라 미국 국무부 장관을 자신의 홈그라운드로 오도록 하는 것이 의전상으로도 더 적절하다고 생각하였기 때문이다.

우리가 당장 결정해야 할 것은 이 대통령이 회담을 위해 무엇을 준비해야 할 것인가와 누가 그를 수행해야 할 것인가라는 문제였다. 이것은 예상치 못하게 골치 아픈 문제가 되었는데, 여기에는 나의 오랜 앙숙인 해럴드 노블이 관련되어 있었다.

내가 해럴드 노블(Harold Noble) 교수를 처음 만난 것은 1932~33년 겨울이었다. 당시 그는 오리건대학교 역사학 교수로서 매년 여름에 한국을 방문하여 미국인들에게 거의 전혀 알려지지 않았던 이 작은 나라에 관해 많은 것을 알고 있어서 지역에서는 상당한 명망을 얻고 있었다.

당시 나는 수사학과의 조교로 있으면서 영문학 석사과정을 밟고 있었다. 대학교의 교수진에게는 레크리에이션과 운동을 위해 1주일에 두 번인가 세 번 체육관 시설의 이용이 허용되어 있었다. 나의 학과 학과장인 존 캐스틸이 함께 배구를 하자고 그의 그룹에 나를 초대하였다. 아무런 부담이 없는 게임이었다. 팀원들은 자발적으로 모인 사람들이고 사람들이 나타나는 대로 팀을 구성하여 경기를 하였다. 리그전도 아니고 일정이나 조직적인 경쟁 같은 것도 없었다. 단지 1주일에 두 번씩 편안하고 부담 없이 90분 동안 운동을 하는 자리였다.

나는 경기에 참가하는 유일한 대학원생이었다. 다른 모든 교수들은 내가 교수가 아니라는 점에 대해 따지거나 생각도 하지 않고 나의 참여를 당연한 것으로 받아들였다. 단 한 사람 해럴드 노블만 그렇지 않았다. 그는 공개적으로 내가 건방지게 교수들과 어울린다고 비웃고 기회만 있으면 나에 대한 험담을 입에 담는 것을 잊지 않았다. 그는 학자일지는 몰라도 신사는 못 된다는 것이 나의 생각이었다.

그 후에 다시 그와 마주치게 된 것은 1948년 봄이었다. 그는 하지 장군 참모들의 국무부 "자문관"으로 한국에 나타났고, 제7장에서 언급한 바와 같이, 사실과 달리 한국에서의 선거에 대한 유엔의 계획을 이승만이 고집스럽게 반대한다고 미국과 프랑스 신문 기자들이 믿도록 유도하여 이 박사의 입장을 어렵게 만들었다.

그 후에도 한국 선거 결과를 검토하기 위해 1948년 말 파리에서 유엔 총회가 개최되었을 때 이승만에게 한국 대표단과 함께 나를 파리로 파견하지 않도록 강력히 촉구하였다. 유엔 회의 기간 중 그는 나와 만날 기회만 있으면 보란 듯이 나를 무시하였다. 그런 그의 행태 중 하나는 한국 대표단을 다른 대표단이나 관련 인사들에게 소개를 하면서 나만 쏙 빼놓는 식이었다. 또는 양 대표단이 함께 오찬을 하자고 제안하면서 역시 나를 제외시키곤 하였다. 한편으로는 한국 대표단장인 장면(張勉)과 자주 어울리면서 나의 도움을 받지 말고 내가 제공하는 모든 조언이나 논평을 무시하도록 설득하려고 했다. 나는 해럴드 노블을 알게 될수록 점점 더 그가 싫어졌다. 서로를 싫어한다는 이런 측면이 둘의 유일한 공통점이었다.

이제 최종적으로 합의된 회담장소인 서울의 경무대로 덜레스 국무장관이 이 대통령을 방문하려고 하는 이러한 중차대한 시점인 1953년 7월 중순에 해럴드 노블이 그 자리에 등장하여 다시 한 번 활약하게 된다. 덜레스가 도착하기 전 일요일 오후 내가 작성한 메모에는 이런 글이 있다:

정나미 떨어지는 노블 박사가 이틀 전에 한국에 도착하여 오늘 오후에 작별인사를 하러 대통령을 예방하였다. 나는 프란체스카 여사와 함께 노블을 단 5분 동안 만났다. 그는 내가 지시받은 공식적 방침이라면 무엇이건 충실하게 그대로 반복해서 유포하는 선전원에 지나지 않는다면서 그 짧은 시간을 온통 나를 모욕하는 데 다 보냈다. 나는 속이 부글부글 끓어올랐지만 예의를 지키고 있다가 곧 자리를 떴다.…

그런데 이 박사가 오늘 아침 회의에서 노블이 고맙게도 한국 체류

기간을 연장하고 덜레스와의 회담에 동석해 주는 데 동의했다는 것과, 노블은 외교문제에 대한 식견이 탁월한 훌륭한 사람이며 나와 노블이 모두 회담에 동석해 주기를 원한다고 말하는 것이 아닌가. 그 순간의 내 기분이 어떠했는지는 말로 표현할 수 없었다.

나는 반대의사를 표하고 각하께서 어느 쪽을 택하든지 나와 노블 중 한 사람만 동석해야 한다고 말했다. 대통령은 내 말은 무시한 채 아이젠하워 앞으로 보내도록 노블이 대통령을 위해 초안을 작성한 6페이지짜리 서한을 집어 들고 읽어 내려갔다. 그 어투가 모욕적이랄 것까지는 아니더라도 도발적이었고, 이미 결정된 사안을 다루었으며, 그 중 일부는 본질에서 벗어난 것이고, 전체적으로 현재 상황과 전혀 맞지 않는 내용으로 되어 있었다. 노블은 실제로 유능한 사나이였기 때문에 이런 서한을 초안하게 된 것은 지난 몇 주일 동안 격렬히 진행된 협상의 내용을 잘 모르는 것이 원인이었다. 이유가 무엇이든, 편지 내용에 문제가 있어서 모든 사람이 반대하였고 결국 폐기되었다.

나는 조금 전에 했던 "요구"를 반복하였다. 덜레스와 회담할 때 대통령이 원한다면 노블을 동석시키는 것은 좋지만 그럴 경우 나는 빠지겠다는 것이었다. 그 자리에 있던 사람들은 모두 내가 동석하고 노블이 빠져야 한다고 주장하였다. 그러자 대통령이 말했다: "그렇다면 올리버 박사는 덜레스와의 회담이 끝날 때까지 꼭 나와 함께 있을 것을 약속해 주어야 하오." 나는 동의하였다. 지금의 전망으로 회담은 2, 3일이면 끝날 것이고 회담 자체가 곧 열릴 예정이기 때문이었다.

7월 22일, 브릭스 대사가 아이젠하워 대통령의 중요한 메시지를 가져왔다. 미국은 7월 10일에서 7월 20일까지 대한민국 대표를 제외하고 열린 판문점 회담의 일련의 "고위급 회담" 기간 중에 공산 측이 제시한 10개 항의 추가 요구의 핵심 사항을 수락하려 한다는 내용이었다. 이 대통령은 요구사항의 사본이 경무대 대통령 집무실로 급히 전달된 7월 20일 오후에서야 이러한 공산 측의 요구에 대해 알게 되었다.

요구사항 목록이 도착했을 때 마침 나는 대통령과 함께 있었다. 그는 그것을 읽으면서 분노로 끓어올랐다. 그 중 몇 가지는 이승만과 로버트슨에 의해 합의된 양해사항에 어긋나는 내용이었다. 이 대통령은 공산 측의 요구를 강력히 비난하는 성명서를 나에게 주면서 공개 발표할 수 있는 형식으로 정리해 줄 것을 부탁하였다. 그리고는 이 성명을 신문에 발표할 뿐 아니라 라디오 방송을 위해 녹음까지 하였다. 공산 측 제안의 전반적 분위기는 최종 항목 하나만 보아도 알 수 있다. 유엔 위원단은 휴전 조항이 서명되는 동안 "이승만이나 장세스(蔣介石)의 측근 인물이 회담장에 접근하지 못하도록 해야 한다"는 것이었다.

이 무렵 휴전협정이 체결된다는 것은 확실시되고 있었다. 공산 측은 휴전을 열망한 나머지 이 대통령의 반공포로 석방에 대해 상투적인 비난만을 퍼붓다가 받아들이고 말았다. 아이젠하워 대통령은 기본적으로 공산 측의 조건을 수락하기로 확고히 결정을 내린 상태였다. 아이젠하워는 이미 6월 6일에 이 대통령에게 서한을 보내 휴전이 이루어지더라도 대한민국은 "침략이 있기 전에 대한민국이 통치하던 것과 실질적으로 동일한 영토"를 보유하도록 휴전 조건에 들어가게 될 것이라고 말한 바 있다. 그는 미국은 계속해서 한국의 통일을 약속할 것이지만 전쟁에 의한 이러한 목표의 달성을 추구하지는 않을 것이라고 덧붙였다. 7월 30일, 나는 우리가 경무대에서 바라본 현 상황에 대해서 메모에 기록하였다:

요즘 이 대통령은 기분이 "우울한(down)" 상태이다. 그는 협상에서 너무 많이 양보하지 않았는지, 한국이 다가오는 정치회담에서 좋은 결과를 얻어낼 수 있을지를 걱정하고 있다. 대통령이 덜레스가 이끄는 미국 대표단과 회담하는 동안 그의 기분과 태도가 좋은 상태를 유지하는 것이 중요하다고 생각한다. 그는 회담 때에 맞춰서 회복될 것으로 나는 확신한다.

또한 회담은 아주 순탄하게만 진행되지는 않을 것이다. 한국은 미국과, 특히 "극동의 민주주의 전시장"으로 만들기 위한 예정된 프로그램 때문에 아주 좋은 "거래"를 하고 있다고 덜레스는 생각하였다. 이승만의 의견은 분단상태가 유지되는 한 이러한 것은 별로 중요하지 않다는 것이다. 그러므로 덜레스는 이승만이 감사할 줄 모르는 사람이라고 생각할 것이고, 두 사람은 서로 상대가 비현실적이라고 판단할 것이다. 그러나 다소 날카로운 의견차이가 나타나더라도 회담은 전체적으로 진실성이 유지되리라고 생각한다.

물론 서울의 미국 대사관에서도 착착 준비가 진행되고 있었다. 7월 30일, 나는 이승만-덜레스 회담의 전망에 관한 견해와 감상에 대한 대화를 나누기 위해 대사관으로 와 달라는 초대를 받았다. 나의 메모에는 주된 쟁점 사항이 아래와 같이 기록되어 있다:

오늘 아침 브릭스 대사와 한 시간 동안 그리고 칼훈 참사관과 5분 동안 대화를 나눴다. 양쪽 모두 우호적 분위기였다. 브릭스와 칼훈 두 사람은 모두 내가 이 대통령과 하고 있는 일이 모든 의미에서 적절한 것이라고 강조하였다. 그것은 내가 이 대통령의 정책을 가능한 최선의 형태로 가장 보기 좋게 제시할 수 있도록 내가 돕는 것은 전적으로 옳은 일이고, 또한 건전한 애국심을 가진 미국인이 이 대통령과 긴밀한 관계를 유지함으로써 미국에 크게 도움이 된다는 것이었다. 확신하건대, 브릭스는 "지시를 받고" 나에게 그런 말을 한 것이고, 또한 나와 〈코리안 퍼시픽 프레스〉에 대한 국무부의 시각을 반영한 것이었다.

브릭스에 의하면, 미국 국무부는 자신의 "양보"에 대해 한국 국민들에게 "해명"한 이틀 전 이 대통령의 언론 발표에 극히 부정적인 견해를 갖고 있었다. 발표문은 이 대통령이 직접 작성하였고 그는 나의 수정 제안을 거부했기 때문에 나는 발표문에 거의 영향을 미칠 수 없었다. 이 대통령은 물론 국민들이 그가 "소신을 굽혔다"고 받아들일까봐 걱정하고 있었다. 따라서 그는 미국으로부터 제시받은 "굳은 약속"을 강조하면서 거기에는 또한 덜레스를 곤혹스럽게 만들려는 의도도 있었다고 생각한다.

국무부는 굳게 약속했다는 것에 대한 이 대통령의 말을 공식적으로 부인하는 성명을 발표할 생각은 없지만, 정치회담이 실패로 돌아가는 경우에 전쟁을 계속하거나 재개하기로 미국과 유엔이 약속했다는 대통령의 주장을 그대로 내버려둘 수는 없다고 브릭스는 말했다.

이 대통령이 휴전을 비난하는 성명을 발표한 사실 자체는 로버트슨과의 약속을 위반한 것이었다. 그러나 이 대통령의 입장에서는 미국이 판문점에서 끝까지 버틸 것이라고 로버트슨이 자신에게 보장했던 입장으로부터 미국이 후퇴했다는 증거가 명백하기 때문에 충분히 정당화된다고 생각하였다.

아이젠하워는 미국이 대외공약을 지키지 않았다는 이승만의 공격에 격노하였다. 브릭스 대사는 나에게 부드러웠으나 강경한 어조로 말했다. 이승만이 미국의 최고 정책결정자들의 명예에 의문을 제기하는 것은 한 마디로 도저히 용납할 수 없다는 것이었다. 아무리 속이 상하더라도 이승만은 미국이 한 약속의 신뢰성을 세계를 상대로 왜곡되게 전해서는 안 되고 또 그렇게 할 수도 없다고 하였다. 나는 최선을 다해 이 대통령이 무엇을 말하고자 했고, 어째서 그런 식의 표현을 쓰게 되었는지를 해명하려고 애를 썼다:

　미국에 대한 이승만의 솔직한 생각을 덜레스에게 알려야 한다고 나는 브릭스에게 말했다. 즉 미국이 '도의적, 물질적 지원'조차 삼가 왔음을 잘 알고 있기 때문에, 그 어떤 구두상의 약속이 아니라 상황의 본질적 성격에 의해 어쩔 수 없이 미국이 약속을 하고 있다는 이승만의 생각이 전달되어야 한다고 말했다.

　이승만이 생각하듯이, 미국과 유엔은 공산침략을 격퇴시키기로 했다가 그렇게 하지 못했다. 미국과 유엔은 그 목표가 확고하게 재확인되어온 통일이라는 근본적 목적을 협상에 의해 달성하고자 전쟁 자체를 중단하였다. 만약 이러한 목적이 협상을 통해 달성되지 못한다면 미국과 유엔은 목적의 달성을 위해 전쟁을 하기로 약속한 바 있었다. 만약 전쟁을 하지 않는다면 아시아 각국과 전 세계는 목적 달성의 실패를 공산주의 공격에 부딪쳐서 비굴하게 굴복한 것으로 간주할 것이기 때문이다.

　이승만은 마음속으로 이것이 진정한 현실이고, 한국 통일의 실패는 공산 제국주의를 고무시키고 그에 따라 세계대전의 위험이 가중된다는 것을 너무나 확신하고 있다. 이승만의 눈에도 보이는 엄연한 사실을 미국 국무부가 보지 못하거나 외면하려고 한다는 것을 이승만은 도무지 이해할 수가 없었던 것이다. 이러한 의미에서 그는 전쟁 재개에 대해 구두로 약속한 사실이 존재하지 않는 것을 알면서도 그러한 '언약'에 대해 언급하고 있는 것이다.

　나는 대통령이 그러한 용어들을 사용하지 않도록 설득하려고 하였으나 그의 생각은 덜레스와의 회담에 앞서서 이러한 시각을 공표함으로서 얻을 것이 훨씬 더 많다고 판단하였다. 이번 회담은 아주 빡빡한 회담이 될 것으로 예상되었다.

　덜레스는 이미 결정된 바와 같이 한국을 "아시아 민주주의의 전시장"으로 만들기 위해 남한을 신속하고도 철저히 복구하는 것이 근본적으로 아시아 전체에 영향을 미치고 아시아 각국으로 하여금 공산주의를 포기하도록 할 것이라는 국무부의 견해를 주장할 것이다. 브릭스가 나에게 그런 말을 했을 때 나는 그에게, 아시아인들은 이미 확고히 공산주의에 반대할 만큼 하고 있으므로, 남한이 지상낙원이 된다고 하더라도 아시아인들은 이 이상 공산주의에 반대할 수 없다는 것이 이승만의 응답일 것이라고 말했다. 그들에게 스스로 선택할 권리를 준다면 투표를 통해 중국을 비롯해서 공산당이 현재 장악하고 있는 다른 모든 국가에서도 공산주의는 쫓겨날 것이다. 브릭스는 자신이 3년 동안 머물렀던 체코슬로바키아의 경우도 마찬가지였다고 동의하였다.

오늘날의 모든 문제는 군사적이라는 이승만의 시각을 나는 브릭스에게 말했다. 다시 말해서, 자유세계가 공산주의를 격퇴하기 위해 싸울 것이냐 싸우지 않을 것이냐, 라는 문제이다. 싸우지 않을 것이라고 아시아인들이 판단한다면 그들은 공산주의에 굴복하는 것 이외에는 선택이 있을 수 없다.

또한 이승만이 북한에 대해 남한 국민을 "자살적" 공격으로 이끌겠다고 말한 것은 정말로 그렇게 하겠다는 그의 진심임을 브릭스 자신이나 덜레스는 이해해야 할 것이라고 브릭스에게 말했다. 이승만의 소신은 만약 남한이 "끝까지 싸운다면" 소련과의 불가피한 타협이 이루어 질 것이고, 그에 뒤이어 경계선이 새로 그어질 때 한국은 통일된 자유국가로 복원될 것이라는 것이다. 그러나 남한이 분단 상태로 "매수되어" 버린다면 국민들은 점차적으로 독립과 저항정신을 상실하고 공산당과 함께 하기로 결정할 수도 있을 것이다. 어떤 경우든 국민들은 남의 도움이나 바라는 의존심리가 커져서 나중에 경계선을 새로 그을 때 한국은 차라리 도로 일본의 통치 밑으로 들어가는 것이 자연스럽게 보일지도 모른다.

브릭스는 이러한 관점이 (1) 한국 국민을 과소평가하는 것으로, 그들은 그가 보아온 국민 중 가장 억세고 체코 국민들보다 훨씬 우수한 민족이며, (2) 이미 미국과 유엔에 의해 제시된 한국 독립에 대한 약속을 과소평가하는 것이라고 답변하였다.

브릭스는 자신의 요구에 즉시 한일 간의 외교적 문제를 타결할 것을 추가하면서, 내년이나 5년 뒤보다는 지금이 더 쉬울 것이라고 말했다. 이전의 맥아더 라인인 "클라크 라인(Clark Line: 이전의 맥아더 라인)"은 더 이상 유지될 수 없고, 그렇게 되면 "이승만 라인(평화선)"[121]을 둘러싼 분쟁은 더 격화될 것이라고 말했다. 이승만은 일본과의 타결을 이루기 위해 모든 노력을 기울이고 있지만 일본이 타협하려 하지 않는다고 정말로 믿고 있음을 나는 브릭스 대사에게 말했다. 한일 양국은 어느 쪽도 자국민이 정치적인 패배라고 해석하게 될 타결을 감히 받아들일 수 없는 상황이다. 여기에는 브릭스도 동의하고 이것은 "정말로 문제"라고 하면서 그대로 덮어두기로 하였다.

존 포스터 덜레스 국무장관은 한·미 상호 방위조약의 세부사항을 작성하기 위해 한국 관리들과 작업할 상당한 규모의 자문관 대표단과 함께 8월 5일 한국에 도착하였다. 이 문제에 대해서는 사소한 이견만이 있었고 심각한 내용은 아무것도 없었으며, 협상 분위기는 정중하고 유쾌하기조차 하였다. 이승만과 덜레스 간에 몇 차례의 중대한 회담이 이어졌는데 주로 한국의 통일문제에 대한 미국 공약의 성격에 관한 것이었다. 이에 관해 나는 다음과 같이 상세한 메모를 기록하였다:

이곳에서의 나의 입장은 "애매모호"하다. 한국 정부에 고용된 미국인으로서 나는 대표단의 일원이 아니다. 그러므로 나일스 본드와 같은 다른 "하급" 관리들이 회의에 참석할 때 나는 회의장 밖에 있어야

---

121) 어업 수역을 분리시킬 의도로 한국과 일본 사이 중간에 그어진 경계선.

하고 "눈에도 띄지 않아야" 한다. 어제 저녁에는 고위 대표단을 위한 경무대 만찬이 있었는데 나는 물론 초대받지 못했다.… 오늘 아침에는 이 대통령과 편안하게 담소를 나누고 있었지만 미국 대표단이 도착하자 나는 꺼져야 했다. 그 전에 한 시간 동안 조약 본문을 검토하면서 몇 가지 조언도 하였다.

오전 10시부터 11시까지 전체 대표단이 회의를 끝낸 다음, 이승만과 덜레스가 잠시 동안 사적인 대화를 가질 수 있었다.… 정문의 경찰 초소까지 걸어 내려가 차를 타고 막 떠날 준비를 하는데 경무대에서 나를 찾는다는 전갈이 왔다.

경무대에 도착하니 대통령과 덜레스 장관이 나를 기다리고 있었다. 대통령이 나를 소개하자 덜레스 장관은 매우 정중하게 나를 대해 주었다. 그는 꼭 호의적인 것 같지는 않았지만 약간 놀란 듯한 표정을 지으며 오래 전부터 나에 대해 많은 이야기들을 들어왔다고 하면서 만나서 아주 반갑다고 하였다. 그러더니 내가 이곳에서 이승만 박사와 일하고 있는 것을 기쁘게 생각하고 이 대통령이 나에 대해 깊은 신뢰감을 갖고 있는 것을 매우 중요하게 평가한다고 말했다. 그는 또 내가 앞으로의 정치 회담에 참석해주면 크게 도움이 될 것이라고 말하고 그러한 목적을 위해 내가 일할 수 있게 허용해 달라고 "밀턴 아이크"에게 부탁하겠노라고 하였다. 그러더니 펜실베이니아 주립대학교에서 무엇을 강의하였느냐고 물었고, 내가 "수사학(修辭學: Speech)"이라고 대답하자 웃었다.…내가 이 대통령과 덜레스 장관과 함께 나눈 대화는 5분 정도 계속되었다.

덜레스는 이승만 박사를 향해 능청스러운 웃음을 띠며 말했다: "최근에 내가 각하의 친구인 네루 수상을 만난 것을 알고 계시지요?"

이 박사는 엷게 웃으며 전혀 아니라는 몸짓을 하면서 말했다: "친구라니요!"

덜레스가 말했다: "그때 네루 수상이 나를 보고 말하더군요: '이 대통령을 자제시키는 게 좋을 것이오.' 그래서 내가 말했지요: '나는 이 대통령에게 이래라저래라 할 수가 없음을 수상께서도 아시잖아요?' 그러자 네루가 날카롭게 응수하더군요: '말도 안 되는 소리 마시오! 이 대통령은 장관께서 요구하는 것이라면 무슨 일이든 하리라는 것을 장관도 아시잖소.' 그래서 제가 대답했지요: '수상께서는 이 박사가 어떤 사람인지 잘 모르시는군요.'"

그리고는 덜레스와 이 박사는 같이 웃었다.

덜레스는 그 다음에 네루에게 정색을 하고 이렇게 물었다고 한다. "자, 그렇다면 수상께서는 미국이 아시아 각국을 어떻게 다루어나가기를 원하십니까? 괴뢰처럼 취급할까요?"

내가 덜레스에게 물었다. "네루 수상이 무어라고 답변하던가요?"

덜레스가 대답했다. "재빨리 말머리를 돌립디다."

그런 다음 덜레스는 나에게 매우 진지하게 말했다: "미국은 지금 한국과 세계의 여타 각국과의 관계를 새로운 토대위에 정립하려고 노력하고 있습니다. 아시다시피 이제까지 우리는 언제나 일부 강대국들 몇몇과 만나 한국에 관해 무엇을 할 것인가를 결정하고 그저 그 결정을 한국에 통보해 왔습니다. 이제는 더 이상 그렇게 하지 않으려고 합니다. 내 자신이 여기에 와 있다는 것 자체가 엄청나게 큰 의미가 있소. 강대국의 국무장관이 약소국의 대통령과 대화하고 강대국의 정책을 약소국의 정책과 조율하도록 노력하기 위해 지구를 반 바퀴나 돌아 움직인다는 것은 역사적으로 유례가 없는 일입니다. 우리가 여기에서 이러한 문제에 대해 내린 결정 자체는 크게 중요하지 않습니다. 중요한 것은 우리들이 한국에 왔다는 이 사실입니다."

이 대통령이 입을 열었다: "50년 만에 처음 있는 일이지요."

나는 덜레스의 말에 동조하면서 대통령의 말을 바로 잡았다: "역사상 처음 있는 일입니다."

그러고는 덜레스에게 말했다: "아이젠하워 대통령과 국무장관께서는 아시아를 상대하는 방법에 진정한 혁명을 일으키셨습니다. 그것은 아주 중요한 결과를 가져올 것입니다."

덜레스는 동의했다: "그렇습니다. 우리의 의도가 바로 그런 것입니다."

그리고 이렇게 덧붙였다: "많은 나라들이 이런 걸 좋아하지 않습니다. 그들은 이런 식의 회담을 두려워하고 그것이 실제로 열리는 것을 반대해 왔습니다."

(실은 오늘 아침에도 "영국의 한 공식 소식통"이 이승만–덜레스 회담을 비난하는 성명을 발표한 바가 있었다.)

나는 지체 없이 대답하였다: "나도 알고 있습니다. 그러나 아시아인들은 좋아하고 그 결과에 따라 많은 영향을 받을 것입니다."

그리고 이승만과 덜레스는 잔디밭으로 나가서 다른 사람들과 합류하였고, 나는 점심을 먹으러 그 자리를 떠났다. 기분이 좋았다.

그러나 그 "좋은 기분"은 오래 가지 않았다. 단 30분 만에 끝나고 말았다. 반도 호텔에 있던 나의 방으로 돌아오자마자 즐거움은 산산조각이 났다:

이 대통령이 전화를 걸어왔다. 분위기는 절망적인 것 같았다. 회의는 전체적으로 "완전실패"로 돌아갔고 "홀로 해나갈 길"밖에 없다고 말하였다. 미국이 한반도에서 공산당을 몰아내기 위한 공동의 싸움을 재개하는 데 동의하지 않는다면 모든 것을 상실할 것이고 나머지 것은 "겉치레"에 불과하다는 것이다. 대통령은 나에게 상호방위조약 본문을 검토하고 있는 회담에 참석하도록 요구하였다.

미국 대표단이 가지고 온 초안에는 이 대통령의 요구, 즉 한국과 그 주변에 미군의 주둔을 규정한 일본 평화조약 제1조의 내용과 같은 내용이 포함되어 있어야 한다는 요구가 반영되어 있지 않았다. 이 규정은 한국에 대한 공격이 곧 미군에 대한 공격을 의미하고 "자동적이고 즉각적으로" 전쟁에 개입한다는 것을 뜻하는 것으로, 이승만은 상호방위조약 초안에도 반드시 즉각적이고 자동적인 전쟁의 약속이 포함되어야 한다고 주장했다. 그러나 미국 대표단의 주장에 의하면, 이것은 의회만이 전쟁을 선포할 수 있다는 헌법 규정의 위반이므로 절대로 불가하다고 했다.

나는 변영태(卞榮泰), 임병직(林炳稷), 김용식(金溶植)과 함께 이 문제에 대해 미국 측과 2시간이나 논쟁을 벌이다가 결국 그들의 말이 옳다는 것을 받아들였다. 우리는 미국 측의 약속을 강조하는 2개의 단어를 추가시키는 정도에서 만족하였다. 그리고는 의회 인준 전이라도 즉각적인 효과를 발휘할 수 있도록 이승만과 덜레스가 초안에 서명을 하기로 합의하였고, 이 또한 만족스럽게 생각하였다.

우리는 함께 경무대로 돌아와서 우리 대표단의 대변인으로 뽑힌 내가 대통령에게 우리의 노력이 성공적으로 마무리되었다고 말하고 계속해서 조약의 보장에 관해 그를 확신시켰다. 그는 냉랭하게 듣고만 있더니 이렇게 질문했다: "조약에 미국이 북한에서 공산당을 몰아내기 위해 군사행동을 할 수 있는 보장이 되어 있소?"

우리는 그렇지 않다고 말하고, 그것은 불가능한 일이라고 대답하였다. 대통령의 노기가 폭발하였다. 우리 모두가 실패했다고 하면서 그러한 조항이 없는 조약은 아무 쓸모가 없다고 말했다.

변영태는 조선호텔에서 칵테일파티를 주관해야 했기 때문에 자리를 떠났다. 김용식과 나는 이승만을 설득하기 위해 최선을 다했지만 잘되지 않았다. 대통령이 귀를 기울이려고 하지 않는 것이었다. 임병직은 완전히 대통령의 편을 들어 우리가 그런 합의를 얻기 위해 지금까지 노력한 것은 아니었다고 하면서 그것은 '절대적으로 필요한' 조항이라고 주장했다.

결말 : 대통령은 우리에게 다시 회의를 소집하고 그가 요구하는 조항을 삽입하도록 지시하였다. 덜레스가 그 조항을 수용하지 않을지라도 그것은 별개의 문제이고, 위원회는 반드시 합의문에 그것을 포함시키지 않으면 안 된다고 대통령은 말했다.

이러한 대통령과의 트러블은 곧바로 월터 로버트슨과의 문제로 확대되었다. 대통령과 헤어져서 나는 칵테일파티에 참석했다. 분위기는 화기애애했다:

파티에 도착하자마자 로버트슨을 불러내어 함께 조용한 곳으로 갔다. 나는, 만약 미국이 한국의 통일 시도를 전혀 지원하지 않고 오히려 이를 비난하겠다고 나온다면 세계인의 눈에 미국의 온갖 약속은 단순히 눈속임으로 보일 것이라는 것이 이 대통령의 판단이라고 말문을 열었다. 로버트슨이 말허리를 끊고 반론을 제기했다.

그는 내 말은 아랑곳 않고 격한 어조로 장황하게 루커스와 레스턴 두 기자와의 회견 기사와 미국 신문에 실린 "이승만, 모든 약속 저버렸다고 로버트슨 비난"이라는 제목의 기사에 대해 이야기했다.

나는 이승만이 그런 말을 한 적도 없고 그렇게 생각해본 적도 없다고 그의 말을 가로막고는, 오히려 7월 27일 휴전 서명에 앞서서 최종적인 미국의 입장을 천명한 7월 19일 판문점 회담에서의 해리슨 장군의 발표는 정말로 이승만–로버트슨 합의에 어긋나는 것이라는 사실을 지적하였다. 로버트슨은 이승만 대통령이 그 문제로 해서 난처해진 것에 대해 이 대통령을 비난하는 것이 아니라 자신이 약속을 깨뜨리는 사람으로 공개적으로 낙인찍히는 것에 대해 정말로 열을 받았노라고 말했다. 그는 이승만을 비난하는 강력한 성명서를 작성했지만 덜레스 장관이 발표하지 말도록 설득하더라고 하였다. 그는 비슷한 발표가 한 번만 더 반복되면 사표를 내더라도 성명서를 발표할 것이라고 말하였다.

로버트슨은 계속해서 자신은 실상 이승만을 진정으로 존경하고 좋아하게 되었고, 미국으로 돌아가서 지금까지 미국의 어떤 관리보다도 앞장서서 한국을 위해 싸울 용의를 가져 왔었다고 했다. 그러다가 짐 루커스의 신문기사가 "자기 맥을 끊었고" 꼼짝 못하게 만들었다고 덧붙였다. 그는 한 동안 이런 말을 계속했다.

이승만은 결코 그런 말을 한 적이 없다고 아무리 설득해도 소용이 없었다.

그런 연후에 로버트슨은 이렇게 말했다: "미국은 이 대통령에 대해 참을 만큼 참았습니다. 꼭 '홀로 해나기'를 원한다면 그건 그의 권한이에요. 그것이 정말로 그가 원하는 것이라면 세계의 친구 하나 없이 어떤 종류의 군사적, 경제적 또는 정치적 지원도 받지 못하고 정말로 외톨이가 될 것입니다. 이러한 비합리적인 요구를 중단하지 않으면 안 됩니다."

로버트슨은 나에게는 아주 우호적이었고 내가 처한 입장도 이해한다고 말했다: "그렇지만 제발 가능하다면 이 대통령에게 이성으로 돌아가도록 충고해 주시오."

다음날 오후, 나는 이승만과 덜레스가 발표할 공동성명서를 작성하여 대통령의 검토를 받으려고 경무대로 가져갔다. 그는 그날 오전 회의 때와 다름없는 기분으로 나를 맞았다: "올리버 박사, 우리가 통일을 달성해야 한다고 아무리 참을성을 갖고 반복, 또 반복해도 박사는 이해하지 못하시오. 다른 모든 것들은 조금도 중요하지 않습니다." 그때 공동성명서 본문으로 준비된 내용을 대통령에게 내밀었다.

아래 메모는 바로 그 직후에 작성된 것이다:

그것을 읽어보더니 대통령의 두 눈이 반짝였다: "이건 괜찮군. 그
런데 덜레스가 동의할까?" 나는 잘 모르겠다고 말하고 그러나 적어도
거기에는 덜레스와 로버트슨이 이미 동의하지 않은 내용은 하나도 포
함되어 있지 않다고 대답했다. 나는 대통령에게 덜레스가 전략적 이유
로 그것을 공개 성명서로 하는 데 동의하지 않을지도 모르겠다고 말했
다. 이승만은 덜레스가 서명하기만 하면 공개 여부에는 개의치 않겠다
고 대답하였다.

8월 7일 오후, 이 대통령과 덜레스는 세 번째이자 마지막 회담을 가졌
다. 덜레스는 공동성명문을 위한 자신의 초안을 가져왔다. 나는 합의에
도달하기 위한 마지막 노력을 위해 이 두 사람과 자리를 함께 하게 되었
다. 당시 내 메모에 의하면 "그때까지 겪었던 어느 때보다 신경쇠약 직
전의 상태까지 갔다." 합의는 불가능해 보였다. 나는 사표를 쓰고 다음
비행기로 고향에 돌아갈 궁리를 하였다. 회담은 전쟁의 기본적 성격에 관
해 한·미 간의 이견을 모두 드러낸 드라마의 하이라이트였다.

상황의 밑바닥에는 슬픔과 아이러니가 깔려 있었다. 세계의 모든 정치
인들 중에 이 두 사람은 공산주의 위협의 성격과 그것에 대한 대처 방법
에 대해 가장 강력하게 기본적인 인식을 함께 하고 있었기 때문이다. 두
사람 모두 도박사의 본능을 가진 용기 있는 사나이들이고, 덜레스의 표현
에 의하면, 실제로 선전포고를 하지 않고 소련으로부터 얻을 수 있는 것
을 모두 얻어내기 위해 "벼랑 끝 작전(brinkmanship)'에 기꺼이 뛰어들 사
람들이었다. 기질 면에서 두 사람은 아주 비슷하였다. 이제 두 사람은 자
신이 맡도록 운명지어진 역할에 대해 엄청난 긴장감을 보이고 있었다. 덜
레스의 왼쪽 눈이 자주 경련을 일으켰고 얼굴은 피로로 지쳐 있었는데,
이 피로는 자신이 전적으로 수용할 수 없는 정책을 옹호해야 한다는 의무

감으로 더욱 심해졌을 것이다.

멀리 워싱턴에서는 한국에 파병한 17개국의 회의가 열리고 있었다. 덜레스는 이들이 채택하고 아이젠하워 대통령이 뒷받침하는 정책을 밀어붙이기 위한 도구였다. 이러한 종류의 타협은 덜레스의 취향에 맞지 않았고, 그 점에 관한 한 이승만도 마찬가지였다. 어느 쪽도 자신이 처한 상황을 피해갈 수는 없었다.

회의가 시작되자 덜레스가 입을 열었다: "대통령 각하, 우리가 도달한 결론에 각하가 동의해 주시기를 희망합니다."

대통령이 대답했다: "장관께서는 내 뜻을 알고 계실 것이오. 그 점에 대해 논의합시다."

덜레스가 대답했다: "논의할 것이 없습니다. 유엔 각국은 우리가 취할 입장을 결정하였고, 이것을 바꿀 수는 없습니다."

대통령은 자리에서 벌떡 일어나 노기 띤 어조로 말했다: "그렇다면 장관께서는 왜 오셨소? 나와 조건을 논의할 의도가 아니라면 한국에 오실 필요가 없었습니다. 그런 조건들은 전문으로 보낼 수도 있었을 것이 아니요."

덜레스는 회유적인 말로 이렇게 대답했다: "각하를 무시하려는 것이 아닙니다. 우리가 원하는 것은 휴전에 대한 각하의 승인입니다. 그래서 제가 온 것입니다. 각하의 승인을 받으려고 말입니다."

잠시 침묵이 흐른 뒤 덜레스는 미국뿐만 아니라 유엔도 한국 자신의 민주적이고 독립적인 정부 아래 한국을 통일해야 한다는 목표를 전적으로 지원한다고 말을 이었다: "우리 목표는 정확히 각하의 목표와 같습니다. 유일한 차이는, 각하께서는 그것을 전쟁에 의해 달성하기를 원하고 우리는 평화적 수단에 의해 달성하기를 바란다는 것뿐입니다. 어째서 우리가 계속 싸워야 한다고 고집하십니까?"

이 대통령은 침착하게 대답했다: "장관의 견해에 전적으로 동의합니다. 이 전쟁으로 한국만큼 큰 고통을 당한 나라도 없고, 평화적으로 우리 목표가 달성될 수 있다면 한국 국민보다 더 기뻐할 국민도 없을 것이오. 장관께 묻고 싶은 단 하나의 질문은 이것이오. 만약 평화적 협상에 의해 공동의 목적을 달성할 수 없을 경우, 그 다음은 어떻게 되는 것이지요?"

"그 다음은 어떻게?"라는 이 질문이 최종적 이견(異見)의 핵심이었고, 어느 쪽도 피할 수도 없고 가능한 해법도 없는 위기의 국면이었다. 유엔과 미국은 한반도에서 공산당을 몰아내기 위해 단순히 전쟁을 지속할 수 있는 입장이 못 되었다. 그들이 합의한 해결책은 "평화적 수단에 의해" 이러한 목표를 달성할 목적으로 공산주의자들과 평화회담을 개최해야 한다는 것이었다.

이러한 견해에 대해 이 대통령은 조소를 감추지 않았다: "장관께서 전쟁으로 얻을 수 없던 것을 어떻게 공산주의자들이 협상 테이블에서 장관께 드릴 수 있다고 기대할 수 있단 말이오?"

이 질문에 덜레스는 대답하지 못했다.

그러자 대통령은 마지막 카드를 던졌다: "만약 90일 이내에 정치적 방법에 의해 우리의 공동목적을 달성하는 데 실패한다면 장관께서는 미국이 전투를 재개하는 데 동의하시겠소?"

덜레스는 자기에겐 동의할 권한이 없다고 말했다. 그러자 대통령이 물었다: "그렇다면 정치회담이 실패로 돌아가면 어떻게 하시겠소?"

덜레스는 굽히지 않았다: "우리는 실패시키지 않을 작정입니다. 실패란 미국적 방식이 아닙니다. 우리는 목표가 달성될 때까지 평화적 수단을 밀고 나갈 것입니다."

회담은 족히 한 시간 넘어 계속되었다. 때로는 긴 침묵의 시간이 계속되는 가운데 어느 한 쪽이 창가로 걸어가 밖을 내다보곤 하였다. 마치 더이상 할 말이 없다는 것을 알고 있다는 듯이. 두 사람에 대한 나의 존경심이 높았다. 두 사람에게는 피할 수 없는 역할이 강요되는 상황이었다. 그들은 탈출구가 없는 딜레마에 빠져 있었다. 두 사람 모두 삶의 일부로 안고 살아야 하는 것이 실패라는 것을 깨달았다. 합의가 불가능했기 때문에 공동성명서는 발표하지 않기로 결정되었다. 이승만은 성명서에 서명은 할 수 없었지만 휴전을 "방해하지 않기로" 동의하였다. 두 사람은 우호적으로, 상호존경의 마음을 품고 헤어졌다.

이 대통령은 8월 10일 휴전에 관한 다음과 같은 자신의 성명서를 발표하였다:

> 본인은 휴전이 더 큰 전쟁, 더 많은 고통과 파탄, 전쟁과 파괴 행위에 의한 더 심한 공산주의 창궐의 전주곡이 될 것이라는 확신이 있기 때문에 휴전협정의 서명에 반대하였습니다.
>
> 이제 휴전이 체결되었으니 휴전의 악영향에 대한 본인의 판단이 잘못된 것임이 밝혀지기를 기도합니다. 우리는 정치회담을 통해 우리나라의 해방과 통일문제의 평화적 해결을 위한 여러 시도를 하는 동안 휴전을 방해해서는 안 될 것입니다.
>
> 미국과의 양해 사항을 통해 양국의 이해관계 지역에서의 방위를 유지하는 데 두 나라의 효과적인 협력이 보장되어 있습니다.
>
> 남한의 복구는 신속하고도 효과적으로 진행될 것입니다. 공산당도 북한을 위해 우리와 같은 노력을 기울일까요? 한동안 공산 독재 하에 남아있을 고통받는 동포들에게 우리는 이렇게 말합니다: "절망하지 마시오. 우리는 결코 여러분을 망각하지도 도외시하지도 않을 것입니다. 우리나라의 근본적 목표는 과거에 그랬던 것처럼 미래에도 그대로 유지될 것입니다. 그것은 북쪽의 우리 땅과 우리 동포를 되찾아야 한다는 것입니다."

그는 극단적으로 휴식이 필요하였고 대통령 별장이 있는 진해로 내려
가 혼자 조용한 시간을 가졌다. 나 역시 휴식이 필요해서 중부 펜실베이
니아의 "해피 밸리(Happy Valley)"라는 곳으로 돌아갔다. 전쟁은 끝이 났
다. 이제는 외교가 그 능력을 발휘해야 할 것이다.

미국의 끈질긴 반대를 이겨낸 나라 수호를 위한 대승리

▲ 이 대통령, 손원일 제독, 백두진 국무총리, 임병직 유엔 대사가 기타 한국 관리
들과 함께 지켜보고 있는 가운데 변영태 외무부 장관과 존 포스터 덜레스 국무
부 장관이 1953년 7월, 한미상호방위조약에 서명하고 있다.

제20장
외교에는 흙탕물이 있다(1954년)

2차 세계대전 전에는 전형적인 외교관 모습이라면 연미복과 줄무늬 바지를 입은 고고하고 세심한 성격의 신사로 묘사되었다. 존 포스터 덜레스와 헨리 키신저(Henry Kissinger)는 완전히 다른 외교관 유형을 대표한다. 손에는 서류가방을 들고 보통 사람이라면 이해하기도 어려운 문제를 전문적으로 처리하면서 이 나라의 수도에서 저 나라의 수도로 전전하는 유형이 그것이다.

한국전쟁이 휴전이 되고 대한민국은 구식 외교 전통과 새로운 유형의 외교 전통의 틈바구니에 서게 되었다. 냉전으로 서로 대치하고 있는 나라들의 관계에서는 옛날식의 품위 있는 외교관계는 거의 사라졌다. 냉정한 전문가적 효율이 설 자리도 별로 없었다. 이승만의 입장은 고급 포커판에 앉아 있는 도박사와 다름없었다. 손에 든 패가 한심할 정도로 좋지 않고 대담한 허세를 부려 보려고 해도 기회조차 거의 없는 도박사의 처지에 놓여 있었다.

남한의 관료들은 다만 국내문제를 다루는 방법을 고통스럽게 더듬거리며 겨우겨우 배워가고 있었다. 그들은 또한 최선을 다해서 국방에 걸맞는 군사력을 구축하기 위해 노력하고 있었다. 이제 판문점 휴전회담이 지나가고 난 뒤에 그들은 세계 외교의 중앙무대로 떠밀려 나갔다. 거기에는

V.M. 몰로토프(Molotov)와 저우언라이(周恩來)와 같은 외교적 음모의 대가들이 그들의 상대로 끼어 있었다.

이승만은 약자의 입장에서 국제관계의 게임을 해온 평생의 경험이 있었다. 강대국을 대표하는 외교관들은 무력에 의한 위협과 경제적 혜택의 약속을 적절히 섞어가며 그들의 목표를 추구하는 데 익숙해 있었다. 대한민국은 영향을 미치고 싶은 나라가 있어도 이들을 위협할 힘도 없었고 보상해 줄 능력도 없었다. 그렇다고 한국이 활용할 수 있는 충분한 국제적 우호관계를 다져놓은 것도 아니었다.

당시 세계의 일반적 정서는 "이승만으로부터 얻어낼 것은 다 얻어냈다"라는 것이었다. 이 대통령은 순전히 "공산주의자들에 대한 굴복"이라고 밖에는 판단되지 않는 판문점 휴전회담의 타결을 막기 위해 자신의 모든 용기와 능란함을 쏟아 부어 싸움을 벌여왔다. 자유세계 전체의 지도자들과 여론이 한결같이 전쟁에 지치고 질려서 조건에 관계없이 휴전을 환영하고 나서는 분위기 때문에, 그는 한국통일이라는 자신의 목표를 달성하는 데 실패하였다.

이승만은 그러나 부수적으로는 많은 것을 얻었다. 그는 오랫동안 원해왔던 상당한 대한민국 국방력 구축에 대한 승인과 물자 지원을 확보하였다. 그러나 군사적 전력은 공격용이 아니라 전적으로 방어용으로만 조심스럽게 구성되어 있었다. 그는 미국이 최초로 아시아 국가와의 방어조약 체결을 약속하도록 밀어붙였다. 그는 통일 한국정부 수립에 관한 유엔 결의안이 지켜지지 않았다는 사실을 극적으로 내세우는 데는 성공하였지만, 이로 인해 다른 많은 나라들에게는 불쾌감을 안겨 주었다. 또한 그는 파괴되고 피폐된 국토를 재건하기 위한 대규모 원조 약속을 미국으로부터 받아내었다. 이 정도라면 무명의 외교관이라도 국제적인 명성을 얻는 데는 충분한 업적이었다.

그러나 세계 여론에서 이승만은 강대국을 손안에 쥐고 흔들려고 하는 "병적인 자기중심적인 인물(egomaniac)" 수준을 벗어나지 못하는 사람으로 보였다. 결국 그의 궁극적 목표는 달성되지 못했던 것이다. 그 자신의 생각으로도 자기는 실패자였다. 왜냐하면, 그가 말했듯이 통일이 빠진 그밖의 소득은 하잘 것 없는 것이기 때문이다.

대한민국의 외교단은 수적인 면에서나 전반적인 능력 면에서나 보잘 것 없는 수준이었다. 예외도 있었다. 외무부장관 변영태는 출중한 개인 능력과 용기를 갖추고 국민의 복지에 헌신적이며 뛰어난 말솜씨와 훌륭한 매너까지 갖춘 사람이었다. 양유찬(梁裕燦) 대사와 한표욱(韓豹頊)으로 구성된 "워싱턴 팀"은 한국전쟁 내내 함께 일했는데 수완 있는 협상가들이자 탁월한 대중 연설가들임이 입증되었다. 유엔 대사 임병직은 날카로운 두뇌와 많은 개인적 매력을 갖추고 있었다.

그러나 그들은 외교적 성공에 필수적인 두 가지 요소가 부족하였다. 그 한 가지는 세계 각국에 인상을 심어주기에 충분한 자국에서의 진정한 권력 기반이고, 다른 한 가지는 자료를 수집하여 평가하고 복잡한 문제를 연구하여 가능한 해결책을 권고하고, 상대해야 할 모든 우방국과 적국 그리고 중립국의 인물들과 문제점에 대해 긴밀한 접촉 관계를 유지하는 데 필요한 훈련되고 경험을 쌓은 부하와 동료들로 구성된 관료 집단을 가지지 못한 것이었다.

한국 문제를 해결하고 일시적 휴전을 영속적 평화상태로 전환하기 위한 다가오는 "정치회담"은 판문점 합의에 따라 90일 이내에 개최되도록 되어 있었다. 이 회담에서 유엔과 미국이 약속한 "평화적 수단에 의한" 한국 통일을 달성하여야 한다는 유엔과 미국의 정책적 입장이 시험대에 오를 것이다. 회담은 대결의 장이 될 터였다. 전쟁 그 자체의 경우와 마찬가지로 대한민국과 우방국들의 목표가 기본적으로 상이하기 때문이었다. 미국과 유엔 대표자들은 무엇보다 유예 기간을 확보하려고 하였다.
그 기간에 "캠프 데이비드 정신"(아이젠하워 대통령의 표현대로)에 의해 냉
전을 해소시키고 새로운 평화의 시대로 나아갈 수 있다는 것이다. 이러한
분위기 속에서 대한민국은 이 대통령이 본질적인 문제라고 주장하는 조
건, 즉 통일 한국을 위한 자유롭고 공정한 민주적인 선거를 치르는 데 대
해 공산당과의 합의가 이루어지지 않는다면 전쟁을 재개하겠다는 우방국
들의 약속을 얻어낼 가능성은 거의 보이지 않았다.

외교는 고통스러울 정도로 느릿느릿하고 거추장스러운 과정이지만 여
기에 참여하는 개인들은 재빠르게 움직이지 않으면 안 된다. 나는 신임장
도 갖지 않았고 이 복잡한 회담장에 나설 자격도 없었고 그럴 입장도 아
니었다. 그러나 몇 가지가 꼭 필요하다는 것은 명백해 보였다. 기본적인
것 하나는 남한에 대한 대중적 지지와 공식적 지지를 가능한 한 많이 확
보하도록 노력하는 일이었다. 때로는 이 두 가지 목표가 상충되는 것처럼
보였다. 예를 들어서 대한민국의 "당연한" 우방은 국민당 중국이었다.
그러나 현대 세계에서 장제스(蔣介石)만큼 일반적 위상이 추락한 인물도
찾아보기 어렵다. 신뢰를 상실한 국민당 지도자를 대중의 마음속에서 이
대통령과 밀접하게 연관시키지 않으면서 한·중 관계를 강화함으로써 어
떤 이익을 얻을 수 있을까? 한 번 시도해볼 만한 가치는 있어 보였다.

1953년 8월 중순에 한국에서 귀국길에 오른 나는 타이완을 방문하기로
결정하였다. 가는 길에 예비단계로 도쿄에서 김용식(金溶植) 공사의 안내
를 받아 주일 중국대사 훌링틴 통(鄧傳楷)의 관저에서 오찬을 함께 하였
다. 여기에서 장제스 총통을 면담할 일정이 마련되었다. 타이완에서는 먼
저 수도 타이베이(臺北)에서 실제의 대부분의 행정을 수행하던 비서장 왕
시지에(王世杰)를 30분 동안 면담하였다. 그 다음에는 그랜드 호텔에서의
오찬 파티에 뒤이어 외무장관인 조지 예(葉公超)를 만났다. 예 장관은 영

문학 박사학위를 가진 아주 상냥하고 지적인 신사였는데, 뉴욕의 유엔에서 만나 개인적으로 가깝게 된 사이였다. 다음 날에는 차갑게 메마른 분위기의 행정원 청사로 안내되어 수수한 사무실에서 장제스와 대면하게 되었다.

내가 그를 본 것은 그때가 처음이었고 중요한 일을 이루어야 한다는 희망 못지않게 개인적 호기심도 컸다. 그러나 나의 호기심조차도 기대한 만큼 충족되지 못했다. 나는 평소 습관대로 그와의 면담 직후에 느낀 인상을 요약해서 메모에 기록하였다:

장제스는 이승만보다 8세 연하이지만 보기에는 나이가 더 들어 보인다. 그는 확실히 노쇠하였고, 두 눈에는 피로감이 엿보였으며, 이승만과 같은 활기는 없는 것 같았다. 그러나 그의 정신은 아주 예리하였다. 나는 그가 말을 좀 많이 하여 아시아 정세에 대한 그의 폭넓은 분석을 들을 수 있을 것으로 기대하였다. 그러나 반대로 그는 아주 짧은 질문만 하고 대부분의 대화를 줄곧 통역을 통해서 내 쪽에서 말하도록 유도하였다.

그는 이승만—덜레스 대화에, 특히 중국에 영향이 미칠 수 있는 어떤 견해가 표명되었는지에 대해 관심이 있었다. 그는 중국—한국 상호방위조약에 대한 나의 의견을 말해 달라고 하였다. 그는 전 세계에 대해 대한민국과 국민당 중국이 입장을 함께 한다는 것을 보여주는 방법으로서 정치회담이 열리기 전에 이 대통령이 타이완을 방문해 줄 것을 적극 희망한다고 말했다. 장 총통은 약 4년 전인 1949년 8월에 당시 진해에 머물던 이승만을 방문한 바 있다.

여러 해 동안 한국과 국민당 중국 사이의 밀접한 관계는 미국에서 장제스의 평판이 좋지 않음에도 불구하고 자연스럽게 도움이 된다는 것이 나의 생각이었다. 이 대통령은 그러한 생각에 언제나 냉담하였다. 이승만이 미군이 진주해 있던 남한으로 돌아오는 데 어려움을 겪고 있던 1947년 4월에 장제스는 이승만에게 깍듯이 예의를 갖추고 여러 가지 지원을 제공하였다. 그런데도 장제스에 대한 이승만의 견해는 절제되고 조심스러웠다. 1940년대에 워싱턴에서 그를 줄기차게 비판하던 사람은 중국 외교관 빅터 후(胡世澤)와 T.V. 송(宋子文)이었다.

국민당은 충칭(重慶)에서 김구(金九)와 김규식(金奎植)이 이끌던 대한민국 임시정부를 지원하였고 이러한 호의는 망명했던 한국 지도자들이 서울로 돌아온 후에도 지속되었다. 더욱이 이승만은 장제스를 그다지 좋게 평가하고 있지 않았다.

이승만의 생각에는, 장제스가 더 단호한 결단을 보였다면 공산당이 승리를 거두고 중국 본토를 장악하게 만든 국민당 정권의 붕괴를 막을 수 있었을 것으로 생각한다. 이승만은 한국이 수세기 동안 느슨하게 조직된 '중국 제국'의 속국이었다는 일부 역사가들의 견해에 언제나 민감하였다. 그는 서울에 살고 있는 중국인 인구가 너무 많다고 1946~50년 기간 동안 나에게 자주 불평하였다. 중국인들은 전반적으로 고질적으로 부패한 사람들이고, 집단 내부의 규율을 유지하며 암거래를 하면서 밀수, 불법 화폐유통 등에 깊숙이 관여하고 있다는 것이 그의 견해였다.

1950년 6월 25일, 북한 공산당이 남한을 침략하자 장제스는 즉시 침략군의 격퇴를 지원하기 위해 상당수의 병력을 파견할 것을 제안하였다. 트루먼은 이 제안을 거부하였다.[122] 그렇게 되면 중공군을 끌어들이게 되어 전쟁이 확대될 것을 우려하였기 때문이다. 맥아더 역시 이에 반대하였다.[123] 그는 장제스의 군대가 미국의 통제 조치를 '벗어나' 중국 본토 해안에 중국 견제를 위한 상륙작전을 감행할 것으로 생각했던 것이다.

1953년 4월 10일자 편지에서 이 대통령은 중공군이 한국 전쟁에 개입

---

122) 트루먼의 『회고록』(Memoirs), 제2권 343 페이지.
123) 휘트니의 『맥아더』(MacArthur), 제6장 368-383 페이지.

한 이후에 다시 거론된 국민당 군대의 투입에 그가 왜 반대하는지를 나에게 설명하였다. 그는 타이완의 한국 파병을 다른 어떤 우방의 파병만큼 환영하는 바이지만 딱 한 가지가 문제라고 하였다. 타이완의 파병으로 인해 당장이든 어느 정도 시간이 지난 다음이든 일본군을 파견할 구실로 이용될 수 있다는 것을 그는 두려워하였다. 그의 편지는 이렇게 이어졌다: "더욱이, 한국 국민들은 국민당 군대가 중국 본토에 상륙하여,⋯ 한국에서보다는 중국에서 무엇인가를 해줄 수 있기를 기대하고 있소."

이러한 외교적 분위기에서 타이베이에서의 암중모색은 결실을 맺지 못할 것 같았다. 나는 집으로 돌아와 더 단순하지만 그래도 만만치 않은 작업에 도전하였다. 이미 1952년 9월, 우리 〈코리안 퍼시픽 프레스〉는 〈코리안 서베이〉(Korean Survey)라는 이름의 월간 잡지(실제로는 매년 10호씩)를 발행하기 시작하였다. 이제 1년이 지난 지금, 연 10만 달러의 예산이 증액되면서 흑백 잡지를 보기 좋은 4색 컬러 인쇄로 바꾸게 되었다. 수적으로나 질적으로 만족스러운 기사들이 줄을 이어 들어오고 있다. 우리는 매호마다 보다 중량감 있는 정치, 경제 문제 보도를 비롯해서 문화, 사회, 문학 그리고 사진과 같은 주제를 포함하는 흥미 있는 기사의 균형을 유지하기 위해 노력하였다. 발행 부수는 미국에서 10만부에 육박하였다. 다른 영문판도 런던과 도쿄에서 인쇄되고 배포되었다. 프랑스에서는 프랑스어 번역판을 발간하고 머지않아 스페인어 판도 출판 배포하게 되었다. 워싱턴의 나의 비서가 편집 주간의 역할을 하면서 대부분의 세부 작업을 하였지만, 이 모든 일에는 상당한 감독 작업이 요구되었다. 외국 대리인(로비스트) 등록법의 요구에 따라 "발행인"으로서 나의 이름이 표시되었다. 기고자들은 대부분 미국인과 한국인이었지만 간간히 다른 국적자들도 있었다.

나는 9월에 펜실베이니아 주립대학교 교수와 학과장이라는 본업으로 돌아갔다. 한편으로는 여러 해 동안 내가 매달려 오던 중요한 프로젝트를 마칠 수 있는 시간을 낼 수 있었다. 그것은 이승만 대통령의 전기 출판으로, 그의 80세 탄신에 맞추어 1954년 3월 도드 미드 출판사에서 출간되었다. 전기는 이 한국인 지도자가 실제로 어떤 사람인지 궁금해 하던 많은 이들의 환영을 받았고, 출판 한 달도 안 되어 2쇄에 들어갔다. 다음 2년 사이에 책은 뉴욕에서 다섯 차례나 재판이 나왔고 런던에서는 로버트 홀 출판사에서도 출간되었으며 한국어, 일본어, 중국어로 번역되어 각각 서울과 홍콩 그리고 도쿄에서도 출판되었다.

이 일은 마침 때맞춰 끝났다. 오래 기다려 오던 한국전쟁의 "타결"을 위한 정치회담이 시작될 일정이 마침내 정해졌기 때문이다. 이 회담은 판문점 휴전협정에 규정되었던 90일의 기간을 훨씬 넘기며 지연되어 왔다. 또한 인도차이나 반도를 여기에 포함하도록 확대되었다. 인도차이나에서는 프랑스가 디엔비엔푸(Dienbienphu)에서 식민지 전쟁의 결정적이고도 마지막인 전투에서 패배하였다.

1954년 3월 23일자 나의 메모에는 평화회담의 결과가 어떻게 될 것인가에 대한 나 자신의 예상과 함께 일반 국민의 기대감도 기록되어 있다:

회의가 얼마나 계속될지는 아무도 모르지만 내 짐작으로는 두 달은 넘기지 않을 것이고 어쩌면 6주일 정도는 계속될 것이다. 결과는? 우리, 즉 전체 비공산 진영이 가진 것을 몽땅 잃고 끝나버릴 가능성이 크다. 우리가 무엇인가를 얻을 가능성은 거의 없고 실제로 많은 것을 잃게 될 것이 이렇게도 확실하고도 명확히 예상되는 상황은 일찍이 본 적이 없다.

회담은 4월 말 제네바의 팔레데나시옹 호텔에서 열렸다. 러시아에서는 몰로토프(Molotov) 외상, 중공은 저우언라이(周恩來), 영국은 앤서니 이든(Anthony Eden) 수상이 참석하였다. 미국의 덜레스 국무부장관은 개막 연설만하고 미국 대표단장 자리를 국무부 차관인 월터 베델 스미스(Walter Bedell Smith) 장군에게 맡기고 워싱턴으로 귀환하였다. 회의의 중요성을 "격하"시키기 위한 작전의 일환이었다.

이 대통령은 10명의 대표단을 파견하였는데, 외무부장관 변영태를 단장으로 하고 나는 자문관 자격으로 참여하였다. 한국에 파병한 유엔 회원국들은 모두 대표단을 보냈다. 그들은 정기적인 모임을 가지고 일종의 블록을 형성하였다. 대한민국 대표단은 이 모임에서 제외되었다. 그들이 권고하기로 합의한 정책적 입장은 대한민국 정부를 해체하고 그 즉시 통일 국가를 위한 새로운 정부를 선택하도록 유엔 감시 아래 한반도 전체에서 선거를 실시하는 것이었다.

월터 로버트슨은 5월 6일 오후에 나를 자기 아파트로 초대하여 이 제안에 관해 길게 설명하였다. 그는 이 대통령이 이 제안을 받아들이도록 가능한 모든 수단을 동원해서 설득해 주도록 나에게 촉구하였다. 그는 이렇게 주장하였다: "손해 볼 것은 아무것도 없습니다. 어차피 공산주의자들이 거부할 테니까요. 좋은 점이 아주 많아요. 유엔과 이 대통령이 긴밀하게 협조하고 있다는 것과 우리들의 입장이 '합리적'임을 세계에 알리게 될 것이고, 공산 측이 제안을 거부하면 세계의 동정이 이 대통령과 대한민국으로 쏠리게 될 것입니다. 그러나 이 대통령이 제안을 거부한다면 유엔 회원국들은 그를 저버릴 것이고 남한은 완전히 외톨이가 될 것입니다."

나는 이 제안이 아무리 그릇된 것일지라도 이 대통령이 반드시 받아들여야 할 정책임을 확신하고, 그날 5월 6일 저녁에 대한민국 외교 코드로 다음과 같은 전문을 대통령에게 보냈다.

각하께서 받으신 선거 제안을 즉시 승인하실 것을 강력히 요청함. 만약 거부하거나 수락이 지연되면 다른 나라들이 훨씬 불리한 제안을 준비할 것이고 대한민국의 비협조에 비난이 쏟아질 것임. 공산 측은 제안을 수락하지 않을 것이므로 세부사항은 중요치 않으나 가장 중요한 것은 대한민국이 통일이란 목표 달성을 위해 신속히 합리적인 움직임의 선수를 치는 것임. 이러한 결론은 많은 대표단과 신문기자와의 면담을 근거로 내려진 것임. 올리버.

제네바는 붐비는 도시였다. 미국 대표단의 수는 많은 전문 연구원들을 포함하여 약 200명을 헤아렸다. 나는 한국 대표단의 유일한 연구원 겸 기록자였다. 나의 5월 7일 메모는 다음과 같다: "변영태는 나에게 두 가지 연설문을 준비할 것을 요청하였다. 하나는 대통령이 '승인'하는 경우에 사용할 연설문이고, 다른 하나는 '거부'하는 경우에 사용할 연설문이다. 변 장관은 이 연설문들을 자기 포켓에 넣어 가지고 있다가 자기의 연설 순번이 오면 이를 이용하기를 원한다. 그 시간이 오늘 당장이 될지도 모른다."

변영태는 '승인' 쪽을 바라기 때문에 그 연설문을 먼저 준비해야 했다. 그는 내가 보낸 것과 비슷한 내용의 전문을 대통령에게 보냈다. 그러나 정작 이 대통령의 답변은 "거부"였다. 그의 논리는 다음과 같다: 대한민국은 유엔이 승인한 계획에 따라 수립되었고 대한민국의 헌법과 대한민국을 세우게 된 선거는 유엔의 승인을 받았기 때문에 스스로를 통치할 주권은 유엔의 승인과 한국 국민의 자주적인 의사에 따라 보장된 대한민국 정부에 있다는 것이었다.

대통령의 비판자들은 그를 독재자라고 비난했는데 이제는 바로 그 사람들이 대통령에게 정부의 해체라는 독재를 행하고 헌법을 위반하도록 요구하고 있는 것이다. 공산주의자들이 계획을 수락하는지 여부는 부차적 문제라고 이승만 대통령은 지적하였다. 만약 대한민국 정부가 스스로를 해체하는 데 동의한다면 나중에 어느 누가 진지하게 헌법상의 주권을 주장할 수 있단 말인가? 그는 말했다: "우리는 이미 유엔의 감시 하에 선거를 치렀습니다. 지금 필요한 것은 북쪽에서 같은 일이 이루어지는 것이오."

변영태는 자신이 직접 작성한 연설문을 사용하였다. 연설에서 그는 먼저 공산 측이 북한에 유엔에 의한 선거 감시를 수락하는 핵심조항에 동의해야 하고, 그때까지는 어떤 종류의 선거계획이 제안되더라도 그것은 적절치 않다고 선언함으로써 이 문제를 기술적으로 비켜갔다. 5월 12일, 나는 월터 로버트슨과 그의 핵심 참모 케네스 영과 함께 많은 이야기를 나눴다. 그들은 이렇게 말했다: "우리는 남북한 선거에 대한 계획을 포기하고 대한민국의 제안을 확고히 지지하기로 입장을 바꿨습니다. 대한민국은 앞으로 이 점을 기억하고 우리에게 보다 더 협조해 주기를 기대합니다."

사흘이 지난 5월 15일 로버트슨과 영이 대한민국 대표단이 머물고 있던 오텔 드 파미유 호텔로 찾아와서 2시간 동안 회의를 갖고, 변영태 장관은 베델 스미스 차관을 방문하여 30분 동안 대화를 가졌다. 우리는 미국의 전략이 어느 정도 시간을 끄는 것이라는 것을 알게 되었다. 그 한 가지 이유는, 미국이 문제를 미결로 남겨둔 상태에서 회의 연기를 주장할 생각이 없고, 또 하나의 이유는 비공개 인도차이나 회담에서 합의가 도출될 때까지 이 문제에 대한 비공개 논의에 충분한 시간을 벌 수 있도록 한국 문제를 충분히 오래 동안 의안으로 유지하고자 했기 때문이다. 대한민국 대표단 사이에는 우려가 생기고 있었다. 유엔 16개 국 가운데 일부가 이미 바람직하지 않은 타협안을 제안했기 때문이다.

공산측은 세계 여론에 영향을 미치고자 하는 그들의 목적대로 상당한 성공을 거두고 있었다. 몰로토프는 언제나 기자들에게 매력적인 인물이었다. 그의 성격이 고고하고 과묵한 탓으로 기자들에게 더욱 매력적이었다. 저우언라이(周恩來)는 기자회견을 다루는 솜씨가 뛰어나고, 매력과 위트와 세련미가 넘치며, 흔히 논평에서 이승만과 장제스를 싸잡아 괴뢰라고 물어뜯었다.

북한측 대변인 남일(南日)은 따분하고 관심을 끄는 구석이라곤 전혀 없었지만 38선 철의 장막 뒤에서 전해지는 소식이 거의 없었기 때문에 그래도 그의 말 한 마디라도 들으려고 기자들이 모여들었다. 전체적인 공산측 주장은, 그들은 "평화"를 옹호하고 유엔과 한국 측은 "전쟁"을 지지한다는 것이었다. 남한이 끈덕지게 전쟁의 재개를 주장한다는 비난은 우리 측의 최악의 걸림돌이었다.

변영태는 4월 27일 회담의 그의 첫 번째 연설에서 이러한 비난에 대해 반격하려고 노력했다:

일부 외부인들은 대한민국만이 싸우기를 좋아한다고 말합니다. 이보다 진실과 거리가 먼 주장은 없을 것입니다. 대관절 무슨 이유로 우리나라가 호전적이란 말입니까? 우리의 장구한 역사에서 결코 한 번도 우리 국경선 밖에서 전쟁을 치러본 적이 없습니다. 우리는 다른 어떤 나라의 국민과도 전쟁을 수행할 의도가 없고 단지 우리 자신의 것을 지키고자 할 뿐입니다. 우리는 지긋지긋할 정도로 충분히 전쟁이란 것을 보아왔습니다. 우리 국토의 대부분이 이미 잿더미가 되지 않았습니까? 우리 경제가 회생이 불가능할 정도로 망가지지 않았습니까? 온 나라에서 그 수를 셀 수 없을 만큼 사상자를 내지 않았습니까? 한 마디로 우리보다 전쟁을 혐오할 만한 더 설득력 있는 이유를 가진 나라는 없을 것입니다. 우리의 모든 역사를 통해 피 흘려 얻어진 명성보다는 차라리 조용한 평화를 우리는 더 선호해왔습니다.

그럼에도 불구하고 자유를 희생시켜서 평화를 살 수는 없습니다.…

의장님, 결론적으로 한국 대표단은 이곳에서 벌어지게 될 논의가 최종적으로 평화적 수단에 의해 하나의 통일되고 자주적인 민주 한국을 수립해야 한다는 목적을 달성하는 데 도움이 되도록 전체적인 협조가 이루어져야 한다는 것을 가장 강력하게 주장하고자 합니다.

"평화"뿐만 아니라 공산측이 내세운 주요 주제는 "민주주의"였다. 그들은 반복하여 공산주의야말로 인민의 복지를 증진시키기 때문에 본질적으로 민주주의라는 주장을 거듭하는 반면에, 자본주의 국가들은 그들의 시스템이 부자에게 이익을 주고 노동자를 억압한다는 면에서 "반민주적"이라는 것이었다. 그들은 전체 한국 사람들의 열망을 충족시키기 위해 북한의 "민주적" 체제가 한반도 전역으로 확장되지 않으면 안 된다고 주장하였다.

5월 11일, 변 장관은 그의 세 번째 연설에서 이 점을 다시 명확히 하고자 하였다:

> 몰로토프 씨와 그의 공산당 동료들은 멋대로 기회가 있을 때마다 민주주의에 대한 자신들의 헌신에 대해 말합니다. 그런데 민주주의는 여러 세기에 걸쳐 많은 나라에서 많은 국민들이 사용함으로써 기본적 의미가 명확히 정립된 오래된 단어입니다. 민주주의는 다수의 국민들에 의한 통치를 의미합니다. 민주주의는 공명정대한 선거운동을 통해 여러 쟁점과 후보자들을 모든 유권자들 앞에 보여준다는 것을 의미합니다. 민주주의는 유권자들이 자신의 심중의 뜻을 명확히 표현할 수 있는 공정한 비밀투표를 수행한다는 것을 의미합니다. 또한 민주주의는 선거가 끝나면 그 후의 어떤 선거에서 다른 결과가 나올 때까지 번복되지 않고 다수에 의한 결정을 수용한다는 것을 의미합니다.…

우리에게 다행이었던 것은, 바로 이 무렵 남한에서 국회의원을 선출하기 위한 세 번째 선거가 실시되고 있었다는 사실이다. 국회의 203개 의석

을 놓고 약 2천 명의 후보자들이 열띤 유세전을 벌이고 있었다. 전체 등
록 유권자의 91%가 투표에 참여하였다. 이 대통령을 지지하는 자유당 후
보가 131석을 얻고 무소속 후보가 54석을 차지했다. 두 야당인 민주국민
당과 대한국민당은 합하여 18석을 차지하였다. 유엔 한국위원단은 선거
가 전반적으로 공정하게 치러졌음을 공인하였다. 이러한 결론은 이 대통
령을 가장 소리 높여 반대해 온 신익희(申翼熙)와 조병옥(趙炳玉) 두 사람이
재선에 성공했다는 사실로도 확인되었다.

6월 2일, 회담이 아직도 아무 결론 없는 말씨름으로 지루하게 계속되
고 있는 동안 나는 마치 "지저분한 외교의 흙탕물" 속에서 고기를 낚으
려 애쓰고 있는 것 같다는 나의 느낌을 이 대통령에게 편지로 전했다:

　　많은 사람들과 많은 대화를 나눠본 결과, 회담이 오래 끌게 될 것이
　라는 결론을 얻었습니다. 이든(Eden) 수상은 이곳에서 노동당계의 언론
　을 포함하는 영국 언론에 의해 위대한 건설적인 정치가로 떠받들어져
　왔기 때문에 적어도 영국인들에게만이라도 표면적으로나마 성공적으
　로 보이는 어떤 공식적인 합의 없이 귀국할 수는 없는 형편입니다. 프
　랑스 외상 비도는 프랑스 국민들에게 그럴듯한 인도차이나의 휴전 방
　안을 얻지 못하면 휴회에 동의할 수 없을 것입니다. 그렇지 않으면 라
　니엘(Laniel) 정권은 무너질 것입니다. 미국도 미국 언론이 제네바 회담
　을 대실패라고 떠드는 한 휴회에 동의하지 못합니다. 그러다가는 가을
　의 중간 선거에서 공화당이 패배할 것이기 때문입니다.

　　결국 결과는 다음과 같이 예상됩니다. (1) 한국에 관해서는 어떤 합
　의도 가시권에 있지 않다. 우방국들은 "진전"을 이뤘다고 주장하기
　위해 어떤 종류의 기반을, 예를 들어 새로운 회담의 요구, 위원회 설치
　또는 최소한 한국 문제의 유엔 회부 등에서 찾고자 합니다.

　　(2) 인도차이나에 관해서 프랑스와 영국은 어떤 대가를 치르더라도
　그곳에서의 싸움을 피할 것이고, 미국은 설사 싸운다 하더라도 미국

단독으로는 싸울 의사가 없다는 것이 확실합니다. 그러므로 현재 우방국들은 자기들의 체면을 살리면서 항복할 방안을 찾기 위해 부심하고 있습니다. 아마 러시아는 인도차이나 지역의 완전한 병합으로 향하는 적어도 다음 몇 단계를 합법화하는 어떤 방안이 제시되면 동의할 것입니다.

현재 가장 가능성이 크게 보이는 것은, 소련이 자기들의 입장에서 크게 양보하여 연합국이 바라는 어떤 원칙을 수용하는 것에 동의하고, 그에 따라서 인도차이나 문제는 그 세부사항을 해결하도록 군사위원단으로 넘겨지게 될 것입니다. 그것은 제2의 판문점 회담이 될 것입니다. 그 동안에 인도차이나에 대한 프랑스와 미국의 노력은 동력이 떨어지고 공산주의자들은 중요한 군사적 승리를 휩쓸 것입니다. 그 후에야 휴전안이 나오겠지만, 그것은 인도차이나 전 지역에 걸친 공산주의자들의 최종 승리를 위한 기반이 될 것입니다.

우리가 서울로부터 받은 반응은 시원치 않았다. 이 대통령으로부터 회신이 없었다. 대신 변영태 외무장관이 해임될 것이라는 "소문"을 보도한 서울 신문들의 스크랩을 경무대에서 보내왔다. 원인은 약 2주일 전으로 거슬러 올라간다.

우리는 회담에서 발생된 교착상태를 타개할 방법을 찾으려고 애쓰고 있었다. 남북한 총선거에 동의해야 한다는 유엔 측의 "요구"를 충족시키고 또한 대한민국 정부의 해체를 정면으로 거부하는 이 대통령을 만족시킬 수 있는 길을 찾던 중에 우리에게 해롭지 않고 따라서 안전한 것으로 여겨지는 다음과 같은 방안을 생각해냈다. "자유선거를 접할 수 없었던 북한에서 자유선거를 치러야 한다. 또한 남한에서도 대한민국의 헌법 절차에 따라서 자유선거를 치러야 한다." 우리는 이러한 방안을 지지하도록 설득할 수 있는 논거와 함께 우리 "방안"의 사본을 이 대통령에게 전문으로 보냈다. 그러나 대통령의 "안 된다"라는 답변이 돌아왔다.

변 장관과 나는 5월 21일 거의 밤을 세워가면서 대책을 숙의하였다. 장관은 다음날 총회에서 연설할 일정이 잡혀 있었고 모든 연합국 측 대표단은 이번이야말로 대한민국이 자유세계의 지원을 유지할 수 있는 "다시 없는 마지막 기회"라고 간곡하게, 그러나 명확히, 당부하고 있는 형편이었기 때문이다. 나는 장관에게 방금 받은 지시를 거스르고 우리 방안을 연설에 포함시킬 것을 강력히 촉구하였다. 장관도 나도 상황을 똑같이 판단하고 있었다. 우리가 그렇게 하지 않는다면 남한은 군사적, 경제적 또는 외교적 지원도 받지 못하고 절대적인 외톨이로 남겨질 것이라는 것이었다.

내가 변 장관에게 했던 주된 논거는 일단 연설을 한 다음에 우리가 한 일이 불가피했다는 점에 대해 함께 이 대통령을 납득시킬 수 있다는 것이었다. 그의 생각도 나와 같았고 결국 그러한 연설을 하게 되었다.[124] 서울에서는 아무 소식이 없었고 그것은 불길한 징조였다. 그러나 공산 측도 침묵하기는 마찬가지였다. 그들은 대한민국의 "양보"를 무시하였다. 우리 연합국들만이 찬의를 표했다.

제네바 회담은 휴회로 들어갔다. 변영태 장관은 서울로 귀환하였고 바로 외무부장관직에서 해임되었다. 나는 집에 잠깐 들렀다가 며칠 뒤늦게 서울에 도착하였다. 나는 대통령 집무실로 들어가서 간단한 인사를 나눈 다음 사표를 내밀었다.

"이게 무엇이오?" 대통령이 물었다.

"각하의 지시를 무시하고 선거 방안을 연설에 포함시키도록 변 장관에게 촉구한 것은 바로 저입니다. 그렇게 하지 않으면 안 된다고 판단했

---

124) 변 장관이 회담에서 했던 4개의 연설문은 그의 저서 『한국: 나의 조국』(*Korea: My Country*)에 전문이 실려 있음. 이 책 239-273 페이지 참조.

기 때문입니다. 그것은 변 장관의 결정일 뿐만 아니라 저의 결정이기도
합니다. 장관이 해임되었으니 저도 사직하겠습니다."

　이 대통령은 피로에 지친 얼굴에 미소를 지으면서 나를 바라보며 말했
다: "올리버 박사, 박사의 사표는 받지 않겠소. 박사와 변 장관의 입장은
판이한 것이오. 변영태는 대한민국의 외무부장관이고 정부의 지시를 정
확히 수행하겠다고 선서를 한 사람이오. 박사는 대표단의 자문관이오. 박
사의 임무는 현명하고 적절한 것으로 판단되는 조언을 제공하는 것이오.
박사는 할 일을 하셨소. 이제 사표는 잊어버리고 일이나 하시오."

　제네바 회담의 결렬과 장래의 한국통일 전망의 불확실성에도 불구하고
한·미 양국은 서로에게 받은 상처를 치유하고 우호적인 협조의 새 시대
를 열기 위한 진정어린 노력을 시작하였다. 제네바 회담이 시작되기 두
달 전, 일찌감치 1954년 2월 25일, 이 대통령은 다음과 같은 편지를 나에
게 보냈다:

　　극동 각국에 대해 미국은 약탈을 일삼는 국가가 아니라는 점을 부각
　시키기 위한 선전 조직을 만들려고 하고 있소. 반대로 미국은 자유를
　얻기 위해 투쟁하는 사람들은 누구라도 기꺼이 지원할 용의를 보이고
　있기 때문에 우리는 이 지역 국민들에게 이 점에 대해서 용이하게 확
　신시킬 수 있을 것이오.…

　　우리 정부는 이러한 나라의 모든 반공단체를 진해로 초청하기 위한
　활동을 시작하고 있소. 진해에서는 유럽과 아시아에서 과거와 현재의
　침략세력에 맞서기 위한 반공 십자군의 발족을 목표로 회의를 개최할
　예정이오. 이러한 사람들을 조용한 방법으로 초대하고 있으며 각지로
　부터 상당한 대표자들이 모일 수 있기를 희망하고 있소.… 이 계획을
　박사에게 설명하는 요지는, 계획이 외부에 알려지는 경우에 올리버 박
　사가 상황을 이해해 주기를 바란다는 뜻이오. 물론 극비사항은 아니지

만 공개적으로 발표할 적절한 시기까지 조용히 진행할 생각이오.

1919년의 "만세 혁명(Mansei Revolution)" 35주년을 기념하기 위한 이 대통령의 3·1절 연설을 위해 대통령은 나에게 초안 작성을 요청하였고, 그는 대부분을 나의 초안대로 연설했다. 이 기념식은 그가 한국의 통일에 대한 주장을 하지 않을 수 없는 행사였다. 나는 대통령이 전쟁 재개를 요구하는 대신에 "강력한 통일의 재확인"이라는 표현으로 타협해준 데 대해 기쁘게 생각하였다. 그의 결론은 이러했다:

세계 각지의 자유민들은 그들의 가슴과 그들의 선의로 우리와 함께 있습니다. 우리가 투쟁하는 대의는 문명 그 자체를 지키자는 것입니다. 우리는 흔들리지 않을 것이고 궁극적인 결과를 얻는 데 실패할 리가 없습니다. 각국 지도자들의 정책이 아무리 다르더라도 한국의 문제는 명약관화합니다. 내려야 할 선택은 자유와 노예, 정의와 부정, 국제법과 공산학정 사이의 선택입니다.

우리는 정의와 자유와 그리고 국제법의 우월성 편에 서 있습니다. 그러한 대의를 지키면 우리는 결코 버림받지 않을 것입니다. 우리에게는 우방이 있을 것이며, 우리는 지지를 받을 것입니다. 그러면 우리의 대의는 승리를 거둘 것입니다.

제네바에서 월터 로버트슨은 이 연설 내용을 듣고 워싱턴에서는 크게 안도하였다고 나에게 전해 주었다. 대한민국과 주요 연합국들 사이의 공개적 대결의 위기는 지나간 것 같았다. 이런 기회는 한국과 미국이 공유하는 여러 가지 이해관계를 더욱 결합시키기 위해 꼭 잡아야만 했다. 남한이 경제적, 군사적으로 강화되면 민주주의의 성숙과 행정 효율의 발전으로 이어질 것이다. 해야 할 일은 아직도 많이 남았지만 그보다는 이제는 우리가 보기에 바른 길 위에 올바른 방향을 잡았다는 사실이 더 중요하였다.

1954년 여름, 나의 서울 체류는 길지 않았다. 제네바 회담에 참석하느라 집과 대학을 오래 떠나 있어서 빨리 돌아가야 했기 때문이다. 그래서 아이젠하워 대통령이 이 대통령에게 미국을 공식 방문하도록 초청하고 일정이 7월 말로 합의될 무렵에 나는 그와 함께 있으면서 준비를 도와주지 못할 형편이었다. 우리들의 서신왕래에서도 대통령이 연설에서 말하고자 하는 내용은 논의되지 않았다. 그럴 필요가 없는 것이 그가 전달하고자 하는 내용을 우리 두 사람은 잘 알고 있었기 때문이었다.

내가 가장 필요하다고 생각했던 것은 미국 국민들이 이 대통령의 결론에 동의하는지의 여부와는 무관하게, 그들이 받아들일 수 있는 형식으로 대통령의 견해를 전해줄 수 있다는 점이었다. 반면에 이 대통령은 한국의 정치상황 분위기에 몰두해 있어서 가끔 미국 신문의 스크랩 기사나 보는 형편이었기 때문에 미국 여론의 뉘앙스를 완전히 감지할 수는 없었다.

그의 주요 연설은 말할 것도 없이 미국 상하 양원의 특별 합동회의에서 행할 예정인 연설이었다. 그 밖에 중요한 연설로는 해외 참전 재향군인회(VFW) 대회가 열리는 필라델피아에서 예정된 연설, 또 뉴욕에서 예정된 한·미재단 주최의 연회에서 할 연설, 세계문제위원회(World Affairs Council)에서 그에게 경의를 표하기 위해 마련된 로스앤젤레스 만찬에서의 연설, 그리고 샌프란시스코의 권위 있는 연방 클럽(Commonwealth Club)에서의 연설 등이었다.

의회에서의 연설을 제외하고 이 대통령은 거의 즉석에서 나에게 이 모든 연설문의 초안을 작성해 달라고 요청하였다. 내가 건넨 연설 초안들은 약간의 수정을 거쳐 수락되었다. 그러나 의회에서 행할 연설문의 초안도 기꺼이 작성하겠다는 나의 제안에 대해서는 묵묵부답이었다. 이 문제에

있어서는 마치 대통령과 나 사이에 장막이 쳐져서 소통이 차단된 것 같았
다.

7월 26일 오후 4시 조금 지나서 대통령 부처가 워싱턴 내셔널 공항에
내렸을 때 나는 그를 출영 나온 미국인들과 한국인들 사이에 있었다. 이
79세의 노(老) 정객이 피로의 기색 하나 없이 서울로부터 논스톱으로 계
속 비행하여 자기를 미국까지 데려온 미국 공군기의 계단을 활기차게 걸
어 내려오는 것을 바라보는 것은 확실히 감격적인 순간이었다. 리처드 닉
슨(Richard Nixon) 부통령 부처의 영접을 받고 관례대로 전통적인 21발의
예포 발사와 미국과 한국 양국의 국가가 연주되는 동안 모두 차렷 자세를
취하고 있었다. 색동옷을 차려입은 한국 아동들이 대통령과 프란체스카
여사에게 꽃다발을 증정했다. 환영 인파 속의 수많은 그의 옛 한국 친구
들과 미국 친구들에게는 평생 동안 그가 달성하기 위해 싸워온 긴 한 평
생이 수많은 성공과 실패로 점철된 이 용맹한 투사에게 주어지는 영예를
바라보는 것만으로도 가슴이 북받치는 일이었다. 그러나 이것이 이 대통
령에게는 의례적인 영광을 즐길 시간이라기보다는 자신의 정치적 투쟁을
이끌고 나가기 위해 놓쳐서는 안 될 하나의 기회였다.

이 대통령은 닉슨 부통령의 환영사에 간단히 답례를 표하고 힘차게 자
기를 위해 설치되어 있던 마이크 앞으로 걸어가서 15분 동안 날카로운
어조로 즉석연설을 시작하였다.

대통령은 "미국이 겁을 먹어서" 지금까지 한국이 통일되지 않고 있다
고 하면서, 그러나 "전능하신 하나님께서 우리의 목적을 이룰 수 있도록
살펴주실 것입니다"라고 하였다.

험난한 징조가 분명히 나타났다. 대통령은 한 판 싸움을 각오하고 미
국에 들어온 것이다. 그의 목적은 미국 행정부와 화해하려고 하는 것이
아니었다. 그러나 미국 역시 판문점 휴전에 반대하는 대통령의 독자적인

자세뿐만 아니라 전쟁으로 황폐된 한반도의 복구를 위해 계획된 원조 프로그램의 지출에 대해 그가 한국 정부의 보다 강력한 관리권을 요구했기 때문에 기분이 좋지 않은 상태였다. 전혀 상반된 생각이었다. 그의 목적은 화해나 사과가 아니라 자기 판단으로 공산 제국주의에 대한 항복선언이나 다름없는 미국의 대외정책에 대해 포괄적, 전면적으로 공격하는 것이었다. 그가 해보려고 마음먹은 일은 아이젠하워 대통령과 존 포스터 덜레스 국무장관을 제쳐놓고 직접 미국의 일반 여론에 호소하기 위한 투쟁 캠페인을 벌이자는 것이었다.

닉슨 부통령이 예상치 못한 이승만의 비판적 발언에 경악했는지 아닌지는 표정에서 읽을 수 없었다. 자동차 행렬은 쏜살같이 백악관을 향해 내달았다. 아이젠하워 대통령 부처가 정문에서 이 대통령 부처를 맞았다. 그날 저녁 이 대통령 부처는 국빈 만찬의 주빈으로 초대되어 백악관에서 그날 밤을 묵었다.

다음날 아침, 두 대통령은 상호간의 기본적 이견을 회피하거나 숨기지 않고 90분 동안에 걸쳐 단독회담을 가졌다. 그 다음 이 대통령 일행은 백악관 길 건너에 있는 공식 영빈관 블레어 하우스(Blair House)에 여장을 풀었다.

내가 이 대통령과 처음으로 사적 대화를 나눈 것은 그날 7월 27일 오후에 블레어 하우스에서였다. 나는 그의 의회 연설문 초안을 한 번 훑어볼 수 있게 해달라고 간청했다. 그의 의자 옆 마룻바닥에는 대통령의 공문상자가 놓여 있어서 나는 그 상자 쪽을 가리켰다. 대통령은 재빨리 상자 위에 손을 얹으면서 고개를 가로 저었다.

나는 조르듯이 말했다: "그냥 잠시 보기만 하겠습니다. 다시 쓰겠다는 것이 아니라 사소한 부분이라도 바꿀만한 곳이 있는지만 보겠습니다."

그는 단호하였다: "절대 안 되오. 그럴 수 없소. 나는 휴전에 대한 내

자신의 생각을 말하려고 미국에 왔소. 그리고 그렇게 할 것이오, 내 식대로 말이오. 올리버 박사가 내 창끝을 무디게 하고 싶은 모양인데, 그렇게는 못하오."

그러더니 내가 초안한 다른 연설문 문안들을 넘겨주면서 혹시 마지막으로 손댈 부분이 있는지 다시 한 번 보아달라고 요구하였다: "이것들은 그다지 중요치 않소. 올리버 박사 뜻대로 하세요. 그러나…" 그는 문서가방을 집어 들고 양손으로 자기 가슴에 안았다: "이 의회 연설은 나 자신의 이야기인 것이오. 내가 꼭 하고 싶은 말이 들어 있고 정확히 내가 작성한 그대로 전하려고 하오."

다시 한 번 나는 잠깐이라도 연설문을 보자고 했다: "손을 대자는 것이 아니라 그냥 한 번 살펴보고 도움이 될지도 모를 제안을 드리려고 합니다." 그러나 그는 강경하였다: "이제 박사도 가보시게. 오늘 저녁 덜레스 장관 만찬에 참석하기 전에 잠깐 쉬어야겠으니."

7월 28일 오후 4시 32분, 이 대통령은 상하 양원, 대법원 그리고 내각을 상대로 연설을 하기 위해 하원으로 안내되었다. 나는 하원 기자석에서 처음으로 등사된 그의 연설문을 재빨리 넘겨보고 있었다.

이 대통령은 "외국인 방문자가 받은 가장 열렬한 박수갈채 중 하나"를 받고 있었다. 하원의장 조셉 마틴은 "미국 국민이 크게 존경하는 강력한 자유의 투사"라고 대통령을 소개했다. 연설은 미국 사람들이 한국을 위해 베풀어 주었던 모든 일에 대한 적절한 감사의 표현으로 시작되었다. 그러더니 어투가 바뀌었다: "그들이 승리를 위해 목숨을 바친 전쟁은 아직도 승리를 거두지 못하고 있습니다."

이승만은 가장 진정한 의미에서 위대한 연설가였다. 그는 중요한 문제를 다루는 데 숙련되어 있었고, 그러한 문제를 언제나 도덕적, 인도적 관점에서 바라보았다. 그의 목소리와 연설 태도는 놀랄 만큼 함축적인 표현을 담고 있었다. 바로 이런 전환점에 도달하였을 때 그는 길고도 엄숙한 휴지(休止)의 가치를 잘 알고 있었다. 그리고는 마치 대회당의 오르간 음조처럼 목소리를 바꾸고 누구라도 바로 알 수 있는 열성을 가지고 점점 더 강력한 표현으로 미국에 전하기 위해 준비한 메시지를 쏟아내기 시작했다:

공산독재 세력이 여전히 전 세계의 주도권을 장악하고 있습니다. 한국전선에서는 현명하지 못한 휴전에 의해 일시적으로 총성이 멎고 잠시 조용해졌지만 적은 휴전을 자신의 힘을 키우는 데 이용하고 있습니다. 이제 제네바 회담이 예상되었던 바와 같이 아무 결과 없이 끝나게 된 이 시점이야말로 휴전의 종식을 선언할 적기입니다. 우리나라의 북반부는 100만 명이나 되는 소련의 중국인 노예들에 의해 점령되어 통치되고 있습니다. 병력으로 채워진 공산군 참호가 우리나라 수도에서 40마일도 안 되는 거리에 널려 있습니다. 휴전협정을 위반하여 새로이 건설되고 제트 폭격기로 채워져 있는 공산군 공군기지가 우리 국회로부터 불과 10분 거리에 있는 실정입니다.

그러나 죽음의 위협은 워싱턴보다 서울에 더 가까운 것만은 결코 아닙니다. 미국을 파멸시키는 것이 크렘린 음모자들의 주된 목적이기 때문입니다. 소련의 수소폭탄은 우리 한국의 파괴된 도시에 떨어지기 전에 미국의 대도시에 먼저 떨어질 수도 있다는 것입니다.

그는 계속해서 소련이 "기습 공격(sneak attack)"을 가하기 전에 "미국을 죽음의 잠에 잠재우려" 할 것이라고 경고하였다.

그는 말했다: "생존의 길은 존재하지도 않는 평화를 요행으로 바라는 그런 따위가 아닙니다."

그가 요구한 것은 무기였다:

시간이 별로 없습니다. 수년 내에 소련은 미국을 완전히 파멸시킬 수 있는 수단을 보유하게 될 것입니다. 우리는 지금 행동하지 않으면 안 됩니다. 어디에서 행동할 수 있을까요?

극동에서 행동할 수 있습니다. 의원 여러분, 한국 전선은 우리가 이기기를 원하는 전쟁, 즉 아시아의 전쟁, 세계의 전쟁, 그리고 지구상의 자유를 위한 전쟁의 작은 한 부분에 불과합니다.

자유세계는 아직 시간이 남아있는 동안 싸울 수 있는 충분한 지혜와 용기만 갖는다면 공산당의 거대한 단일조직을 격퇴하는 데 충분하고도 남을 힘을 보유하고 있다는 자신의 주장을 전개하였다. 그리고 자신의 결론을 내렸다:

본인은 이것이 어려운 정책상의 원칙이라는 점은 알고 있습니다. 그러나 공산주의자들이 이 세상을 어렵고 무서운 세상으로 만들었습니다. 이 세계에서 나약하다는 것은 노예가 된다는 것을 의미합니다.

의원 여러분, 인간 문명 자체의 운명이 우리의 최후 결단을 기다리고 있습니다. 용기를 내어 이상과 원칙을 지키기 위해 일어납시다. 그 이상과 원칙은 미국 독립의 아버지 조지 워싱턴과 토마스 제퍼슨이 지켜왔고, 그리고 다시 한 번 반(半)노예, 반(半)자유 상태에서 살 수 없었던 아메리카 합중국을 지키기 위해 싸우기를 주저하지 않았던 위대한 노예 해방자 에이브라함 링컨이 지켜온 것입니다.

나의 친구들이여, 함께 기억합시다. 절반은 공산주의, 절반은 민주주의인 세계에서 평화를 되찾을 수는 없습니다. 아시아의 자유를 지키기 위해 지금 여러분의 중대한 결단이 필요합니다. 이것은 유럽과 아프리카 그리고 아메리카의 세계 공산주의 문제를 자동적으로 해결할 것이기 때문입니다.

그것은 위대한 연설이었다. 또한 열렬한 환영을 받은 연설이었다. 기자석에 배포된 사본에 내가 그 회수를 표시한 것을 보면, 연설은 서른 세 번이나 박수갈채로 중단되었다. 만약 이 대통령이 내게 연설문을 손보도록 했더라도 원래의 연설문을 버리고 단지 평화만을 추구하는 긴밀한 협력을 요청하고 약속하는 초안으로 대체하는 것 말고는 그 원문을 더 좋게 만들지는 못했을 것이다. 오히려 대통령의 연설이 훨씬 더 감동적이었고 근본적인 의미에서 올바른 내용이었을 것이다. 만약 평범한 시민이 그러한 연설을 했더라면 아무도 불평할 수 없었을 것이다. 그러나 그것은 확실히 한 국가의 수반이 다른 국가의 국회에서 행할 수 있는 종류의 연설은 아니었다.

이 사실은 이승만 자신도 인정하였다. 그 다음 번에 내가 서울을 방문했을 때 그의 집무실로 들어서자 그는 나를 쳐다보며 말했다: "올리버 박사, 의회에서 했던 연설은 내 일생일대의 큰 실수였소."

"심중을 속 시원하게 털어놓는" 사치에 대해 치러야 했던 대가는, 조화롭고 협조적이고 상호 신뢰하는 한·미 관계를 이루어 가려는 계획에 걸었던 우리의 커다란 희망이 그 시간부터 점점 어려워졌다는 사실이다. 미국은 한국을 포기할 수 없었고 물론 저버리지도 않았다. 어떤 한도는 있었고 그 주는 방식도 정해져 있었으나 대한민국에 대한 관대하고 많은 지원이 제공되었다.

그러나 이 대통령이 재임하는 동안에는 크게 신뢰하는 마음도 없었고, 내가 알고 있는 한에서는, 미국 고위 관리들 사이에 이 대통령과 협조하려고 노력하는 것이 해볼 만한 가치가 있는 일이라고 생각하는 정서도 없어졌다.

그 후 계속해서 5년 동안 많은 일을 처리할 필요가 있었고 이러한 상황에 대처하기 위해 엄청난 노력이 기울여졌다. 많은 일이 이루어졌지만 종

말을 기다리며 힘겹게 일하고 있는 암울한 분위기였다.

이 대통령에 대해서는 이런 대화가 예사였다: "그는 늙었습니다. 누가 후계자가 될지 궁금하군요."

그러나 이승만은 물러나기는커녕 기도 꺾이지 않았다. 그의 판단으로 현대에서 가장 중요한 문제들의 해결을 향해 그는 마지막 주사위가 던져질 때까지 흔들림 없이 최선을 다했다. 비록 성공을 거두지는 못했지만 그 누구도, 심지어 그 자신조차도 그가 실패했다고는 말할 수 없었다. 어떤 사람도 움직일 수 없는 힘을 움직인다는 것은 불가능하다. 그럼에도 불구하고 그는 자신이 할 수 있는 모든 노력을 기울였다. 그는 마음의 평화를 얻고 귀국하였다. 이제 드디어 그는 전쟁에 대한 죄의식을 떨칠 수 있었다. 올바른 해결책은 받아들여지지 않았다. 그러나 그는 최선을 다했다는 진정한 만족감이 있었다.

이제는 해결해야 할 이차적인 다른 문제들이 남아 있었다. 그러한 문제들도 나름대로 또한 중요한 것이었다.[125]

---

125) 한국의 분단 경위에 대한 복잡한 문제와 남북통일을 위한 여러 가지 노력에 대한 상세한 역사는 1976년에 출간된 중요 자료인 다음 책자들에 매우 잘 묘사되어 있음. 김세진 편저, 『한국 통일: 소개와 자료』(*Korean Unification: Source Materials with an Introduction*), 평화통일연구소, 서울 중구 남산동 2-22번지, 1976년 간행.

속 시원하게 말해버린 대가
− 이 날의 박수갈채는 헛것이었다.

▲ 33번 박수갈채를 받은 미국 상하양원 합동회장 연설. 그러나 이 대통령은 일생일대 의 대실수를 하였다. 그 이유는 속 시원하게 '미국이 겁이 많아 승리를 놓쳤다'고 말한 것이다. 이 설명으로 혹시 이 박사가 또 실수할까봐 미국 고위관리 중에 이 박 사 노선을 열렬히 지지하는 사람이 없어졌다.

제 21 장
제3의 전쟁 - 폐허와의 싸움(1950-60년)

　"한국동란(Korean War)"은 사실상 세 갈래로 분리는 되었으나 대체로 평행선을 달리던 전쟁이었다. 각 전쟁의 성격과 결과는 서로가 어느 것 못지않게 치명적이었다. 너무도 당연한 일로, 사람들의 관심은 총을 쏘는 전쟁에 모이게 된다. 사상자가 바로 눈앞에 보이고 전투 행위가 고조된 드라마가 되기 때문이었다. 한국전쟁은 신중한 선택으로 인해 승패가 가려지지 않았다는 점에서 이상한 전쟁이었다. 미군 비행기들은 2차 세계대전 동안 유럽 전역에 투하한 것보다 더 많은 폭탄을 조그마한 한국 땅에 투하하였다. 피아간에 거의 200만 명의 전투병들이 전사하거나 부상을 입었다. 남한에서만 100만 명 이상의 민간인이 죽음을 당했다. 그런데도 한국전쟁은 끝까지 "전쟁"이 아니고, "승리가 목표가 아닌" "경찰 행위"로 치부되고 있었다.

　한국에는 전선에서의 전투만큼 목숨이 걸린 다른 두 가지 전쟁이 묘하게 뒤엉켜 있었다. 그것은 외교전쟁과 경제전쟁이었다. 이들은 각각 다른 목표, 다른 방식, 다른 참여자, 다른 결과가 있었다는 점에서 서로가 분리된 것이었다. 그러나 그리스 신화에 나오는 복수의 세 여신처럼 이 전쟁들은 서로 떼려야 뗄 수 없었고 각각의 치명적 결과는 대부분 다른 둘의 성격에 의해 결정되었다.

무력전쟁은 외교가 제동을 걸어 승리할 수 없었다. 외교전쟁은 전선의 전투 결과에 놀라서 머뭇거리다가 승리의 기회를 놓쳐버렸다. 경제 문제는 군사적 외교적 교착상태의 압도적 영향으로 인해 해결 불가능 하게 됐다. 세계의 지도자들이 이탈리아 국토의 4분의 3도 채 안 되는 반도 국가에서 스스로의 선택에 의해 군사적, 외교적, 경제적 문제를 처리하지 못하게 만든 가슴 아픈 사례는 역사상 그 유례를 찾기 힘든 일이었다.

대가가 엄청난 것이 입증된 이토록 뒤얽힌 세 갈래의 갈등을 풀어나갈 길은 없었지만, 그 흐름을 추적해 볼 수는 있다.

유엔군이 1950년 11월 평양을 점령하고 압록강을 향해 북진함으로써 실질적으로 전쟁에서 "승리"하였을 때 별안간 방대한 규모의 중공군의 공격을 받았다. 그 중공군이 전선에 접근할 유일한 방법은 압록강의 교량들뿐이었다. 맥아더 장군은 공군사령관 조지 E. 스트레이트마이어 장군에게 이들 교량과 공격의 시발점이 되는 만주 기지들을 폭격할 준비를 하도록 명령하였다.

그러나 11월 7일 새벽 2시, 맥아더는 합동참모본부로부터 온 긴급 메시지를 받고 잠에서 깨어났다: "다음 지시가 있을 때까지 만주 국경 5마일 이내의 모든 목표물에 대한 폭격을 연기하라"는 것이었다. 압록강의 교량들은 적이 마음대로 사용할 수 있도록 고스란히 보존되어 있었다. 맥아더가 한국전쟁에 관한 상원 청문회에서 다음과 같이 증언하였다: "압록강의 교량 바닥은 수십만 대군의 발 구르는 소리에 메아리쳤고, 수백만 톤의 군수품과 탄약이 다리를 건너 적군을 지원하거나 아군을 공격하는 데 사용되었습니다."

맥아더는 야전사령관 월튼 워커 장군에게 자신의 실망감을 다음과 같이 표현하였다:

전투와 전쟁의 모든 목적은 전장에서의 승리가 신속히 정치적으로

유리한 평화로 전환될 수 있는 상황을 창출하는 데 있는 것이오. 전쟁
에서의 성공은 군사적 승리뿐만 아니라 정치적인 활용도 포함되어 있
는 것이오. … 그러나 나는 전쟁을 종식시키고 태평양 지역에서 보다
지속적인 평화를 향한 결정적인 조치를 취할 수 있는 명확한 가능성을
확보할 수 있는 기회를 엄청난 정치적 실수 때문에 그르치지 않을까
걱정이 되기 시작하였소.126)

맥아더가 군사적 승리를 거둘 수 있는 기회를 날려버린 외교에 대해
쓰라린 감정을 가졌다면, 딘 애치슨 국무부장관도 마찬가지로 '승리'를
지지한 바 있었던 1950년 10월 7일자 유엔 결의안으로부터 외교적 후퇴
를 한 것에 대하여 영국과 인도에게 마찬가지로 정확히 그 책임을 물을
결심을 했다. 실제로 이 두 나라의 책임이 크다는 것은 사실이다. 애치슨
은 그의 회고록에 다음과 같이 썼다.

　　영국 외무성은 오랫동안 자기들이 제시하는 증거 이상으로 자기들
이 소련을 잘 이해하고 있고 소련과 어려운 상황에 관한 결론을 타협
해 낼 수 있다고 믿어 왔었다. 다른 사람들이 보기에 그들이 제안한
타협안은 굴복처럼 보이는 경우가 많았다.

　　지난 7월, 우리 군대가 한국에서 부산 방어선의 마지막 교두보를 확
보하기 위해 악전고투하고 있는 동안, 우리가 부탁하지도 않았는데 영
국이 주도한 한국에서의 "평화적 타결"을 가져오기 위한 한 달간의
토의에 말려들었다. 또한 인도 역시 영국이 모르게 독자적으로 자신들
의 협상 노력을 이미 시작하고 있었다. 내가 소련에 대한 영국 외교에
대해 언급하면서 영국과 유사한 인도식 외교에 대해 서술한다는 것은
적절하지 못할 것이다.127)

---

126) 휘트니의 『맥아더』(MacAthur), 400 페이지와 제8장 전체 참조.
127) 딘 애치슨의 『창조에의 참여』(Present at the Creation), 1969년 뉴욕 W.N.

영국과 인도에게만 전적으로 책임을 묻는 것이 적절하든, 혹은 트루먼과 애치슨에게도 부분적인 책임이 있든지 간에, 어쨌든 외교가 군사적 승리를 방해했을 뿐만 아니라 전쟁에 의해 강요된 엄청난 희생에 걸맞은 그 무엇인가를 한국에서 달성할 수 있는 기회조차도 미리 가로막았다는 것은 분명한 사실이다.

희생은 군사적 사상자와 외교적 혼란만이 아니었다. 모든 것을 휩쓸어 버리는 전쟁 한 가운데에 갇힌 민간인들이 고향집을 떠나 자그마치 세 번씩이나 서에서 동으로, 북에서 남으로 이리 밀리고 저리 밀리면서 쫓겨 다녀야 했던 그 엄청난 비극이 있었다. 어떤 전선도 오래 유지되지 않았다. 때로는 "요요(yo-yo) 전쟁"이라고 불릴 정도로 이동이 많은 전쟁이었다. 그 이동은 도시와 촌락과 한국 국민들의 집을 관통하는 이동이었다.

변영태 외무장관이 제네바 회담에서 말했듯이 "한국은 잿더미의 나라가 되었다."

그러나 인적, 경제적 피해의 복구는 신속하게도 충분하게도 이루어질 수 없었다. 첫째는 싸움이 계속되었기 때문이었고, 둘째로는 군사작전과 외교전의 실패로 인해 전 세계가 지쳤고, 그 결과 한국에서 철수할 뿐만 아니라 아예 한국을 잊어버리자는 세계적인 피로를 가져왔기 때문이다.

판문점 휴전회담이 1953년 7월 27일 무거운 분위기에서 타결되었을 때, 드와이트 D. 아이젠하워 대통령은 세계의 전반적 분위기를 이렇게 표현하였다: "이제 전쟁은 끝났습니다. 내 아들이 곧 집으로 돌아오기를 기다리고 있습니다."

한국에서 경제전쟁을 싸워가는 것은 군사적 전투나 외교전쟁에 못지않

Norton 출판사. 541 페이지 참조.

게 좌절감을 주는 것이었다. 이러한 좌절감과 그 이유는 1953~54년의
원조 프로그램에 종사하며 한국에서 18개월을 보낸 한 미국인이 잘 요약
하고 있다. 그는 주어진 자원을 가지고는 싸울 엄두도 못 낼 문제를 붙들
고 헛되이 발버둥을 쳤던 것이다:

> 아마도 1955년 이 순간 가장 위험한 상황은 미국의 대중이나 정부
> 그 어느 쪽도 한국 경제전쟁의 중대성을 인정할 기분이 아니라는 사실
> 이다. 한국 문제는 낡은 모자와 다름없이 되었다. 우리들은 판문점 휴
> 전이 이루어지기 오래 전에 이미 한국에 지쳐 있었고 그 후에 더욱 지
> 쳐버렸다. 한국은 이미 1954년 초에 미국 신문의 1면 자리를 인도차이
> 나에게 내주었다. 아시아에서 미국의 관심이 남쪽으로 기울어지고, 유
> 럽 문제가 새로운 전기를 맞고 있고, 그리고 미국 국내 문제에 우리
> 관심의 더 많은 부분이 쏠리게 되었다. 이러한 변화에는 모두 충분한
> 이유가 있었다. 그러나 동시에 한국 문제를 소홀히 함으로써 발생할
> 재앙의 위험성이 커져 가고 있다.128)

한국 전쟁이 가라앉은 뒤에 복구가 가능해진 시기에 미국 대중은 외국
원조에 큰돈을 쏟아 붓는 데 아주 식상함을 느끼기 시작했다. 독일이 패
망한 직후 2년 동안 미국은 유럽을 구제하기 위해 차관과 증여로 150억
달러 이상을 제공하였다. 그 후 몇 년간, 전쟁으로 피폐된 유럽경제를 재
건하기 위한 마셜 플랜을 지원하기 위해 트루먼 대통령은 의회에 추가로
170억 달러를 요청하였다.─ 실제로 130억 달러를 승인받았다.129)

한국에 대한 지원의 필요성은 미국 납세자들의 이러한 부담에 대한 불
만의 역류 속에서 대두되었다. 미국 의회에 상정된 최초의 "한국 원조

---

128) 존 P. 루이스의 『남한의 재건과 개발』(*Reconstruction and Develop- ment in
South Korea*), 1955, National Planning Association 간행. 1 페이지 참조.
129) 트루먼의 『회고록』(*Memoirs*), 제2권, 제8장 참조.

법안" — 미군정 기간부터 발생한 경제 침체를 회복시키는 데는 턱없이 부족한 액수였다. — 은 1950년 1월 19일 하원에서 193대 192로 부결되었다. 행정부는 한국에 대한 원조를 중국에 대한 원조를 증액하기 위한 또 다른 법안에 연계시켜 다시 의회에 제출하였고, 결국 1950년 2월 14일에 한국에 대해 2억 달러가 책정되었다. 그러나 이 자금은 6월 25일 공산군의 공격이 시작되기 전까지 거의 한 푼도 사용되지 못했다.

1950년 12월, 유엔총회는 한국 지원을 약속한 47개 유엔 회원국과 6개 비회원국으로 구성된 유엔 운크라(UNKRA: 한국부흥위원단)를 설립하였다. 미국은 1950~57년간 8년의 기간 동안 운크라에 9천 290만 달러를 지원하였다. 한편 미국 의회는 국제협력처(ICA)를 설립하고 운영되던 4년 동안(1954~57년) 한국 원조 프로그램에 10억 8천 418만 2천 달러를 공여하였다.[130)]

미국 납세자들에게 이것은 엄청난 금액으로 생각되었고 실제로 어마어마한 돈이다. 다만 이 금액은 실제 필요한 액수보다 훨씬 모자란다는 것이 문제였다.

실제로 한국에는 직접적인 군사비를 제외하고 성격이 크게 다른 미국의 두 가지 아주 다른 자금 지출이 있었다.

첫 번째 종류는 단순 지원으로서 의료지원을 포함한 식품과 기타 소비재를 위한 것이었다. 이러한 종류의 지출을 위해 미군정은 1945~49년의 기간 동안 3억7천8백만 달러를 사용하였는데 주로 질병과 사회 불안을 방지하기 위한 것이었다. 한국전쟁 기간과 그 이후의 기간을 포함하여 미군은 1950년부터 1956년까지 민간지원사령부(CAC)를 통해 4억2천7백만

---

130) 한국군의 재건을 위한 직접 군사원조는 1960년까지 약 12억 5천만 달러에 달하지만 정확히 계산하기는 어렵다. 그 중 일부는 '군수품' 구매에 사용되었고, 일부는 유엔군을 위해 사용되었으며, 일부는 미국에서의 훈련에 사용되었다. 또 일부는 소속과 무관하게 봉급이 지급되는 미군 훈련교관의 봉급으로 지불되었기 때문이다.

달러를 썼다. 미국은 또한 공법(公法) 480호에 의거하여 주로 잉여물자의 판매를 통해 9천863만 달러를 식량을 위주로 지원하였다. 미국의 여러 자원봉사기관들은 1957년까지 추가로 5천 251만9천 달러를 지원하였다. 이러한 상당한 지원은 적지 않은 금액이었으나 두 가지 면에서 엄격한 제약이 있었다. 첫째, 이 자금은 기아와 질병의 예방과 같은 구제용이었고 폐허를 재건하기 위한 것은 아니었다. 둘째, 미국 관리들에 의해 직접 지출되었다. 전체 경제에 도움이 되도록 원조를 건설적으로 사용하는 데 대한 한국 정부의 지침은 대부분의 경우 거의 받아들여지지 않았다.

아주 널리 퍼진 기아와 동사자를 방지하기 위해 긴급히 요구되는 단순한 구호계획에 관한 행정 관리상의 문제라도 원조 관리 문제는 외부인이 이해할 수 있는 것과는 달랐고 훨씬 더 복잡하였다. 한 가지 실례는 무상 식량배급의 효과에 대한 것이었다. 나는 진심으로 이러한 배급을 지지하였고 더 줄 수 있기만을 바랐다. 그러나 이 대통령과 그의 몇몇 각료들과의 회의에서 무상배급 프로그램의 효과에 관해 들어본 바로는 사정이 그게 아니었다.

농림부 장관은 곡물과 그 밖의 식량배급 때문에 한국에서 벼농사를 하는 농민들에게 "파멸적" 피해가 미치고 있다고 불평하였다. 이러한 농민의 수는 가족들을 포함하여 인구의 거의 75%에 달했다. 농민들은 인플레로 극심하게 오른 가격으로 비료, 농약, 종자 그리고 기타 농사용품을 사야 하는 반면에, 빈곤한 도시 거주자들이 곡물을 공짜로 받기 때문에 받을 수 있는 쌀값은 형편없이 떨어졌다는 것이다.

보건사회부 장관은 배급이 대단히 불공평하다고 문제점을 제기하였다. 이것은 주로 운송기관이 파괴되었거나 군사 목적으로 사용하기 위해 보류되어 있었기 때문이다. 결국 어떤 곳에는 식량이 너무 많이 쌓이고 어떤 곳에는 형편없이 부족하였다.

내무부 장관은 "잉여"식량이 암시장으로 흘러들어가 모리배들에게 폭리를 안겨주고 있다고 말했다.

재무부 장관은 암시장 거래와 그 밖의 불법행위가 돈의 정상적인 흐름을 교란시켜 관리가 불가능할 뿐만 아니라 화폐교환 시스템을 심하게 혼란시키고 있다고 말했다.

그래도 원조 프로그램에 의한 식량 수입을 중단하거나 축소하기를 원하는 사람은 없었다. 그러나 이 대통령은 배급 행정을 기본적으로 한국경제에 대한 배급의 악영향을 완화시킬 수 있는 능력을 갖춘 한국 관료들과 공동으로 관리해야 한다고 원조 행정관에게 강력히 주장하였다.

이렇게 한국에 지원되는 전체 미국 원조기금의 절반 이상을 소진한 구제 프로그램은 심각하고도 때로는 해결 불가능한 어려운 문제들을 안고 있었다. 원조가 한국에 큰 도움이 되었지만 또한 불가피한 심각한 피해도 있었다. 원조의 장기적인 효과는 그 자체는 훌륭하지만 국민들을 먹여 살린다는 한 가지 일에 국한되어 있었다.

두 번째 종류의 지출은 재건을 위한 지출이었다. 다시 말해서, 국가가 자급자족하고 적절한 생활수준에 도달할 수 있도록 나라의 생산능력을 복구하고 최대한 확대하는 일이었다. 이러한 목적을 위해 구제 기능으로부터 분리된, 미국의 운크라 참여와 국제협력처(ICA)의 충당자금으로 구성된 미국의 기증 금액은 1950~1957년 동안 총 11억 7천 708만2천 달러에 달했다.[131]

이것은 대단히 큰 금액이며 이 돈을 현명하고 인도적으로 사용하기 위

---

131) 미국 원조액과 남한이 입은 전쟁 피해액에 대한 수치들은 대한민국 공보처장 오재경(吳在璟) 발행 『한국 핸드북』(*Handbook of Korea*), 1958, 뉴욕 패전트 프레스 출판사 재판본, 379-384 페이지 참조.

해 많은 기술을 쏟고 헌신하였다. 그렇지만 이러한 원조는 외부로부터 비판을 받고 내부로부터의 반대의견에 봉착하였다. 그 이유는 인간적인 면에서 충분히 이해할 수 있는 일이다.

무엇보다도 그 액수가 크다고는 하지만 엄청난 수요에 비하면 전적으로 불충분한 것이었다. 남한이 입은 물질적 전쟁피해는 공식적으로 30억 달러가 넘는 것으로 추산되는데, 이 액수는 복구 원조금액의 3배에 가깝다. 그러나 원조액수와 피해액수의 이 괴리가 방대하고 비극적이지만, 이것은 한국의 충족되지 않은 필요의 범위를 나타내는 시작일 뿐이었다.

한 가지 예를 든다면, 한반도는 한 세대 동안 일본의 식민지로 지냈다. 한국의 원자재는 대부분 제조를 위해 일본으로 보내졌다. 한국의 공장들은 일본 공장들과 연계되어 있었다. 예를 들어 자전거의 프레임은 한국에서 생산되었지만 체인과 볼베어링은 일본에서 생산되었다. 그 결과 일본과의 관계가 단절된 후 많은 한국 공장들은 무용지물이 되었다. 철도와 도로 같은 수송시설들은 한국인의 요구를 충족시키기 위해서가 아니라 일본 병력과 군수품을 부산에서 만주 국경까지 나르기 위해 대부분 남북을 연결하는 노선에 국한되어 있었다.

그나마 일본이 허락한 약간의 산업마저 인위적인 38선 분단에 의해 완전히 붕괴되고 말았다. 남한의 공장과 철도가 의존해 오던 원자재, 즉 석탄, 광석, 목재 등의 공급이 남북 분단으로 순식간에 중단되었던 것이다. 직물, 고무신, 시멘트, 비료공장 그리고 수리공장을 포함하는 남한에 있던 경공업 제조산업은 압록강의 수력발전소로부터 보내오는 전력에 의존하고 있었다. 이 전력 공급도 1948년 5월에 차단되었다.

경제적 사회적 상황을 더욱 악화시킨 것은 1945~48년의 기간 동안 실질적으로 행정공백 상태가 있었고 통제 불가능한 상황은 계속해서 악화되었다. 1948년에 새로이 수립된 대한민국은 정부의 인기를 떨어뜨릴 것이 확실한 일련의 문제에 봉착하였다. 이런 문제로는 높은 세금, 미군정의 정책에 의해 경찰, 국방경비대, 지방정부 관리로 뽑힌 공산분자들을 일소하기 위한 경찰 활동, 그리고 일본인들로부터 넘겨받은 수많은 공장과 농지에 대한 소유권 다툼의 해결 등이 포함된다.

그리고 바로 뒤이어 전쟁이 발발하여 한국인들이 그나마 조금 가지고 있던 자산마저 파괴되었고, 결국 전투가 끝날 때까지 복구는 전혀 불가능하였다.

제네바 회담이 결렬되고 이 대통령이 미국 방문에서 돌아온 1954년 하반기에 한국에서는 "폐허와의 전쟁"과 일본과의 현안문제 해결이 이승만의 가장 긴급한 관심사가 되었다. 한편, 전쟁터의 국면과 외교적 국면이 완전히 해결된 것은 아니라 하더라도 대부분 일단락되었고, 중요한 경제문제의 해결에 대한 나 자신의 능력이나 경험이 부족함을 인식했기 때문에, 나는 7월 30일 장문의 편지를 비롯해서 뒤이은 몇 장의 편지로 이 대통령에게 명예롭게 물러날 수 있는 기회를 달라고 끈질기게 설득을 시도했다.

대통령이 완강하게 나의 제안을 거부하자 나는 8월 31일자 편지에서 내 연봉을 1만 달러에서 3,600달러로 감봉해 줄 것을 제안하고, 대신 주로 〈코리안 서베이〉지의 편집과 〈코리안 퍼시픽 프레스〉사의 워싱턴 사무실을 감독하는 일을 하겠다고 말했다.

나는 앞으로 2~3일 안에 더 많은 연설문과 기사를 "대필(代筆: ghosting)"하라는 긴급 요청을 받았다. 그래서 9월 2일에 나는 문제점을 검토하고 나서 다시 이 대통령에게 편지를 보내서 나의 연봉을 5천 달러로 줄이되 외교요원들을 위한 지원은 계속하겠노라고 다시 한 번 제안하였다.

9월 11일자로 이 대통령이 진해에서 보내온 회신은 장문의 솔직담백한 편지였다. 편지에서 그는 샌프란시스코에서 했던 "미국인 자문관은 한

사람도 두고 있지 않다"는 발언에 대해 사과했다. 그는 이렇게 설명하였
다:

> 내가 자문관은 두고 있지 않다고 말한 것은 분명히 올리버 박사를
> 가리켜 한 말은 아니었소. 얼마나 많은 사람들이 대한민국 대통령의
> 자문관을 자칭하며 돌아다니는지 알고 있소? 처음에는 나도 개의치
> 않았지만 나중에는 상황이 심각한 지경에 이르렀고 때로는 피해가 있
> 었기에 무엇인가 그에 대한 조치가 필요하였소. 여러 사람의 가슴을
> 아프게 한 것은 알고 있지만 어쩔 수가 없었소. 물론 올리버 박사를
> 제외하고는 자문관이 없다고 구체적으로 말을 했더라면 더 좋았을 것
> 이오. 그러나 그렇게 표현하지 않더라도 박사는 이해하리라고 생각하
> 였소.

나의 사임이나 업무 범위 조정이나 감봉에 대해서는 이렇게 말했다:

> 이번에는 우리의 관계에 대한 박사님의 개인적 생각에 대해 이야기
> 하도록 하겠소. 나는 박사님이 우리의 큰 뜻을 위해 모든 시간을 할애
> 해 전념할 수 있도록 펜실베이니아 주립대학 일을 그만두어 주기를 바
> 라지만 그러한 요구를 하지 않는 것은 교수와 학자로서 자신의 일에
> 관한 박사님의 생각을 알고 있기 때문이오. 그러나 내가 이 말을 하는
> 것은 단지 나의 생각이 변하지 않았다는 것을 알려주고 싶기 때문이
> 오. … 우리는 올리버 박사가 원칙을 존중하는 사람이고 박사님의 소
> 신이 한 · 미 양국에 모두 도움이 된다는 것을 알기 때문에 박사님이
> 우리 일을 도와주기를 원했고 지금도 원하고 있는 것이오.

거의 감당하기 어려울 만큼 많은 작업 일정을 줄일 수 있기를 간절히
기대했지만 이렇게 간곡한 부탁을 나는 뿌리칠 수 없었다. 캠퍼스에서
언제나 바쁜 시기인 가을학기가 시작되었고, 워싱턴의 한국 대사관은 점

점 더 많은 편집상의 도움을 요청해 왔다. 한편 한·일 간의 긴장이 긴급한 홍보문제로 등장하였다.

9월 29일, 나는 이 대통령에게 일본 문제를 다룸에 있어서 그 주안점을 전환하도록 권유하는 다음과 같은 편지를 썼다:

대통령 각하께서는 대한민국 정부가 "반일 운동"을 추진해 왔다는 언론의 비난에 대해 심려하고 계실 것으로 생각합니다. 여기에는 강력한 반대 집단이 있으며 여론에 역효과를 가져오리라는 여러 가지 징후가 있음을 알고 있습니다. 〈코리안 리퍼블릭〉지에서나 정부 관료들에 의한 성명에서 표현 방식을 건설적인 방식으로 바꾸는 것이 가능할 것이라고 생각합니다. (일본의 야심을 경계해야 하는 이유를 충분히 설명하면서) "한국건설"에 역점을 둔다면 바라시는 결과를 보다 훌륭히 달성할 수 있을 것이라고 생각합니다. 각하에게 가까운 사람들 중에 이러한 노선에 따라 일련의 성명서나 기사를 작성할 수 있는 사람이 있을 것입니다. 만약 이러한 주제에 관한 이 대통령 각하의 연설문이나 성명서를 저에게 초안해 보라고 하신다면 기꺼이 최선을 다해 보겠습니다. 이것은 심각한 문제입니다. 한국의 장래 운명이 걸려 있기 때문입니다.

이 대통령은 자기를 위해 기사를 초안하겠다는 나의 제안에 동의하고 자신이 생각하는 바를 정리하여 작성한 두 개의 메모를 나에게 보내왔다. 이들 메모는 일본에 대한 대응 방법과 소련에 대한 대응 방법에 관한 문제가 대통령의 생각 속에 어떻게 밀접히 관련되어 있는지를 보여주고 한국의 경제재건을 어떻게 수행할지를 보여주는 것이었다. 〈코리안 서베이〉지 1954년 12월호에는 이 대통령이 서명한 글이 실렸다.

기사는 이렇게 시작한다: "미국 방문을 마치고 귀국한 후 나는 여러 가지를 곰곰이 생각해 보았습니다. 나는 너무나 큰 환대를 받았고, 또 공산침략에 대해 우리 국민들이 보여준 굳건한 자세에 대한 미국 국민들의 아낌없는 칭송을 받아 미국과의 개인적 유대가 그 어느 때보다 더 튼튼해졌다고 생각합니다. 나의 생각도 그와 같이 잘 이해해 주었을지 모르겠습니다."

소련의 제국주의에 대해 언급하면서 그는 다시 한 번 강조하였다: "미국은 세계대전에 말려 들어가기 전에 더 이상의 소련의 침략을 막기 위한 리더십을 발휘하길 바랍니다."

그 다음에는 일본에 대한 대응 방법으로 주제를 바꿨다:

> 또 한 가지 나에게 분명한 것은, 너무 많은 미국인들이 일본을 아시아의 강대국으로 재건시키는 위험성을 충분히 깨닫지 못하고 있다는 점입니다. 일본의 국력을 키우는 것이 아시아의 문제를 해결하는 방법이라는 널리 퍼져 있는 믿음을 보여주는 여러 가지 논평을 듣고 있습니다. 나의 견해는 그와 정반대입니다.

> 한 마디로 말해서, 소련과 그 위성국들을 저지시키고 그들이 불법 점유하고 있는 지역으로부터 몰아내야 하며, 일본 역시 다시는 인접국들을 지배하도록 허용해서는 안 된다고 믿습니다. 자유를 지키기 위해서는 이것이 아시아와 세계 정책에 있어서의 유일한 건전한 접근방식으로 보입니다.

한국 전쟁 중에 그는 이렇게 지적한 적이 있다: "어떤 지도자는 앞으로 나아가려고 하고 어떤 지도자는 뒤로 물러서려고 합니다." 그러면서: "소련의 지도자는 대담하고 대단히 무자비합니다. … 반면에 미국은 리더십뿐만 아니라 적에 대한 태도에서도 부드럽고 친화적인 경향이 있습니다. 미국인들은 인간의 완전성과 개선에 대한 믿음이 있습니다. 공산주의자들을 예의바르고 평화를 사랑하는 사람들로 변화시킬 수 있고 그렇게 될 수 있다고 생각할 정도까지 그렇게 믿습니다."라고 했다.

미국은 이 온유(溫柔)정신을 일본에도 적용하였다고 했다:

어떤 사람들은 미국이 일본을 경제적, 군사적으로 강화시키지 않으면 일본인들이 소련과 협력하는 것을 방지할 수 없을 것이라고 말합니다. 그러므로 일본을 지원하는 것은 공산주의와의 싸움과 연계되어 있다는 것입니다. 이러한 추론은 아주 중요한 가능성을 간과한 것입니다. 일단 일본이 아시아의 패권을 쥔 강대국으로 복귀한다면 일본이 공산주의자의 영향권 밖에서 머무르리라고 확신할 수 있습니까?

이 대통령의 글은 어떻게 그가 "감히" 우방인 초강대국에 대해 공개적으로 목소리를 높여 조언을 할 수 있는지에 대한 설명과 그 조언의 재천명으로 끝을 맺는다:

마지막으로 한 마디 덧붙이고자 합니다. 대한민국의 존재 자체가 미국의 관대하고 장기적인 안목의 정치력 덕분입니다. 이것 이상으로 강력한 미국의 리더십이 없다면 어떤 국가의 자유도 보존될 수 없을 것입니다. 그러므로 워싱턴에서 내려지는 결정은 공산주의 지배를 벗어나 자유롭기를 원하는 지상의 모든 국가에 있어 가장 중요한 것입니다. 따라서 우리 같은 다른 나라 사람들이 미국이 어떤 행동을 취해야 할지에 대해 많은 생각과 논의를 한다고 해서 미국인들이 놀라서는 안 될 것입니다. 우리는 모두 한 배를 타고 있습니다. 미국이 바로 선장입니다. 만약 항해가 잘못되어 배가 침몰한다면 우리 모두 함께 침몰하게 될 것입니다. 우리 능력 안에서 올바른 진로로 방향을 잡도록 지원하기 위해 무슨 일이든 해야 하는 것은 우리의 의무입니다.

이 대통령은 한국이 여전히 폐허나 다름없는데 일본은 이미 크게 복구되었다는 데 대해 몹시 심기가 불편하였다. 한국에 있는 모든 "개발된" 재산의 85%는 일본인의 소유이고, 이 재산은 반환되어야 할 뿐만 아니라 한국전쟁 중에 입은 피해까지도 일본인 소유주에게 보상해야 할 것이라고 한 일본 외무성의 발표에 대해 그는 크게 우려하면서 분노하였다.

그는 또한 일본이 중공과 북한과 무역 및 외교관계를 맺기 위해 지속적으로 상당한 노력을 기울이고 있는 사실과 일본에서 공산당을 용인하고 있다는 점, 그리고 대한민국에 대해 공공연히 선전공세를 펼치고 있는 한국인 공산주의자들을 비호하고 있다는 사실 등에 대해서도 우려를 표하였다.

일부 이 대통령의 비판자들은 그가 과거에 일본으로부터 자신과 한국이 받은 부당한 대우 때문에 "반일적"이 되었다고 비난한다. 그러나 사실 이 대통령은 현재의 여러 동향과 미래의 가능성에 대해 훨씬 더 관심을 가지고 있었다.

한국의 군사적 상황에 관한 그의 견해와 일본을 아시아의 강대국으로 다시 세우려는 미국의 지원에 대한 그의 불만으로 말미암은 이 대통령과 미국 정부 사이의 긴장관계는 한국 원조 프로그램의 운영에 대한 의견 충돌로 이어졌다. 일부 미국 원조 관리들의 눈에는 이승만 정부가 실제로 "우리나라의 재건은 우리가 알아서 할 테니 돈만 내 놓으라"고 주장하는 것으로 보였다.

재건 프로젝트의 우선순위와 그 처리 방법을 결정하는 데 있어서 이 대통령이 한국 관리들에게 주어진 권한보다 훨씬 더 많은 발언권을 갖게 되기를 원했다는 것은 상당 부분 사실이다. 한국인들보다 기술적으로 숙련된 인원을 확보하고 있는 미국 관리들은 "권한이 지나치게 이승만의 수중에 집중되어" 그 결과 "사소한 결정과 하위 관리의 임면에도 대통령의 승인이 요구되는" 한국 정부가 그들의 계획에 참견하는 것을 불쾌하게 생각하였다. 그렇기는 하나 복구노력에 지장을 주는 가장 어려운 문제점들은 다음과 같은 것들이라고 인식되었다:

1) 워싱턴의 예산 긴축정책으로 인해 한국의 필요와 미국의 전략적 이익이 공히 요구하는 건강한 수준까지 한국경제를 도저히 끌어올릴 수 없을 만큼 현재의 대한(對韓) 원조계획이 위축되어버렸다.

2) 대한민국의 국방력 구축에 막대한 비용이 소요될 것이라는 사실을 외면한 채 내려진 워싱턴의 결정은 원조 프로그램 안에 "대규모 군사 지원비를 잠입시켜" 복구에 특별히 필요한 자금을 군사비로 사용하도록 하고 있다.

3) "충분한 합동 계획"이 없었다. "미국의 정책 결정자들은 아직도 이승만 정부와의 교섭 방법에 대한 문제를 해결하지 못하고 있다고 해도 과언이 아니다."

4) 여러 가지 전문적 문제를 다룰 수 있는 훈련되고 능력을 갖춘 한국인 전문가가 부족하였다. 그러한 전문가는 합동계획에 필수적이다.

5) 가장 단순하면서도 어쩌면 가장 일의 진척을 가로막은 원인은… 미국인의 한국에 대한 관심 상실이다.… 132)

복구를 둘러싼 한·미 양국의 긴장관계는 이 문제점 목록이 보여주는 것만큼이나 복잡하였다. 미국인들은 한국 관리들의 "부패상"을 비난하였다. 한국인들은, 불가피한 일이지만, 프로그램에 관계되는 높은 봉급을 받는 직위를 미국인들이 독점하고 있고 어느 프로젝트든지 다른 작업을 시작하기 전에 최고의 우선순위는 먼저 미국인 요원을 위한 안락한 숙소부터 세운다고 하는 사실에 대해 불만이었다. 누가 결정권을 가졌느냐, 즉 자기 나라에서 자금을 제공하는 미국인이냐, 아니면 검토 대상이 자신의 나라의 복지 문제인 한국인이냐 하는 의문은 언제나 예민한 문제였다. 미국 전문가들이 소위 "노하우"를 가지고 있다는 사실에는 이론의

---

132) 루이스의 『재건』(Reconstruction), 41-46 페이지 참조.

여지가 없었지만, 낳은 경우에 이 "전문가들"은 본국에서 그만한 일을 구할 수 없었기 때문에 한국에 온 사람들이거나, 모든 것이 부족하고 불편한 상태에서 한국에서 지내는 것을 불만스러워하는 사람들이었다. 본국에서 살았더라면 더 편안한 생활을 누렸을 것이기 때문이다.

아무리 "통역"이 잘 된다고 하더라도 충분한 언어 소통의 결핍 또한 언제나 걸림돌이었다. 한국인들이 자신의 부족한 영어 실력의 빈틈을 메우기 위해 노력할 때, 혹은 통역들이 한국어에는 없는 전문 용어를 길게 설명하려 할 때, 미국인들은 한국인들이 "단지 우라지게 멍청한" 인간들이라고 간단히 치부해 버렸고, 한국인들은 그들 나름대로 자기 나라에서 모국어가 폄하된다는 사실에 불만이었다. 미국인들은 "최고위층의 결정"을 기다려야 한다는 것이 불만이었다. 그들이 불평하듯이 이 대통령은 너무나 많은 권한을 자신에게 집중시켰기 때문이다. 그러나 바로 그 미국인들이 "현장"에 나가면 작업장에서 수만 리 떨어진 곳에 앉아 있는 미국 관리들이 너무 많은 결정을 내린다는 사실 때문에 작업에 지장이 있다고 불만을 터뜨렸다. 당연히 원조담당 고위관리들은 세심한 계획과 평가 및 우선순위에 대한 집중적인 심리(審理)를 거친 후가 아니면 주요 프로젝트에 대한 자금 배정을 약속할 수 없다고 버티게 되었다. 한국의 고위관리들 역시 마찬가지로 모든 참담한 폐허와 긴급한 필요성이라는 상황 속에서 너무나 많은 자금과 시간과 관심이 반복되고 반복되는 현장 조사에 낭비되고 있다고 불평하였다.

모든 기타 문제를 더 복잡하게 만들거나 적어도 악화시키는 것은 다름 아닌 인간적인 요인이었다. 집을 떠난 미국인들이 주위에 쉽게 물건을 살 수 있는 편의점 하나 없고 제대로 된 신문 한 장 얻기 어려운 형편에서 "술과 여자와 노래"에 빠져 지치고 불만에 차고 있었다.

반면에 자신의 지역사회와 가정생활이 모조리 엉망진창이 된 한국인들

은 잿더미를 치우는 일과 물건을 생산하고 일자리를 제공하게 될 설비를
만드는 구체적인 성과를 올리는 데 집중하여 절박한 심정으로 열심을 다
했다. 양측이 서로 상대편에 대해 불만을 느끼고 때로는 짜증을 부리게
되고 혐오감까지 갖게 된 것은 당연한 일이었다.

두 집단은 극복하기 어려운 문화적 장벽에 가로막혀 있었다. 각각의
근본적 시각은 불가피하게도 상대방과는 정 반대였다. 신기한 것은 그 와
중에서도 그렇게도 많은 이해와, 그렇게도 많은 우정과, 그렇게도 많은
협조가 꽃을 피웠고, 많은 건설작업이 이루어졌다는 사실이다. 그러나 종
잡을 수 없는 복잡한 난관으로 인해 상대에 대한 날카로운 비판도 많았고
불만스러운 심경도 생겨났는데, 이것이 주변을 드나드는 기자들에게 자
연히 걸러지지 않은 채 전달되었다.[133]

워싱턴의 입장에서 볼 때, 원조 프로그램과 그것이 바로잡으려던 상황
이 잘 풀려가지 않는다는 가장 명확한 징후 중 하나는 한국 화폐의 끔찍
스러운 인플레였다. 원-달러 환산을 한 어떠한 "비용 요소(cost factors)"
추산도 프로그램이 돌아가기에 충분한 기간 동안 환율이 안정적으로 유
지되지 않았다. 1945년 8월의 100을 기준치로 한 남한의 도매물가지수는
1950년 12월에 4,890으로, 1952년 11월에는 3만까지 뛰어올랐다. 이것
이 일반 한국인들에게 무엇을 의미하는지를 나타내는 한 예로서, 서울 시
장에서의 쌀 도매가격은 1946년 1월에 한 말(1부셸의 약 4/5)에 656원 하던

---

133) 원조 프로그램의 실패에 대한 다른 원인들을 한국의 어느 경제학자가 분석하
     였다. 그는 한국 정부가 기본적 생산을 위한 기계류 대신에 소비재 수입에 너
     무 쉽게 동의하였고, 한국 정부가 국민들에게 희생과 각별한 노력을 충분히 요
     구하지 않았으며, 응집력을 갖춘 "자유 기업" 경제이론이 부족하였고, 미국은
     한국인의 기술 훈련 프로그램을 지나치게 지연시켰고, 또한 미국이 산업 플랜
     트의 건설을 중시하지 않았기 때문이라고 생각하였다. 그는 비 군사원조 30억
     달러 중 7%에 불과한 4억4천3백만 달러만이 "자본재 투자"에 할당된 사실을
     지적하였다. 주석균의 『미국 원조가 실패한 이유』(Why American Aid Failed),
     1962, 가을호 Koreana Quarterly 제4권, 81-93 페이지 참조.

것이 1953년 1월에는 9민 1,200원으로 상승하였다.[134] 상황은 1920년대에 독일 경제를 파탄시킨 걷잡을 수 없이 통제 불가능한 인플레에 가까운 위험한 상태로 치달았다.

해리 트루먼 대통령의 입장에서는 탓할 사람을 찾는 것은 간단했다. "나는 한국을 휩쓸고 있는 심각한 인플레에 관해 이승만 정부가 관심이 모자란 데 대해 깊이 우려하였다."[135]

이것은 1952년에 있었던 일로, 당시 부산에 있던 이 대통령은 나에게 편지를 보내어 통상적인 정부 지출을 감당하는 데 충분한 세금을 거둘 수는 있지만 군사비를 충당하기 위해서는 돈을 찍어낼 수밖에 없다고 밝힌 바 있다. 1954년에는 국토 파괴 범위가 너무나 광범위하여 폐허 복구를 위한 지출 요구가 최고조에 달한 바로 그 시점에 세원(稅源)은 크게 감소되어 있었다. 그럼에도 어떻든 인플레는 점차적으로 억제되어 갔다. 그러나 그것은 이미 재건 프로그램에 큰 피해가 발생한 다음의 일이었다.

유통되는 화폐는 한 나라의 건전성을 가장 예민하게 반영하는 지표의 하나이다. 인플레는 일종의 열병과 다름없다. 경제가 병들면 체온 차트의 그래프도 상승한다. 당시 상황에서는 한국이란 환자의 체온을 위험한 수준으로 끌어올릴 요인이 한두 가지가 아니었다. 대규모 파괴, 실업, 물자 부족, 조속한 개선에 대한 신뢰 결여 등등, 이 밖에도 원인은 얼마든지 있었다.

한미 양국 어느 쪽도 인플레의 고공행진을 통제하겠다는 약속을 지키는 것은 불가능해 보였다. 미국 원조담당 관리들은 1955년 7월에 끝나는 회계연도 기간 동안 매월 2천 4백만 달러 상당의 원조 물자가 한국에 도

---

134) 운크라 보고서 『남한의 농업, 임업 및 수산업의 복구와 개발』(Rehabili- tation and Development of Agriculture, Forestry, and Fisheries in South Korea), 1954, 뉴욕 컬럼비아 대학교 출판부, 4페이지 참조.

135) 트루먼의 『회고록』(Memoirs), 제2권 329 페이지 참조.

착하도록 하는 "계획을 세웠다." 그러나 실제로 도착한 물자는 그 수량의 절반도 되지 않았다. 물가 상승이 원인이었다. 대한민국 정부는 일반 회계 예산을 위해 1955회계연도에 총 599억 환(圜은 1953년 100원을 1환으로 하는 화폐개혁 이후에 사용된 새로운 통화 단위이다)의 각종 세수를 예상했지만 실제 세입은 229억 환에 불과하였다. 대한민국 정부는 특별 전시회계 예산으로 793억 환을 계상하고 지출했으나 세입은 261억 환에 불과하였다.136) 이러한 적자는 더 많은 지폐를 찍어냄으로써 메워졌다.

악순환의 끝은 없는가?

인플레와의 투쟁은 해마다 시도된 각종 '안정화' 조치에도 불구하고 별 성과 없이 지속되다가 드디어 정부는 '물가와 화폐 공급 수준이 1945년 이래 처음으로 안정되고 생산이 1950년 전쟁 전보다 크게 증가하였다'고 하면서 1957년 회계연도 예산을 발표하였다.137) 인플레와의 싸움에서 이겼다고까지는 말할 수 없겠지만 적어도 인플레는 견딜 수 있는 정도로 줄어들었다.

나는 1954년 가을 내내 이 대통령의 "세 가지 전쟁"에 대해 어떻게 하면 가장 건설적인 방법을 제시할 수 있을까 하고 상당한 고심을 하고 있었다. 미국이 주도하는 유럽 북대서양 조약기구(NATO) 조약의 실현은 그 길을 열어 놓은 듯하였다.138)

10월 5일, 나는 이 대통령의 검토를 위해 "일괄적인 안"을 제시하는 장문의 편지를 썼다:

---

136) "1952~1954"에 시작하여 나는 〈코리아 퍼시픽 프레스〉에 게재하기 위해 〈한국보고서〉(Korean Report)라는 제목으로 매년 "대한민국 정부 내각 보고서"를 편집하였다. 이들 예산 데이터는 연차보고서 제3권 34페이지에서 인용한 것이다.
137) 연차 보고서 제5권 45 페이지.
138) 아이젠하워와 덜레스가 NATO의 업적을 얼마나 기뻐했는지에 대해서는 존 로빈슨 빌의 『존 포스터 덜레스』(John Foster Dulles), 1957, 뉴욕 Harper 출판사 발행, 제25장 참조.

제 생각으로는 삭하의 입장에서 비로 지금이 한국과 아시아에 대한 유리한 조건의 보장을 확립하기 위해 조용히 중대한 조치를 취할 수 있는 적기인 듯합니다. 9개국 열강 조약(Nine Power Pact)과 유럽의 트리에스테(Trieste) 협정이 타결됨으로써 무대가 마련되었습니다. 아이젠하워와 덜레스는 자신들의 승리를 기뻐하고 있고 여론의 반응도 매우 좋습니다. 미국의 유럽 맹방들도 대환영입니다. 소련의 반응은 군축 제안과 관련하여 원자탄 공장의 사찰을 부분적으로 받아들인 비신스키의 반응으로 이미 입증되었습니다.

유럽에서의 성과와는 대조적으로 모든 사람들이 아시아에서의 실패를 의식하고 있습니다. 미국이 유럽에서 거둘 수 있었던 것과 상응되는 승리를 아시아에서도 거둘 수 있다면 그보다 더 '아이크'와 덜레스를 기쁘게 할 일은 없을 것입니다. 그들의 생각에도 세계 대부분의 여론과 마찬가지로 각하께서 이 문제의 핵심적인 인물입니다.

제가 말씀드리고자 하는 것은, 각하께서 아이젠하워 대통령에게 친서를 보내 유럽에서의 성과를 축하하고 지금이야말로 아시아를 안정시키고자 하는 순수한 시도로써 유럽의 성과에 상응되는 조치를 취할 때라고 제안하는 것입니다. 각하께서는 편지에 어떤 내용을 써야 할 것인지에 대해 저보다 훨씬 더 잘 알고 계시겠지만, 이것이 어떤 가치가 있을지 모르면서 다음 상황들을 고려하실 것을 제안하는 바입니다.

  1) 한·일 문제의 타결이 북아시아 해결의 관건이다. 이의 타결을 위해서는,
     a) 일본은 공개적으로 그리고 완전히 한국 영토와 재산에 대한 모든 요구를 포기해야 한다.
     b) 일본으로부터 한국의 경제적 독립성을 유지할 수 있는 방법으로 원조 프로그램에 의해 한국경제는 발전되어야 한다.

     c) 어업권 문제는 한국의 권리를 보호하는 토대 위에서 타결되어
       야 한다.

     d) 한국과 일본 간에 군사적 균형이 유지되어야 한다. 균형은 무
       기의 종류와 수량 그리고 어떠한 형태로든 한국에 대한 일본의
       지배를 방지하기 위한 구체적 보장에 의한 것이어야 한다.

     e) 이상의 사항들이 달성된다면 한국과 일본 사이의 외교관계의
       회복이 가능하다.

  2) 한국은 반드시 통일되어야 하기 때문에 무력에 의하든 어떤 종류
   의 협상을 통하든 그 목적에 대한 공산 측의 동의가 이루어져야
   한다. 마찬가지로 일본에게도 자국의 교역을 확대할 수 있는 기
   회가 주어져야 한다. 각하께서는 중공의 북한으로부터의 철수와
   유엔 감시 하의 선거실시에 대한 대가로서 중·일간의 비 군수품
   에 대한 교역관계 수립의 가능성을 검토하도록 덜레스에게 제안
   할 수 있겠습니까?

  3) 이러한 사항들이 달성되면 다음을 긍정적으로 검토할 수 있습니
   다.

     a) 한국과 국민당, 중국 그리고 적절한 안전장치와 함께 일본까지
       를 포함하는 동남아 조약기구(SEATO) 문제의 재론.

     b) 한국 재건을 위한 여러 전제조건의 해결.

  아이젠하워 대통령 앞으로의 서한에서 이런 내용을 제안하는 것이
좋겠다는 저의 생각은 이로 인해 각하께서 엄청난 심리적인 이점을 얻
게 될 것이라는 것입니다. 제가 이해하기로는 저의 제안이 각하께서
이미 제안하셨던 내용과 크게 다르지 않습니다. 그러나 일본이나 과거
의 유엔과 미국의 정책 실수를 비판하는 형태보다는 이것을 모두 "하
나의 패키지"로 묶어서 발표할 때가 되었다고 생각합니다.

이 편지에 대해 대통령은 10월 18일에 답장을 보내왔다: "1954년 10월 5일자로 보낸 편지를 잘 읽어보았소. 박사의 제안이 시의적절하고 적합한 것으로 판단되어 내가 대충 작성한 초안 사본을 동봉해 보내오. 수정하거나 추가 또는 삭제할 것이 있으면 전문(電文)으로 알려주시오."

그리고 편지는 이렇게 이어져 나갔다: "중공군의 한국 철수에 대한 협상 조건으로 일본과 중국 간의 교역을 허용하자는 박사의 제안은 그다지 효과적이지 못할 것이오. 우리가 그러한 교역을 막을 만한 힘이 없기 때문에 그런 제안은 두 나라에 별로 가치가 없을 것이오."

그의 편지에는 계속해서 가장 최근의 국무부와의 관계에 대해 설명하고 있었다:

박사도 알다시피, 덜레스 장관에게 보낸 편지에 대해 덜레스는 회신도 보내지 않았고 나 자신 기대도 하지 않았지만 그 편지가 일을 더 그르치게 만든 것 같소. 지금까지 나는 덜레스 장관의 입장을 난처하게 만들어 왔으므로 이제 그는 잡지나 신문 보도를 통해 우리를 공개적으로 비난하려고 노골적으로 나서고 있소. 우리가 이런 제안을 한다면 그가 이것을 어떻게 받아들일지 모르겠소. 그러나 그에게도 손해될 것은 없기 때문에 기꺼이 그에게 편지를 보낼 용의가 있소.

일본인들이 한국 재산의 85%를 자기들 것이라고 주장하고 있다고 내가 덜레스 장관에게 알려준 것이 아이젠하워 대통령과 윌슨 장관에게[찰스 윌슨(Charles Wilson) 국방부장관] 제대로 전달된 것으로 알고 있소. 그 두 사람 모두 처음으로 이에 관해 알게 되었으며, 만약 이것이 사실이라면 미국은 그러한 주장을 무시할 수 없다는 것이 그들의 의견이오. 이런 사실은 더 널리 공개될수록 우리에게 더욱 유리할 것이오. 우리의 입장은 틀림이 없고 진리와 정의는 우리 쪽에 있소. 우리는 두려워할 것이 없소. 유일하게 우려되는 것은 우리의 상대가 우리를 제3자들에게 잘못 인식시키는 데 성공하고 우리가 진실을 밝힐 방법이 없게 되는 경우뿐이오. 그러므로 우리의 친구들이 정의가 승리한다는 충분한 신념을 가지고 계속 밀고 나가면 우리는 최후의 승리자가 될 것이오.

내가 대통령의 일본에 대한 공격을 비판하고 보다 건설적인 태도를 취하도록 촉구한 데 대한 그의 명백한 불쾌감은 약 20년이 지나서 일어난 두 가지의 역사적 사건에 비추어 볼 때 또 다른 관점으로 받아들여진다. 1975년 8월 6일 뉴욕의 유엔 안전보장이사회에서는 남북 베트남의 가입 신청을 받아들이면서 대한민국의 유엔가입 신청을 거부하였다. 같은 날 제럴드 포드(Gerald Ford) 대통령은 "한국의 장래"에 대해 논의하기 위해 백악관에서 일본 수상과 마주 앉았다. 이 자리에 워싱턴 주재 대한민국 대사는 초대조차 받지 못했다. 이승만 대통령은 자신의 최악의 예감이 맞아 들어갔다고 생각했을 것이다. 그러한 역사적 시각 없이는 일본에 대한 그의 의구심을 달랠 길이 없다.

대통령이 나의 "수정 작업"을 위해 동봉한 10월 18일자의 "초안 서신"은 내가 확신하건대 국무부에 발송하기 위한 것이 아니라 일본에 대한 자신의 시각을 나에게 명확히 밝히기 위한 것이었다. 국무부의 "혈장군" 앞으로 작성된 서신은 이렇게 시작되었다:

우리는 덜레스 장관께서 아시아에서의 외교에서 성공을 거두도록 도움이 될 수 있기를 바랍니다. 덜레스 장관은 한국의 입장을 오해할 수 있습니다. 만약 정말로 오해한다면 장관을 지원해드리기 어렵습니다. 우리 측의 오해는 덜레스 장관이 일본을 다시 한 번 아시아의 지배적 국가로 만들 정도로 일본을 세워주려고 하는 장관의 계획에서 비롯되었습니다. 이런 구상은 근본적으로 잘못된 것이고 결코 효과를 거두지 못할 것입니다. 일본은 한때 정복 국가였고 모든 아시아 국가에 많은 파괴와 고통을 안겨준 나라이기 때문입니다.

일본이 근본적으로 생각을 바꿔 이웃 국가들과 평화로운 관계를 유지하고 지내기를 원한다면 과거는 용서하고 잊을 수 있습니다. 그러나 지금까지 일본은 이러한 방향으로 어떠한 노력도 하지 않았습니다. 오히려 일본은 과거와 같은 오만하고 지배자적인 태도를 취하면서 한국을 일본의 소유물이라고 주장합니다.

이러한 태도가 지속되는 한 모든 아시아인들은 다시 한 번 일본을 강국으로 만들고자 하는 미국의 정책을 지지하지 않을 것입니다. 그들은 일본에 대항하기 위해 차라리 소련과 손을 잡을 것입니다. 만약 그들이 일본을 부활시키고자 하는 현재의 미국 정책을 지지한다면 결국 미국이 일본으로 하여금 아시아 각국을 공격하도록 도와주는 것이라고 믿게 될 것이기 때문입니다.

이와 같이 일본을 극동에서 과거의 지배적 강자로 만들려는 미국이 꾸준하게 추진해온 전후 정책에 대한 그의 견해를 직설적으로 천명한 다음, 이 대통령은 계속해서 정책 전환을 위해 필요한 것으로 판단되는 조건들을 제시하였다:

이러한 어려움을 피하기 위해 덜레스 장관은 자신의 영향력을 행사하여 일본으로 하여금 가까운 이웃 나라들에 대한 태도를 바꾸도록 조언해야 할 것입니다. (1) 일본은 필리핀과의 배상 문제를 해결해야 합니다.… (2) 일본은 한국에 관한 재산 소유권 주장과 그 밖의 요구를 모두 포기해야 합니다.

덜레스 장관은 한국이 발표한 최소한의 요구사항을 일본이 받아들이도록 해야 합니다. 과거의 보호조약과 합병조약을 무효화하고, 한국에서 가져간 서적, 미술품 및 중앙은행이 보유하던 지금(地金)을 반환하고, 어로수역을 인정하는 것입니다. 반면에 한국은 일본과 통상협정을 체결하고 재일 한국인 문제를 해결하기 위해 노력할 것입니다.

만약 이러한 예비적 정책 변경이 이루어지게 된다면 이 대통령은 실질적으로 건설적인 주요한 진전이 이루어지리라고 생각하였다. 대통령은 계속해서 이렇게 썼다: "우리가 제시하는 조건이 충족될 때, 일본과 미국 역시 원하는 경우에 상호간의 침략행위를 비롯한 어떠한 외부의 침략에도 대항하는 미국, 일본 및 한국 3개국 간의 조약체결을 하도록 노력할 것입니다. 그런 연후에 이들 3개국은 모든 아시아 국가의 독립을 지지하고 제3세력에 의해 무력 공격을 받는 나라가 있으면 지원하겠다는 취지의 공동선언문을 발표해야 할 것입니다. 그 후에도 또 하나의 난점이 남을 것입니다. 중공과 소련과 거래하기를 원하는 일본의 태도입니다. 만약 일본이 반공국가임을 스스로 선언하도록 설득될 수 있다면 모두에게 상황이 간단해질 것입니다. 이러한 공개선언까지 하도록 강요하지 않고도 일본을 다룰 수 있는 방법이 있을 것입니다."

대통령은 교묘한 제안으로 초안을 마무리했다: "만약 일본이 돈이 부족하여 우리 금을 반환할 수 없다고 한다면 일본이 차후에 변제할 것이라는 양해 아래 미국의 원조 자금을 사용하여 그것을 대신 갚을 수도 있을 것입니다."

대통령은 이 편지를 쓴 직후인 10월 21일 CBS의 밥 피어포인트(Bob Pierpoint) 기자와 인터뷰를 가졌다. 기자는 최근 한국으로부터 미군 4개 사단이 철수하는 문제에 대해 그의 견해를 물었다.

대통령은 이렇게 대답했다: "우리의 수도 서울로부터 몇 마일 밖에 100만의 중공군과 북한군 병력이 버티고 있는데 충분한 방어 대안도 없이 미군의 3분의 2와 대부분의 기타 유엔군 병력을 최근 철수시킨 것은 한국 국민들을, 부드럽게 표현해서 크게 동요시켰소."

원조 프로그램에 대한 견해를 질문하자, 대통령은 원조 프로그램 담당 관리들에게 여러 번 강조하던 의견을 되풀이 말했다: "유감스럽게도 고

통 받고 있는 국민들이 크게 필요로 하는 당장에 필요한 구제품 말고는
비료나 시멘트, 그리고 기타 자재의 생산공장을 건설하여 우리 경제를 재
건하는 일은 별반 이루어지지 않았다는 것을 말씀드리고 싶소. 현저히 더
높은 비용을 들여서 소비재를 계속 수입하는 대신 그런 소비재를 우리가
생산할 수도 있었을 텐데 말이오."

그리고 덧붙여 말했다: "미국의 원조자금이 중단될 때는 한국이 자급
자족할 수 있기를 원하고 있소. 우리 후손들이 자기들의 번영을 위해 우
리의 우방 미국이 번영의 기반을 구축해 주었다는 사실을 알게 되기를
바라고 있소."

회견을 마무리하면서 이 대통령은 아이젠하워 대통령의 치적으로 기록
된 "긴장 완화"에 따르는 위험에 관해서도 자유세계가 인식해 줄 것을
다시 한 번 호소하였다: "우리가 평화를 꿈꾸며 희망하고 계획하는 동안
공산주의자들은 철의 장막 뒤에서 자기들이 하는 짓거리에 대해 우리를
혼란스럽게 하면서 떠벌리고만 있소. 그들이 지금껏 해온 일이 도대체 무
엇인가 말이오? 그들은 세계에서 가장 큰 육군과 가장 큰 공군과 가장
큰 잠수함 함대를 육성하고 원자폭탄과 수소폭탄을 개발해 왔소."

이 대통령도 다른 우방의 정책 결정자들도 몰랐던 사실은 이들이 그러
한 폭탄을 탑재하여 운반할 고도의 정교한 시스템도 개발하고 있었다는
점이다. 소련은 1957년 10월 4일 "스푸트니크(Sputnick)" 위성을 우주로
발사하여 세계를 깜짝 놀라게 하였다. 미국이 원자폭탄을 개발한 후,
1950년에 최초로 원자폭탄을 개발한 소련은 원자폭탄을 세계 어느 곳이
든 운반할 수 있는 능력에서 별안간 큰 도약을 이룩하였다.

한편 이 대통령은 1954년 10월 21일 다음과 같은 말로 CBS와의 기자
회견을 마쳤다:

만약 우리가 적의 약속을 믿고 싶기 때문에 가만히 앉아서 적의 행

동에 대해 외면한다면 아마도 전쟁은 없을 것이오. 설사 전쟁이 발발한다고 해도 오래 끌지는 않을 것이오. 다만 그 결과는 우리가 바라던 대로는 되지 않을 것이오. 진정한 세계평화를 쟁취하려면 우리는 그것을 위해 싸워야 할 것입니다.

이 대통령이 평생을 두고 계속할 수밖에 없었던 투쟁이 어떤 것이었느냐를 무엇보다 잘 나타내는 것은 한·일 간의 외교, 군사적 문제와 (미국의) 경제원조 문제를 혼란스럽게 결부시키는 데 대한 반대투쟁이었다. 그는 여기서 다시 한 번 근본적인 문제에 있어 한국의 가장 좋은 우방이며 든든한 지원국인 미국이 부동의 정책으로 정한 방향과 다른 입장을 취하게 되었다. 어떤 악마적인 운명에 의하여 그가 지지해야 할 것이 가장 절실한 때에 오히려 그 상대를 반대하여 그와 싸우도록 강요당하고 있는 것 ― 탈출구가 없는 딜레마 ―처럼 보였다.

미국은 1950년대에 세계를 "냉전" 상태로 유지하여 3차 세계대전에 말려들지 않고 공산주의를 "봉쇄"하려고 노력하면서 동시에 연합국뿐만 아니라 패전국인 일본과 독일도 포함하여 붕괴된 세계경제를 재건하기 위해 막대한 재정적 부담도 짊어지고 있었다. 미국의 의회와 국민은 이러한 노력을 이해할 뿐만 아니라 지지하기도 하였으나 이해란 것이 언제나 편파적이고 부정확하다는 것은 당연한 일이었다.

구체적으로 말하자면, 50년대 중반이 되자 막대한 해외원조 부담에 대한 납세자들의 저항이 점차 커져갔다. 특히 대한민국에 대한 원조를 반대하는 저항이 심했다. 이유는 여러 가지였다. 한국에 대한 원조 문제가 이미 유럽에 막대한 규모의 원조가 제공된 후에 대두되었다는 점, 한국전쟁에 지치고 환멸을 느끼게 되었다는 현실, 국민과 의회가 관련된 문제의 본질은 명확히 이해하지 못한 채 이 대통령이 미국 정책에 반대한다는 것만을 깊이 인식하고 있었다는 것 등의 이유 때문이었다.

미국 행정부는 원조를 위한 계속적인 지지를 얻기 위한 노력의 일환으로 한국 원조 프로그램에 대해 "1달러를 소비하여 2달러의 가치를 구현하자"는 전략적 표어를 채택하였다. 이 말의 의미에 대해서도 조심스럽게 설명하였다. 원조 자금을 가능한 한 일본에서 사용하여 한국에 제공할 물자를 구매하자는 것이다. 이 프로그램에 의하면, 일본의 산업이 재건되면서 한국 국민들이 전쟁의 폐허에서 벗어나는 데도 도움이 된다는 것이다. 워싱턴의 행정부와 입법부의 시각에서 보면 이것은 경제적으로도 건전해 보이는 동시에 미국 유권자들의 세일 좋아하는 정서에도 매력적으로 비칠 것으로 생각하였다. 또한 그들은 한국 사람들이 이에 대해 불만을 제기할 수 없을 것으로 생각하였다. 한국인들이야 공짜 물자를 대량으로 공급받는 수혜자이기 때문에.

그러나 국민의 복지를 책임지고 있는 이 대통령은 거기에 동조할 수 없었고 온힘을 다하여 반대하였다.

1957년 5월 23일, 그는 미국 원조 정책에서의 한·일 문제에 대한 자신의 생각을 정리한 "초안"을 나에게 보내왔다. 여기에서 그는 미국에 대한 감사의 뜻과 함께 원조의 관리 방식에 대한 자신의 심각한 불안감을 분명히 표명하기 위해 애를 썼다는 것을 알 수 있었다. 그의 주된 우려 사항은 "아시아에서의 일본의 주도력- 한국에 대한 직접적인 위협이 된다고 생각되는 — 회복이 미국의 일관된 최우선 정책"인 것에 대한 것이었다:

미국이 일본의 산업생산 능력의 복구와 확장을 가속화시키기 위해 일본에 수십억 달러의 직접 원조를 제공한 것은 물론 잘 알려져 있는 사실이다. 그러나 잘 알려져 있지는 않지만 애국적인 한국인들에게 심각한 혼란을 일으키고 상처를 주고 있는 것은, 한국에 대한 미국 원조를 위해 책정된 자금조차도 한국보다는 우선적으로 일본경제의 재건을 위해 사용되어 왔다는 사실이다.

물론 한국원조 자금의 공표된 목적은 한국경제를 재건하고 복구하기 위한 것이다. 그러나 특히 수요가 컸던 전쟁 초기 몇 년 동안, 한국 국내의 필요를 충족시키기 위한 생산설비 가동을 지원하는 대신에 대부분의 원조자금은 일본에서 생산된 소비재를 구매하는 데 사용되었고, 그 소비재가 한국으로 선적되어 한국 국민의 구호용으로 사용되었다. 한국에 소비재가 필요했다는 것은 사실이다. 그러나 결과적으로 한국 원조자금을 가지고 한국경제를 유지하는 데 도움이 될 생산설비가 일본경제에 혜택을 주는 일본에 재건되었던 것이다.

이로 인해서 대한민국 전역에는 1953년 후반기까지도 어떠한 공장이나 제조설비도 건설되지 않았다. 그 후로 한국은 진정한 경제복구를 시작하였고, 지금은 상당한 양의 훌륭한 품질의 제품들을 생산하기 시작했다. 그러나 오늘날까지도 대한민국 국군에게 필요한 군수품조차 한국에서보다는 일본에서 조달하기 위한 계속적이고 세밀하게 계획된 편파적인 경향 때문에 큰 문제가 되고 있다.

이 대통령은 계속해서 1955년 7월 1일에 시작되는 1956회계연도에 국내 산업이 한국군에 필요한 2,500만 달러 상당의 군수품을 생산하였으나 미국은 불과 839만 달러에 해당되는 물량만을 구매하였다고 지적하였다. 더욱이 미국은 일본에서는 달러화를 사용하면서도 한국에서는 한국이 수입품을 구매하는 데 필수불가결한 미국 달러화로 지불하는 것을 거부하고 한국 화폐로 지불하였다. 한국의 생산 공장들은 1957회계연도 기간 중에 9,500만 달러 상당의 군수품 약 300가지를 생산하였다. "주목해야 할 것은, 한국에서 생산되는 이들 제품은 완전하게 충분히 공급되지는 못한다고 하더라도 적어도 일본 제품과 동등한 정도의 품질로 충분한 가격 경쟁력을 가지고 제공될 수 있다는 점이다."

그러나 편지를 작성하고 있던 당시, 1957회계연도가 겨우 한 달 남짓 남아 있는 현재 시점까지 주한 미육군 구매처(SAPAK)는 전 기간 동안 한국에서 정확히 한 푼 어치도 구매한 것이 없었다.

이러한 이 대통령의 "반일"적 시각은 미국 정책에 대한 그의 "의구심"과 함께, 1975년에 아시아 연구로 하버드 대학에서 박사학위를 받은 어떤 학자가 내린 결론과 비교될 수 있다. 그는 이렇게 쓰고 있다: "미국의 지역통합이라고 볼 수 있는 이러한 기본 전략은 공업화된 일본을 미국에 의존하게 만들고, 경제적 후진국인 한국을 궁극적으로 일본에 의존하도록 만들었다. 그러한 심리적 뿌리는 친일화된 미국 지배계급이 공유하고 있는 한국 사람과 기타 식민지 지배를 받은 경험이 있는 아시아인들을 다 멸시하는 전통적인 자세의 내면에 자리 잡고 있었다. … 20세기 중반의 존 포스터 덜레스는 그 대표적인 인물이다."[139]

이것이 한국 정부의 눈에 비친 "1달러를 소비하여 2달러의 가치를 구현하자"는 정책 방식이었다. 그러나 일단 미국 의회에서 이 정책이 "넘어가게" 되면 쉽사리 폐기할 수 없게 되었다.

미국 국민과 정부의 관심은 1957년 중반에 두 가지 아주 상이하고도 매우 극적인 사건으로 인해 한국에서 더 멀어지게 되었다.

그 첫 번째는 소련이 세계 최초의 인공위성 "스푸트니크"를 극적으로 발사한 것이다. 두 번째는 미국의 남부 여러 주에서 대법원의 흑백 인종 통합 교육 주장에도 불구하고 흑인 아동의 입학을 반대하는 남부 여러 주에 걸친 백인들의 통탄스러운 광경이었다.

---

139) 프랭크 볼드윈 편집 『유례없는 우수성』(*Without Parallel*), 179 페이지에 실린 허버트 P. 빅스의 논문 "지역 통합: 미국의 아시아 정책에서의 일본과 남한"(Regional Integration: Japan and South Korea in American Asian Policy)' 참조.

이 두 사건은 모두 자유세계 전체에 대한 타격이었다. 왜냐하면, 이 두 사건은 중요한 미국의 세계적인 자산, 즉 미국의 군사적 우월성과 미국의 본질적인 공정성과 품격의 심각한 약화를 나타내는 것으로 보이기 때문이다. 소련과 중공은 이런 사태를 이용하기 위해 재빨리 움직였다. 소련은 중동에 대한 군사개입을 하겠다고 위협하였다. 아이젠하워는 공산당의 장악을 막기 위해 레바논에 군대를 상륙시킬 것을 약속함으로써 이에 응수했다. 중공은 아프리카 전역에 발판을 마련하기 위해 매우 활발한 외교적, 경제적 활동을 시작했다. 한편 중남미, 이탈리아, 프랑스의 공산당들은 세력을 신속히 크게 신장시키고 있었다.

1957년 10월 8일, 나는 이 대통령에게 이러한 문제점에 대해 개괄적인 설명을 하고 아이젠하워 대통령에게 이해와 지지를 확약하는 서신을 보내는 것이 적절하겠다는 편지를 보냈다.

10월 17일, 대통령은 회신을 보내왔다: "올리버 박사의 말은 모두 옳은 말이기 때문에 우리는 깊은 감명을 받았소."

그는 세계정세에 관한 자신의 견해를 다음과 같이 설명했다:

우려할 만한 충분한 이유가 있소. 만약 미국이 우세한 무기와 장비를 갖추고 세계 최강의 부유한 국가로 버티고 있는 가운데에서도 공산주의자들에 의해 미국이 궁지에 몰린다거나, 또 만약에 미국이 추월당하거나 실제로 추월당했을 때에 미국은 어떻게 하겠느냐?

미국은 공산주의의 확산을 막기 위해 자신의 많은 자산을 다른 나라에게 제공해 주어야 하기 때문에 미국의 자원은 줄어들고 있다는 것을 깨달아야 하오. 반면에 공산주의자들은 자신을 더 부유하게 만들기 위해 남의 나라로 진출하고 있소. 다시 말해, 소련은 경제적으로 입지가 개선되고 있고 반면에 미국의 경제적 상황은 악화되고 있다는 것이오.

아이젠하워 대통령에게 보내기 위해서 이 박사를 위하여 내가 초안한 서한에서 나는 은밀히 세계의 문제점에 대해 내가 선호하는 해결책을 제안하는 것으로 끝을 맺었다: "실현 가능할 것으로 판단되는 유일한 궁극적인 해결책은 보다 신속히 세계정부를 구상하는 것입니다. 각하께서 세계 연방공화국의 헌법을 초안하기 위한 새로운 제헌회의를 소집할 위치에 있다고 생각하시는지 궁금합니다.… 성사시킬 수 있는 가능성을 가지고 그러한 세계 연방정부에 대한 호소를 말할 수 있는 사람은 이 지구상에서 각하가 유일한 분이시라고 본인은 믿고 있습니다."

아무리 호소력이 있다고 하더라도 이 대통령은 꿈같은 그런 표현에 생각이 흔들릴 인물이 아니었다. 그는 전문을 보내왔다: "종결 부분을 적절하게 다시 초안하기 바라오."

나는 그의 요구에 따라 일반적인 테마로 끝부분을 바꿨다: "철의 장막 뒤에서 부당하게 억류되어 있는 사람들의 해방이라는 정치적 목표는 가능한 모든 수단에 의해 재확인되고 지원되어야 할 것입니다."

11월 7일, 이 대통령의 비서실장이 그를 대신하여 나에게 다음과 같은 편지를 보내왔다:

이 대통령께서는 세계정부라는 개념이 실제로 소련 공산주의자들에 의해 주창된 것이라고 생각하십니다. 그들은 전 세계를 정복하기로 맹세한 자들이기 때문에 기회만 있으면 그러한 계획에 반색을 하고 달려들 것입니다. 공산당들은 단결되어 있는 반면에 서구 세력은 모두 분열되어 각기 자기네 생각만 하고 있습니다. 박사께서 이집트 사태를 되돌아보시면 덜레스 장관이 이집트 사람들에게 영국인들을 이집트에서 떠나도록 하라고 말했던 것을 기억하실 것입니다. 덜레스는 영국이 물러나면 소련이 들어오리라는 것을 고려하지 않았습니다. 이것은 실제로 일어난 자유진영 분열의 한 실례입니다.

한국과 미국 및 자유세계가 직면하고 있는 문제의 본질은 이해하기 어렵지 않았다. 결여된 것은 문제에 대한 적절한 해결책이었다. 그러한 해결책이야말로 장래의 화합과 번영의 문을 열어줄 황금열쇠이지만, 불행하게도 그것은 우리가 손에 쥐고 있지 못한 열쇠였다.[140]

---

140) 이 장에 기술된 일부 문제점에 관한 훌륭한 논의는 다음 책자에서 찾아볼 수 있다. 진 M. 라이온스의 『군사정책과 경제원조: 한국의 사례』(Military Policy and Economic Aid: Korean Case), 1961, 오하이오주 콜럼버스 소재 오하이오 주립대 출판부 간행.

제22장
한 시대의 종언(1959~60년)

1959년은 순조롭게 시작되었다. 한국의 국내정치는 조용했고 정부 관료체제는 효율이 향상되어 갔으며, 원조 프로그램은 전화(戰禍)를 입은 폐허를 복구하는 데 성과를 보이고 있었다. 한국과 관련된 나의 임무도 견딜 수 있을 만큼 많이 줄어들었다.

2월에 나는 서울로 이 대통령 부처를 방문해 달라는 정중한 초청장을 받았다. 이번에는 업무적인 것이 아니라 3월 26일 대통령의 84회 생일에 즈음하여 축하를 겸한 비공식적인 방문이라는 설명이었다. 다행히 그날은 부활절 휴가와 겹쳤기 때문에 나는 어렵지 않게 대학 학과의 잡무로부터 벗어날 수 있었다.

3월 26일 아침, 느지막이 반도호텔로 보내온 차를 타고 나는 경무대로 갔다. 리셉션 룸에는 대통령 부처와 함께 몇 명의 대통령 지인들이 모여 있었다. 간단한 의식을 행하고 대통령은 나에게 훈장을 수여해주었다. 그는 표창장을 몸소 읽었다. 표창장의 내용은 그가 마음에 들 때까지 쓰고 또 쓰면서 다듬었던 것이었다.

이날이 내가 대통령을 마지막으로 만나는 날이 되고야 말았다. 나는 언제나 그때 그 모습 그대로 그분을 기억하고 있다. 꼿꼿한 자세로 건장하면서도 우정이 넘치는 따스한 표정, 진정한 신사의 보증표인 예의 바름을 온 몸으로 풍기는 인간 이승만의 모습이 나의 뇌리를 떠나지 않는다.

그날 오후 나는 대통령과 정원을 거닐면서 지난날 함께 알고 지냈던 친구들과 여러 가지 겪었던 추억담을 나누고 있었다. 나는 그에게 이제는 휴식이 필요하므로 1960년에는 대통령직에서 물러나 모든 도전과 책임을 딴 누군가에게 넘겨주어야 하지 않겠느냐고 넌지시 대통령의 의중을 떠보았다.

그는 대답하였다: "그렇게 되면 나야 더 바랄 것이 있겠소. 하지만 이 싸움을 계속해 줄 사람이 누가 있겠어요?"

그리고는 민주당 내부에서 무슨 일이 일어나고 있는지를 꽤 소상히 설명하였다. 조병옥(趙炳玉)과 장면(張勉)이 당내 주도권을 놓고 치열한 경쟁을 벌이고 있었다. 흥미로운 사실은 두 사람 모두가 원하는 것은 부통령직에 지명되는 것이라는 점이었다. 어느 쪽도 대통령 자리를 놓고 이 박사와 맞설 생각은 없었다. 국민이 직접 선출하는 보통선거에서 그를 이길 수 없다는 것을 두 사람 모두 잘 알고 있었기 때문이다. 대통령의 고령을 고려하면 부통령 자리는 진정 횡재나 다름이 없는 것이었다.

부통령 자리도 어려운 경쟁이 수반될 것이다. 한국 헌법에 의하면 대통령과 부통령은 따로따로 선출된다. 장면은 이미 1956년에서 1960년까지 부통령을 지낸 적이 있다. 그는 이 대통령에게 발탁되어 1948년 파리 유엔총회의 막중한 한국대표단을 이끌었고, 초대 워싱턴 주재 한국 대사를 거쳐 국무총리까지 되었지만, 이 대통령은 그의 1956년 부통령직 도전에 반대했고 또다시 1960년에도 반대하였다. 이승만은 장면이 외교무대에서 미국과 유엔의 '타협적' 분위기에 대항하여 투쟁을 벌여나가기 위해 요구되는 충분한 독립심이 결여된 사람으로 판단하였다. 또한 일본과의 여러 현안 문제의 유리한 타결의 요구에도 장면은 힘을 발휘하지 못할 것이라고 생각하였다. 이승만은 장면을 북한으로부터의 체제 전복적 간첩의 침투를 막는 데 필요한 강인성을 갖지 못한 인물로 생각하였다. 이러한 적색분자의 침투를 저지하기 위해서는 남한 전역에 걸친 철저한 경찰의 감독이 요구되기 때문이었다.

이 박사는 조병옥도 역시 대통령의 직분을 감당하기에는 충분하지 못하다고 생각하였다. 조병옥은 한국의 미션스쿨에서 교육을 받고 30대 시절 독립을 주장하다가 일제 치하에서 두 차례나 옥고를 치렀다. 미군정은 그를 남한의 경찰총수로 발탁하였다. 이승만은 1950년 그를 유엔에 특명전권대사로 파견하였고 1950~51년 10개월의 기간 동안 내무부장관이라는 중요한 직책에 임명한 바 있다. 이후에 조병옥은 야당인 민주당의 적극적인 당원으로서 두 번이나 국회의원에 당선되었다. 이승만은 그의 애국심과 불굴의 의지력을 높이 평가하였다. 조병옥의 능력에 관해서는 의심의 여지가 없었다. 그에게 부족한 것은 자기 절제였다. 그는 술을 지나치게 즐겼고 밤샘 파티를 좋아하였다. 또한 지나친 정도로 사람들을 후하게 접대하고 자신의 수입 범위를 훨씬 넘게 돈을 헤프게 썼다. 불행하게도 그의 능력은 술과 무절제한 생활로 소모되고 있었다.

이 두 사람, 장면과 조병옥은 제4대 대통령 자리에 이승만의 대안이었다.

이 박사는 자신이 아니면 안 된다는 신화의 희생자였던가? 프랭클린 루즈벨트, 윈스턴 처칠, 아데나워, 드골을 비롯해서 근대사의 수많은 존경받는 국가 지도자들과 다름없이 그도 자기의 높은 자리에서 물러나기를 주저하였다는 것은 분명하다. 그는 실제로 자신의 고집스러운 소신에 대해 세상의 비난이 집중되었지만 승산이 전혀 없어 보이는 싸움을 계속해서 이끌고 나갈 자신의 능력과 정신력에 대해 대단한 자신감을 가지고 있었다. 그는 우방 각국과 일본과의 관계에 있어서 대한민국이 안고 있는 여러 문제의 복잡성에 대해 자신이 잘 이해하고 있다는 확신을 갖고 있었다. 또한 자기의 정적들이 그만한 이해력을 갖추고 있는지 믿음이 가지 않았다. 한국에는 필요한 정책과 프로그램을 이끌고 나갈 능력을 가진 또 다른 잠재적인 지도자가 있을지도 모른다. 그렇다고 해도 아직 정치무대에 등장하지 않았다. 분명히 이 박사의 관점에서는 장면도 조병옥도 상황이 필요로 하는 인물이 아니었다. 그리고 만약 이승만이 다음 번 대통령 선거에 나서지 않는다면 국민들은 이들 둘 중 하나를 선택해야 할 것이다. 일반적 경우라면 이승만은 이런 특수한 상황에서는 자신이 꼭 필요하다고 판단하였다. 이것이 그가 나에게 들려준 설명이었다. 그리고 그의 노령과 점점 늘어나는 짜증에도 불구하고 이와 같은 그의 상황 분석에 나는 반박할 여지가 없었다.

그런 연후에 나는 자유당에서 부통령 러닝메이트 후보를 선택할 때 보다 주의 깊게 살펴볼 것을 촉구하였다. 그는 눈썹을 치켜 올리며 정말로 놀란 표정을 지으며 말했다: "부통령직은 그다지 중요한 직책이 아니오. 그러나 나에게 충직하고 내가 신뢰할 수 있는 사람을 그 자리에 앉혀야 하오."

나는 대통령이 차기 4년의 임기를 채우게 될 때까지 생존하지 못할지도 모른다는 말까지 입에 담고 싶지는 않았다.

그의 마음속에 스쳐가는 생각을 쉽게 짐작할 수 있었다. 1956년 선거에서는 장면이 이승만의 러닝메이트였던 이기붕(李起鵬)에게 승리를 거뒀었다. 그들이 함께 직무를 수행한 4년 동안, 이승만과 장면은 얼마나 사이가 나빠졌던지 둘이 나란히 같은 단상에 앉게 되는 공식행사에서조차도 거의 말을 나누지 않을 정도였다.

장면은 미국의 재건 프로그램을 변경하여 직접 지휘하고자 한 이승만의 시도에 대해 반대 여론을 이끌었다. 그는 또한 이승만이 인플레를 잡는 데도 실패하였다고 비판하였다. 더욱이 장면은 공개적으로 이승만이

조금만 더 '합리적'인 자세를 취한다면 일본과의 화해가 가능할 것이라
고 주장하였다. 이승만은 이기붕에게 장면을 이길 수 있는 기회를 다시
한 번 주어야겠다는 결심을 굳히고 있었다.

　이기붕은 1947~49년 동안 이승만의 개인비서를 지냈다. 그는 공산군
이 서울을 점령하기 직전부터 전쟁이 끝난 후에도 줄곧 서울시장으로 재
직하였다. 나중에 먼저 국방부장관이 되고 그런 뒤에 국회의장이 되었다.
또한 자유당 당의장도 겸하고 있었다. 시끄러운 논란의 와중에서도 그의
충성심과 침착성은 정평이 나 있었다. 더욱이 그의 부인 박마리아는 대통
령 부처의 좋은 친구이자 매력과 사회적 균형감각을 갖춘 여성으로 이화
여대의 학장이라는 직위로도 알 수 있듯이 높은 지적 능력까지 겸비한
사람이었다. 이기붕 부부는 대통령 부처가 부부간의 교제를 갖는 거의 유
일한 부부였다. 1957년 봄, 이 박사와 프란체스카 여사는 가계를 이을 아
들을 두어야 한다는 유교적 전통에 따라서 당시 18세였던 이강석(李康石)
이란 이기붕의 장남을 양자로 맞아들였다. 이것이 이승만이 이기붕을 러
닝메이트로 삼고자 하는 주된 이유였다.

　한국과 미국의 많은 사람들은 적어도 두 가지 이유로 이 선택이 현명하
지 못한 것이라고 생각하였다. 그 하나는 이기붕이 여러 직책을 거치는
동안에 많은 적을 만들었고 부도덕성과 정치적 무자비성으로 인해 악명
이 높았다는 점이다. 다른 하나는, 이기붕이 진행성 하지(下肢) 마비를 앓
고 있다는 사실이었다. 내가 이러한 요인으로 이기붕이 대통령이라는 격
무가 요구되는 직책에 적합하지 않다고 말하자 이승만 박사는 이렇게 되
물었다: "프랭클린 루즈벨트는 어떠하였소?" 그의 결심이 확고한 것을
확인하고 나는 화제를 다른 일상적인 이야기로 돌렸다.

　결국 선거는 아직 6개월이나 남아 있었고 그 사이에도 많은 일이 일어
날 수 있을 터였다.

3월 말 귀국한 나의 당면 문제는 한국의 국가홍보 프로그램의 효율을 높일 수 있는 방법을 찾는 것이었다. 월간지 〈코리안 서베이〉(Korean Survey), 우리의 〈스쿨 패킷〉(School Packet), 그리고 1954년부터 〈코리언 퍼시픽 프레스〉를 개명한 한국 조사홍보실(Korean Research and Information Office)에서 발행하는 각종 자료들에 대한 반응은 아주 좋았다. 나는 언제나 내가 쓸 수 있는 모든 기사에 대해 잡지나 신문에 발표할 경로를 확보하고 있었다. 그러나 우리의 영향력은 이 대통령의 다양한 반공정책과 프로그램에 대한 지속적인 언론의 비난공세로 상쇄되었다. 한국에 대한 미국 여론의 압도적인 소망은 하루 속히 한국을 잊어버리고 계속 관여하는 일로부터 손을 떼는 것이었다.

우리의 홍보 노력에 장애가 되는 문제는 당시 주 이탈리아 대사였던 김영기(金永琦)가 나에게 보낸 편지에 잘 드러난다. 김 대사는 8월 18일 로마에서 발행되고 유럽 전체에 독자층을 가진 권위 있는 신문 〈데일리 아메리칸〉의 편집인 마이클 킨으로부터 한 통의 편지를 받았다. 김 대사는 킨 편집인에게 대한민국에 대해 보다 우호적인 기사를 실어줄 것을 요청한 바 있었는데 다음과 같은 답장을 받고 그것을 나에게 보내온 것이다. 이 편지에서 왜 자신의 홍보 노력이 큰 성과를 거두지 못하는지 그 이유를 말해 주려고 하였다:

　　유감스럽게도 이러한 홍보 프로젝트가 성공을 거두는 데는 상당한 난관이 있습니다. 이 난관은 두 가지 주요한 범주로 분류할 수 있습니다. 첫 번째는 기술적인 것으로, 두 번째는 정치적인 것으로 표현될 수 있습니다.

　　기술적인 면으로 볼 때, 이탈리아의 언론은 크건 작건 아시아에서 일어나는 사건에 대해 거의 관심을 갖고 있지 않습니다. 이것은 일반적으로 이탈리아인에게서 볼 수 있는 아시아에 대한 무지함을 반영하는 것입니다.

더욱이 주요 뉴스나 핵심적 뉴스가 선정되는 실제 과정에서는 대단한 부패상이 존재합니다. 홍보를 원하는 단체나 개인은 관행적으로 뉴스란의 지면을 얻기 위해 편집자나 기자에게 돈을 지불하고 있습니다. 이러한 일은 이탈리아의 〈뉴욕 타임스〉인 〈일 메사게레〉(Il Messagere)지의 주필이 아민토레 판타니(Amintore Fantani) 전 수상으로부터 매월 정기적으로 뇌물을 받은 혐의로 최근 해고된 예에서도 알 수 있습니다. 판타니 전 수상은 이 뇌물공여 사실을 스스로 폭로하였습니다.

한국이 이탈리아 신문에서 자국의 입장을 밝히기 위한 충분한 뉴스 공간을 확보하기 위하여 일본에 대항할 수 있는 유일한 효과적인 방법은 뉴스 보도 공간을 사는 것이 될 것입니다.…

이번에는 위에 언급된 두 번째 범주에 대해 생각해 봅시다. 이탈리아와 이탈리아 언론은 정치적으로 다른 어떤 아시아 국가보다도 일본과 가깝습니다. 이것은 2차 세계대전의 주축 동맹국의 연장선이기도 하고 또한 이탈리아의 학교 교과서에서 다른 아시아 나라들을 모두 합친 것보다 일본에 대하여 훨씬 더 많은 지면을 할애하고 있다는 사실에서도 나타나고 있습니다.…

나 또한 미국 언론과 접함으로써 아시아에 관해서는 무엇이든지 이탈리아와 다름없이 터무니없는 무관심이 있음을 알게 되었을 뿐만 아니라, 아시아 국가로서는 유일하게 일본만을 광범위한 뉴스 보도 가치가 있는 나라로 강조하는 경향이 있음도 잘 알게 되었다. 한국에 관한 보도는 때때로 있었으나 그것도 선정적인 것에 국한되어 있었다.

나는 지난날 1949년 여름에 일어났던 한 사건을 잘 기억하고 있다. 당시 나는 서울의 반도호텔 앞에서 〈뉴욕타임스〉의 리처드 존스턴 기자, 시카고 〈뉴스〉지에 게재했던 자신의 글이 다른 여러 신문에도 전재되었던 키스 비치, 그리고 AP통신 특파원 세라 박과 함께 서 있었다. 바로 우리 앞에서 두 명의 경찰관이 달아나려는 한 어린 소년을 붙잡았다. 도망치려 몸부림치는 소년을 제압하기 위해 한 경관이 보도 옆에 있던 물버킷을 들어 올려 그대로 소년에게 뒤집어 씌웠다. 그 소년이 왜 체포되었는지 우리 중 어느 누구도 알지 못했고 애써 물어보려고 하지도 않았다. 존스턴과 세라 박은 나와 하던 이야기를 계속해서 나누고 있었다. 갑자기 키스 비치가 반도 호텔 프레스룸으로 달려가더니 다음과 같이 시작되는 기사를 써내려갔다: "오늘 기자는 서울 길거리에서 두 명의 한국 경찰관이 조그마한 소년에게 잔인하게 '물세례'를 퍼붓는 장면을 목격하였다."

나는 리처드 존스턴에게 한국의 탄광업과 수력발전에서 상당한 증산이 이루어지고 있고 그 밖의 경제적, 사회적 사정도 현저히 개선되고 있다는 사실에 대해서는 왜 기사를 쓰지 않느냐고 따져 물었다. 그는 벌컥 화를 내며 고개를 가로저었다: "내가 알고 있듯이 당신도 잘 알고 있지 않소. 그런 기사를 써도 우리 편집인이 신문에 실어주지도 않을 것이고, 설사 실어준다고 하더라도 읽어 줄 독자도 없어요." 이것은 해외뉴스 보도의 심각한 한계를 보여주는 단적인 예에 불과하다.

우리가 남한으로부터 전파되어 나가기를 원하는 뉴스는 나라가 시끄럽지 않고 시민들이 질서를 잘 지키며, 아이들이 학교에서 열심히 공부를 잘하고 있다는 등의 내용이었다.

실제로 한국 학생들은 학교에서 유별나게 열심히 공부를 하고 있었다. 1959년까지 비무장지대 남쪽의 모든 국민들은 적어도 기능상으로는 모두 문맹을 면하였다. 75개 이상의 단과대학, 종합대학교 그리고 전문학교에

8만 명 이상의 학생이 등록되어 있었다. 6세에서 10세 사이 아동의 95% 이상이 초등학교에 다니고 있었다. 대한민국은 세계에서 가장 문맹률이 낮은 국가의 하나가 된 것이다.

그러나 한국이 경제적으로는 잘 풀려나가지 않았다. 여전히 미국 원조의 방향은 기본적 생산시설의 건설보다는 소비재 수입에 치우쳐 있었다. 그 결과 시간이 오래 걸리는 비료공장 건설보다는 비료를 수입하는 쪽을 추구하였다. 상업적 어업은 제빙공장과 통조림 공장이 부족하여 어려움을 겪고 있었다. 공업생산은 느린 속도로 발전될 뿐이었다. 성인인구의 거의 절반이 실업상태이거나 심각한 불완전고용 상태였다. 어디를 보아도 전쟁의 폐허가 남아 있었다. 경제의 개선은 너무나 점진적이어서 결코 인상적이라고 할 수 없었다.

세계 언론이 한국의 교육, 사회, 산업 상황에는 무관심했으나 한국의 국내정치에까지 그처럼 무관심하지는 않았다.

왜 남한은 기능적인 민주주의로 미국의 기대에 부응하지 못하고 있는지를 설명해 달라는 〈프리 월드 포럼〉 편집인의 요청에 응하여 나는 이 잡지 1959년 9월호에 다음과 같은 글을 썼다:

　…주목해야 할 것은, 대한민국이 정치적 논쟁이 만발하는 나라라는 점이다. 부정적인 비평가들은 이러한 사실을 이상한 이분법적 시각으로 본다. 모든 반대자와 야당을 "독재적"으로 탄압한다고 이 대통령을 맹렬히 비난하는 한편, 이 대통령이 인기가 없다는 "증거"로 신문과 국회의 대통령과 그의 행정부에 대한 공격을 예로 든다. 그리하여 이 대통령이 독재적 방법을 통해서만 정권유지가 가능하다고 결론짓는다.

　한·미 관계의 철저한 연구를 통해 드러나는 한 가지 주목할 만한 사실은, 미국의 이 대통령에 대한 부정적 비평가들은 한국과 미국 사이의 유사성을 때로는 너무 과장되게, 때로는 지나치게 과소평가 하는 경향이 있다는 것이다. 그들은 한국의 상황이 자기네 목적에 맞으면 그 관행이 미국 정치관행이나 자기네의 아직 실현되지 않은 이상에 비추어 부족한 것이 있다고 비난한다. 한편으로, 한국은 기적이 일어나는 것이 당연한 나라라고 여기는 듯하다. 예를 들어, 이 대통령이 어떤 선거에서 그 얻은 표의 수가 매 5표 중 3표를 얻어 승리했을 경우에 이러한 우세는 만약 미국에서 그러한 일이 일어난다면 "압도적 승리"라고 신문 헤드라인을 장식할 것이다. 그러나 한국에서 이와 동일한 투표 결과가 나온다면 이들 비평가들에게는 대다수 국민에게 이 대통령의 기본적인 인기가 부족하다는 증거로 보는 것이다.…

몇 가지 점에서 한국의 정치적 행태는 미국의 그것과 신기하게도 닮아 있다. 나의 가까운 친구 중 하나인 월터 정은 정치 현장에 대한 아주 날카로운 관찰자로서 1959년 8월 31일 대통령 선거전이 매우 순조롭게 진행되고 있다는 편지를 보내왔다. 이기붕이 1956년 부통령 선거에서 패배한 것은 어떤 기자가 이기붕을 이 대통령의 "러닝메이트"라고 지칭한 것을 대통령이 너무 성급히 부인했던 것도 한 원인이었다는 것이다.

당시 대통령은 이렇게 말했다: "아무도 나의 러닝메이트가 될 수 없소. 나는 그 무엇을 위해 출마하는 것이 아니기 때문이오. 국민들이 나를 찍어 주신다면 그렇게 하면 됩니다. 분명히 말하거니와 나는 표를 달라고 요구하지 않소. 나 자신을 위해서든 그 누구를 위해서든 말이오."

그 결과 일반인들은 대통령이 실제로 이기붕이 당선되는 것을 원하지 않는다고 생각하였다. 월터 정은 편지에서 1960년 선거는 사정이 다르다고 하였다. 이기붕은 열심히 선거운동을 하고 있고 이 박사는 그에 대한 지지를 명백히 밝혔다.

민주당 내부에서는 격렬한 싸움이 벌어지고 있다고 월터 정은 그의 편지를 이어갔다. 조병옥이 장면에게 "패배"하였기 때문에 그는 부득이 별가치 없는 대통령 후보를 수락하였고, 당선 가능성이 많은 부통령 후보는 장면에게 돌아갔다는 것이다.

선거가 3월 15일로 예정된 가운데 조병옥은 암으로 급히 워싱턴의 월터 리드 병원에 입원하였다. 조병옥은 2월 중순 이 병원에서 사망하였다. 따라서 이 대통령의 재선은 자동적으로 확정되었다. 그러나 부통령 자리를 놓고 벌이는 싸움은 치열한 접전을 벌였다.

1960년 3월 7일, 이 대통령은 조병옥의 사망으로 비롯된 선거 상황에 대해 나에게 편지를 보냈다:

> 많은 신문에서는 민주당이 대통령 후보를 다시 지명할 수 있도록 선거법을 바꿔야 한다는 제안을 하고 있고, 사람들은 양유찬(梁裕燦) 대사와 접촉하여 후보 수락을 요청하고 있소. 올리버 박사는 법률적 관점에서 지금 법을 바꿀 수는 없다는 것을 알고 있으리라 믿소. 게다가 민주당은 다른 후보의 지명을 원하지도 않소. 표를 얻을 수 있는 유일한 사람은 장면이고 그런 이유로 장면이 부통령 후보로 지명된 것이오. 만약 장면이 대통령 후보로 지명되었더라면 선거에서 이길 수 없을 것이오.

이틀 뒤 나는 대통령에게 이렇게 답장을 썼다:

> 각하께서 이 편지를 받으실 때에는 선거는 끝나 있을 것이고 국민의 압도적인 지지를 받으실 것으로 확신합니다. 더불어 머지않아 각하의 생신이 다가오고 있습니다. 언제나 봄 날씨가 아름다운 진해에서 휴식을 취하시길 바랍니다.

우리 모두의 생각은 미래에 대한 것뿐이었다. 한국의 인플레는 적어도 완화된 상태였다. 특히 섬유를 중심으로 한 경공업의 전망이 밝았다. 벼 농사는 전례 없는 풍작이 예상되었다. 그러나 공업생산은 여전히 뒤쳐져 있고 실업률도 암울할 정도로 높았다. 당시 우리가 관심을 쏟은 전형적인 일로는, 이미 프랑스와 스페인어로는 번역되어 있었던 〈코리안 서베이〉지를 이탈리아어와 그리스어로 번역해 달라고 부탁한 로마의 김영기(金永琦) 대사가 보낸 편지 정도였다.

한국에서는 대통령 선거에 모든 관심이 집중되어 있었다. 3월 17일 이 대통령은 나에게 "기사 거리와 인터뷰 대상을 찾아 한국의 가난한 지방 도시를 헤집고 다니는 외국인 기자들"에 관해 편지를 썼다:

선거에서 상호 비방전은 한국이든 미국이든 또 어떤 나라에서든 당연한 것으로 알고 있소. 그러나 '야당의 주장'은 진실로 받아들이고 정부 발표는 거들떠보지도 않는 나라는 한국 이외에는 어디에도 없을 것이오.

3월 21일자 〈타임〉지는 한국 선거에 널리 퍼진 타락상을 상세히 보도하였다. 한국 신문들 역시 부정행위에 대한 비난으로 지면을 채웠다. 민주당이 절대 강세를 보이는 곳으로 잘 알려진 두 개의 도시, 즉 마산과 대구에서 이기붕이 압승을 거뒀다는 보도가 나가자 선거의 진실에 대한 회의론이 극도로 높아졌다.

그러한 사태에서도 이 대통령의 평온한 마음은 "진심으로 따뜻한 인사를 보내면서"라는 인사말과 함께 서명된 4월 1일자 편지에 잘 드러나 있었다:

친절하게도 내 생일을 기억해 주고 선물을 보내준 데 대해 감사드리오. 자단(紫檀)으로 만든 의사봉의 나뭇결이 아주 아름답고 매끄러운 마감처리로 잡기가 참 편하구려. 박사의 배려에 감사하오.…

생일은 될 수 있는 대로 간소히 치르자고 요청하였지만 아침 내내 정부 관계 방문객들과 외교사절들을 만났소. 우리가 작년에 박사와 함께 생일을 지낸 것이 생각나고 올해도 함께 하지 못해 아쉽기만 하오. 점심은 전통 한식으로 들었소. 함께 한 손님은 밴 플리트 장군뿐이었소.

불행히도 할 일이 너무 많아 당분간은 진해에 내려갈 수 없을 것 같소. 그러나 서울에도 봄이 왔기 때문에 진해에 가지 못하는 것이 그다지 섭섭하지는 않소. 며칠 전 내린 봄비로 진달래, 개나리가 활짝 피었고 이제 벚꽃이 꽃봉오리를 터뜨리고 있소. 알다시피 한국의 봄은 언제나 아름답고 우리 부부는 매일 산책하면서 만발한 꽃들을 실컷 즐기고 있소.

그러나 경무대 밖의 분위기는 거의 평온하지 않았다. 고려대학교 학생들이 주도한 학생 시위대가 거리로 뛰쳐나와 부통령직이 "도둑맞았다"고 목소리를 높였다. 시위는 폭동으로 변했다. 국내외 신문들은 시위대를 진압하면서 저지른 "경찰 만행"의 기사를 대서특필로 내보냈다. 수천 명의 시위대가 경무대로 들어가는 언덕길로 쇄도해 들어갔다. 경찰 저지선을 뚫고 해산 명령을 무시하자 경찰은 앞줄에 있던 시위대에 발포하였다. 그 결과 몇 명의 학생이 죽고 수십 명의 부상자가 발생하였다.

에버레디 작전(Operation Ever-ready)을 발동할 때가 된 것이었다. 육군참모총장 겸 서울 지구 계엄사령관 송요찬(宋堯讚) 장군은 산하 부대에 시위대를 상대로 경무대 방어에 적극적으로 나서지 말도록 명령하였다. 합참의장인 백선엽(白善燁) 장군은 이승만 대통령을 방문하여 군이 더 이상 그의 정부를 지지하지 않을 것이라는 통보를 직접 전하는 거북한 임무를 맡았다.

4월 19일은 군부 지도자들에 의해 최종 결정이 내려진 중대한 날이었다. 바로 그날 (미국 시간으로 4월 18일) 나는 대통령의 하야 소식을 알지 못한 채 대통령에게 사태를 수습할 "먼 곳으로부터의 조언"을 보냈다:

　…벌써 2, 3년 전에 한국에서 들은 바로는 한국 대학생들 사이에 좌절감이 엄청나다고 합니다.… 이것은 주로 졸업 후에 그들이 배운 바를 활용할 수 있는 충분한 일자리가 없기 때문입니다. 우리 모두가 알다시피, 이러한 감정은 해외에서 교육받은 사람들 사이에도 역시 팽배해 있습니다. 아마도 각하께서 경무대에서 학생 단체의 대표자들을 만나 대학 졸업생들의 이익을 증진시킬 수 있는 방안에 대해 논의하신다면 전반적으로 좋은 인상을 주고 아울러 어떤 좋은 결과도 얻을 수 있지 않을까 생각됩니다.

한국에서 시위대의 분노가 한창 끓어오르던 4월 25일, 나는 다시 이 대통령에게 편지를 썼다:

　…사태를 가라앉히기 위해서는 부통령 선거를 새로이 치러야 할 것입니다. 그러나 내가 보는 근본적인 문제점은 지금은 그 숫자가 아주 크게 늘어난 고등교육을 받은 사람들에 대한 낮은 생활수준과 합리적 기회의 결여, 그리고 전반적인 좌절감으로부터 이러한 혼란 상황이 발생하게 되었다는 것입니다. 이런 문제는 전 세계의 모든 "개발도상국"에 존재하는 것으로 앞으로도 계속해서 일어날 문제입니다.…

한국 사태는 내가 알고 있던 것보다 빠른 속도로 진행되고 있었다. 매카너기(McConaughy) 미국 대사는 이 대통령에게 외교각서를 보냈는데 나는 그 사본을 4월 혁명이 끝난 뒤에야 받았다. 그 핵심 내용은 이승만의 퇴진이 아니라 정치적 개혁을 요구하는 것이었다. 각서에서는 이렇게 경고하였다: "경찰과 군부는 정치에 관여해서는 안 된다." 선거 부정에

"책임 있는 공직자와 정당 간부들"은 해임되어야 한다. "1958년 12월 24일에 채택된 국가보안법의 논란이 되는 조항은" 폐기되어야 한다. "완전한 민주적 관행"이 회복되어야 한다. 이러한 제안은 거부할 수 없는 것이었다. 그러나 개선 조치를 취하기에는 이미 때가 너무나 늦었다.

4월 27일은 비극이 절정에 이른 날이었다. 이 대통령은 국회로 대통령직 사퇴서를 보냈다. 이기붕은 부정선거에 대한 모든 책임을 지겠다는 공식성명을 발표하고 대통령과 국민들에게 공식적으로 사과하였다. 이기붕 가족은 그날 밤을 눈물과 기도로 지새웠다. 다음날 4월 28일 이른 아침 온 가족은 집단자살을 감행하였다.

프란체스카 여사는 이처럼 정권이 와해되어 가는 와중에서도 슬픔을 삼키면서 차분히 특유의 품위 있고 너그러운 문체로 나에게 편지를 썼다:

올리버 박사님의 4월 20일자 편지에 감사드립니다. 그렇게 신속히 편지를 보내주신 데 대해 고맙게 생각하고, 박사님의 조언에 표현된 따뜻한 우정에 대통령께서도 감사하고 계십니다. 지금쯤이면 대통령께서 국회에 사퇴서를 보내셨다는 소식을 들었을 것이며 박사님도 대통령의 심경을 이해하시리라 믿습니다. 박사님은 누구보다도 대통령의 이 나라에 대한 사랑과 헌신을 잘 알고 있으며 대통령께서는 여전히 자신의 소신에 대한 용기와 이러한 도전에 맞설 용기를 갖고 있다고 나는 확신합니다.

오늘 우리 부부는 이화장(梨花莊)으로 집을 옮깁니다. 짐작하시겠지만 할 일이 너무 많아서 이 편지를 이만 줄여야겠습니다. 박사님은 이해해 주실 줄 믿습니다.

1947년 이래로 계속해서 한국만을 위해 열심히 자신을 돌보지 않고 일해 온 나의 오랜 동료이자 비서 겸 한국 조사정보처 워싱턴 사무소의 부편집인은 이러한 사건들이 한국을 가장 잘 알고 사랑했던 미국인들에게

어떤 의미를 주는 것인지에 대해 감정에 겨운 심경을 토로하는 편지를
내게 보내왔다:

어쩌면 한국에서 일어난 이런 종류의 소요사태는 1884년경에 최초
의 개신교 선교사들이 한국에 들어온 이래 한국이 중세의 봉건주의로
부터 벗어나게 되었다는 사실을 생각해 보아도 불가피한 것이었습니
다. 20세기 중반에 이르기까지 한국은 얼마나 힘차게 걸어와야 했으
며, 이 박사의 일생은 그러한 힘찬 전환기를 대변하는 하나의 상징이
되어 왔습니다. 낡은 사고방식을 가진 일부 잔재세력이 이 박사 주변
에 남아 있었다는 것은 놀라운 일이 아닙니다.

놀랄 만한 사실은, 이 박사와 더불어 여러 사람들이 지금까지 잘해
냈다는 점입니다. 변화에 대한 케케묵은 동양 전통의 저항과 동양에서
보편화되어 버린 전통적인 부패 관행을 생각해 볼 때, 이 대통령이 국
민들의 뒷덜미를 부여잡고 "당신들은 이런저런 식으로 해야 돼"라고
윽박지르고 싶은 심정이었을 것은 박사께서도 이해할 수 있을 것입니
다.

그러나 네 번째 연임하기로 한 계획에 대해 우리 모두는 무척 놀랐
고…, 게다가 야당이 대통령 후보를 다시 뽑을 수 있는 충분한 시간적
여유를 가지도록 선거 연기를 거부한 데 대해서도 모두가 실망했다고
생각합니다.

〈코리안 서베이〉지의 마지막 호에 나는 고별사를 이렇게 썼다:

한국의 사태에서 발견한 가장 큰 희망은 한국 국민의 국민성이라는
것이 입증되었다. 한국인들은 용기와 선한 심성으로 역사상 가장 파괴
적인 전쟁을 견뎌내었다. 그들은 민주주의에 대한 사랑과 자제력을 발
휘하는 능력을 과시하였다. 한국인은 열심히 일하고 독창적이며 희망
적인 민족이다. 미국의 도움과 지도를 받아 앞으로 더 좋은 미래를 기

대할 수 있을 것이다.

그러나 진정한 건설과 개발을 위해 아직도 해야 할 일이 산적해 있다. 산업화를 가속화해야 할 것이다. 이것이야말로 생활수준을 높일 수 있는 유일한 방법이다. 그리고 문제의 핵심은 바로 여기에 있다. 세계평화에 대한 뜻이 나누어질 수 없는 것과 마찬가지로, 세계번영에 대한 뜻도 나누어질 수 없는 것이다.

제1공화국 종말에 관한 마지막 흔적으로 나는 이 대통령이 한국을 떠날 즈음에 써 보낸 그로부터 받은 마지막 편지인 1960년 5월 1일자 서한의 전문(全文)을 여기에 옮기는 바이다:

4월 28일자로 보내 준 박사의 편지는 우리 부부에게 큰 위안을 가져다주었고 진심으로 감사의 뜻을 전하고 싶소. 친구가 진정한 친구임을 입증하는 것은 바로 이런 어려운 때이며 우리 부부는 박사가 보내 준 격려의 말에 감사할 뿐이오.

우리가 이화장으로 옮긴 지도 벌써 한 주일이 지났고 이제 조금씩 새로운 집과 정원에 익숙해지고 있소. 자리에서 물러나기로 결심하고 나서 하루라도 빨리 경무대를 떠나야겠다는 것이 나의 생각이었소. 그 이후 집사람은 모든 가구를 배치할 자리를 마련하느라 어려움을 겪어 왔는데 기발한 아이디어로 해결해 나가고 있소.

세월이 흐르면 최근에 일어났던 비극의 기억도 조금씩 지워지리라 믿고 있소. 우리는 일반시민과 같이 정의가 승리한다는 생각만 가지고 미래를 향해 발걸음을 내디딜 것이오.

우리는 언제나 감사한 마음으로 박사의 헌신과 충직했던 마음을 기억할 것이며, 박사가 하는 일마다 큰 성공을 거두기를 기원 드리오.

▲ 82회 생일을 맞는 이 대통령

▲ 1959년 3월 17일 올리버 박사에게 대통령 훈장을 수여하는 이 대통령

마지막 보는 서울

▼ 경무대를 떠나는 대통령

▼ 1960년 4월 27일 이화장에서

이승만대통령을 보내면서 (하와이에서 운구)

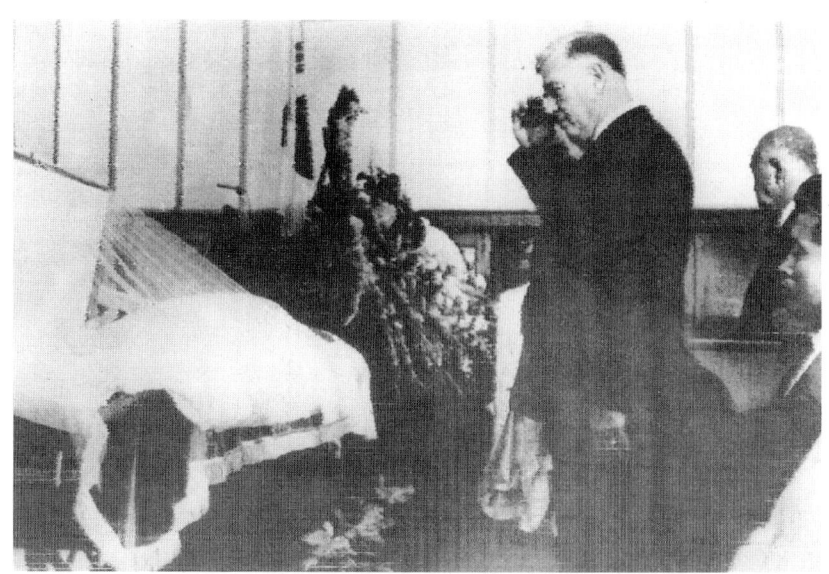

글을 맺고 나서…

　이 대통령 부처가 망명지 하와이 호놀룰루로 떠나던 이야기를 가장 잘 전한 사람은 허정(許政)이었다. 그는 이 박사 내각에서 교통부장관을 지냈고 1960년 7월 대통령 선거까지 그해 여름 몇 달 동안 대통령 권한대행으로 국회에서 선출된 사람이다.

　허정의 저서 『우남(雩南) 이승만』은 현대 한국인 전기 시리즈 제 7권으로 1970년 태극출판사에 의해 서울에서 간행되었다. 동 저서 403~406페이지의 다음과 같은 부분을 정명자 씨가 나를 위해 번역해 주었다:

　　이 박사 부처가 이화동 사저로 옮긴 지 2주일 후 그들에 대한 출국 결정이 내려졌다.

　　1960년 5월 15일 월터 매카너기 미국 대사는 매그루더 미8군 사령관과 그의 부관 마셜 그린을 대동하고 내 사무실을 방문하였다. 매카너기 대사는 이런 저런 문제에 관한 일반적인 대화를 나누다가 갑자기 사령관과 그의 부관에게 잠깐 자리를 비켜달라고 했다. 두 사람이 밖으로 나가자 둘만의 대화가 시작되었다.

　　대사가 입을 열었다: "이것은 중요한 일이므로 꼭 기밀을 유지해야 합니다. 프란체스카 여사께서 우리 집사람에게 최근 이 박사의 건강이 매우 좋지 않다는 말을 전해 왔다는 것입니다. 여사는 하와이로 가서 이 박사가 건강을 회복할 수 있도록 주선해 주었으면 좋겠다는 말을

했답니다. 여사는 하와이의 한국 교포들과도 접촉하였는데 그쪽에서 지원을 제공하기로 했다는 것입니다. 미국 정부는 이 박사에게 정치적 망명을 허용할 것입니다. 문제는 한국 정부가 이 박사에게 여권을 발급할지 여부입니다. 허정 대통령 권한대행께서 지금 그 결정을 내릴 수 있는 권한을 가진 유일한 분으로 알고 있습니다."

매카너기 대사는 대화가 끝나갈 무렵에는 거의 속삭이다시피 하였다.

이런 급작스럽고 예상치 못한 말을 듣고 나는 깜짝 놀랐다. 그리고 이 박사의 정치 역정과 조국 독립을 위해 평생을 헌신해온 그의 노력이 비극적으로 종말을 맞이하는 현실을 깨닫고 가슴이 아팠다. 나는 깊이 생각한 끝에 사실 이 박사의 망명 여권에 관한 결정을 내릴 수 있는 사람은 나뿐이라는 것을 깨달았다.

나는 주저하지 않고 매카너기 대사에게 말했다. "이 박사께서 요양을 위해 하와이로 가신다는 데 대해 반대하지 않습니다. 그분 자신의 건강을 위해서나 한국의 정치적인 안정을 위해서도 당분간 해외에 머무르시는 것이 한국의 안정된 새 정부를 세우는 데도 도움이 될 것입니다."

그래서 나는 이 박사의 출국 계획을 적극 지지하였고 이 문제를 두고 상세한 계획을 논의하였다. 대사는 나의 반응에 상당히 만족한 듯하였고 "오케이, 오케이"를 연발하였다.

다음날 나는 외무부 이수영(李壽榮) 차관을 불러 하와이로의 출국을 정말로 원하고 있는지 그 여부를 알아보기 위해 이 박사 부처의 진의를 확인해 보도록 그에게 요청하였다. 이 차관은 이 박사의 사저를 방문한 후에 매카너기 대사의 말이 사실임을 확인하였다.

여권 발급을 준비하면서 나는 이 박사 부처가 하와이로 갈 운송수단에 관해 매카너기 대사에게 물었다.

대사는 이렇게 대답했다: "미국 국무부가 이 박사의 정치적 망명을 지지하기는 하지만 미국 정부가 이 박사가 이용할 항공기를 마련하려면 너무 오랜 시간이 걸릴 것입니다. 내가 알기로는 다행히 하와이의 한국 교민들이 이 박사 부처를 위해 이미 전세 항공기를 준비하였다고 합니다. 그 항공기를 이용할 것을 권고하고 싶습니다."

그래서 1960년 5월 28일 저녁 카세이 패시픽 항공사의 전세 비행기가 서울 김포공항에 은밀히 날아 들어와 다음날 이 박사 부처의 출국을 위해 대기하였다.

5월 29일 오전 6시 15분, 이 박사 내외가 차에 오르자 김 경위의 호위를 받으며 차가운 아침 공기를 뚫고 자동차는 공항으로 내달렸다. 나도 서둘러 출발하여 오전 7시 공항에 도착하였다. 몇 분 뒤늦게 이 박사 부처가 몇 개의 여행 가방을 가지고 도착했다.

이 박사가 나에게 다가와 온화한 목소리로 말했다: "날도 차가운데 예까지 나와 주셨구먼."

나는 이 박사 내외와 함께 비행기에 올랐다. 텅 빈 비행기 안에는 우리 세 사람뿐이었다: "단지 요양을 위해 하와이로 가는 걸세. 곧 돌아올 거야. 어쩌면 아이젠하워 장군이 한국을 방문하기 전에 돌아오지 않을까 생각되네."라고 이 박사는 말했다. 그의 목소리는 떨리고 있었다.

그때 기자 한 사람이 비행기로 올라와 그에게 질문을 던지기 시작하였다. 이 박사는 이렇게 응대하였다: "노코멘트입니다. 내가 이 문제에 대해 논하기 시작하면 일정을 바꿔야 될지도 모르오. 부탁이니 이해해 주고 그냥 떠나도록 해주시오."

그의 목소리와 눈빛은 기자에게 간청하는 듯이 보였다.…

나중에 합류한 이수영 차관과 함께 비행기가 이륙할 때까지 이 박사와 대화를 나누는 동안 최근의 정치적 격변을 겪으면서 이 박사의 건강이 얼마나 악화되었는지 알 수 있었다. 이 박사 부처는 출발에 앞서 서 자신들을 하와이로 불러주고 항공편을 마련하는 데 도움을 준 데 대해 하와이 교포 Y.B. 최에게 감사를 표명하는 것도 잊지 않았다. 두 분은 나에게도 고마움을 표하였다. 내가 한국 정부와 미국 정부를 모두 대표한다고 생각하였던 것이다.

호놀룰루에 도착해서 이 박사 부처는 한국 교민 대표단의 영접을 받았다. 그들은 두 분을 해변의 작은 별장으로 안내했는데 그 후에 그곳이 두 부부의 거처가 되었다.

이승만은 5년의 투병생활 끝에 90세의 나이로 1965년 7월 19일 오전 12시 35분 마우날라니 병원에서 서거하였다.

미망인 프란체스카 여사는 서울에 있는 나무로 둘러싸인 언덕배기 이화동 옛 사저에서 조용히 여생을 보내고 있다.」

—THE END—

〈참고문헌〉

Articles and Books about Korea
by Robert T. Oliver

I: On the Conduct of United States Fore gn Policy

"Our Ailing Diplomacy," *Christian Century*, March 26, 1947, pp.398-99.

"A Revised Foreign Policy Needed," *China Monthly*, August, 1947, pp.264-66.

"Behind Diplomacy in Asia," *Freedom and Union*, October 1947, pp. 9-11.

"Toward a Revision of United States Foreign Policy," *Church Management*, October, 1947, pp.8-9

"Ferment in Asia: America's Far Eastern Policies," *The Standard*, January, 1948, pp.113-24.

"Far Eastern-Whirlwind : Colonialism in Asia," *New Leader*, January 17, 1948, p.4.

"Let The Nations Unite," *Advance*, March, 1948, pp.6-8.

"Ethics in International Relations: An Introductory View of Western Policies in the Far East," *Church Management*, May, 1948, pp.9-10,12.

"America's Changing Role in Asia," *The Standard*, October, 1948, pp.19-26.

"How Can We Win Friendship in Asia?"(with Jonathan B.Bingham and Lawrence Fertig), *Town Meeting*, August 3, 1954, pp.16.

"From Geneva: An Agonizing Re-Appraisal," *Sample Case*, September, 1954, pp.6-7.

"American Foreign Policy in a World Adrift," *Vital Speeches of the Day*, October 15, 1954, pp.776-81.

"Wanted: A Positive Policy for Peace," *Philadelphia Forum*, June, 1955, pp.4-5, 20-21; reprinted in *The Philippines Herald*, Manila, July 23, 1955, pp.5-6.

"Ten Factors in the Global Struggle: Analysis of our Strengths and Weaknesses," *Vital Speeches of the Day*, January 15, 1956, pp.207-09; reprinted in the kyber Mail, Karachi, Pakistan, February 29-March 1, 1956; reprinted in *Congressional* Record, January 30, 1956, pp. A898-99.

"A Positive Approach to Foreign Policy," *Sample Case*, September, 1956, pp.2, 5.

"Assessing the Cold War in Asia," *The Philippines Herald*, Manila, September 22, 1956, pp. 4,8.

"What America Means to the Free World," *Vital Speeches of the Day*, May 1, 1957, pp.429-31.

"What We Should Expect in Asia," *Sample Case*, October, 1958, pp.8-9.

"Northeast Asia, Vital Flank in the Cold War," *Discourse*, April, 1959, pp.95-104.

"American Foreign Policy in the Midst of the World Revolution," *Vital Speeches of the Day*, December 1, 1961, pp.101-04; reprinted in *Congressional Record*, January 15, 1962, pp.A140-42.

Ⅱ. On Korean-American Relations

"She's Japan's Oldest Enemy," *Washington Post*, March 7, 1943, editorial section.

"Korea: Neglected Ally," (with Henry Chung DeYoung), *Asia and the Americas*, March, 1943, pp.144-47.

"Koreans Know about Japan's Co-Prosperity," *Washington Post*, August 8,1943, editorial section.

"Japanese Facing New Peril from Aroused Korean Underground,"

Washington Post, December 12, 1943, editorial section.

Korea: *Forgotten Nation*, with "Introduction" by Syngman Rhee, Washington: Public Affairs Press, 1944, hard-back and paper-back editions, pp.138.

"Korea Now Plays Key Role in Pacific," *Washington Post*, July 30, 1944, editorial section.

"Back Door to Tokyo," *Philadelphia Forum*, November, 1944, pp.5, 14.

"Is Russia Helping of Hindering a Lasting Peace?" World Affairs, March, 1945, pp.24-27.

The Case for Korea: A Paradox of United States Diplomacy, Washington: Korean American Council, April, 1945, pp.11.

"Korea: A People Betrayed," *New Leader*, August 18, 1945, pp.6-7.

"Korea Must Be Independent: The Record of American Policy in a Strategic Area," *New Leader*, December 1, 1945, p.9.

"The Korean Debacle: Testing Ground of US-USSR Relations," *New Leader*, March 23, 1946, pp.1,9.

"Dr. Rhee: Strong Man of Korea," *International Digest*, May, 1946.

"Report on Korea," *New York Times*, November 10, 1946, editorial section.

"Letter on Korea: A Brave People Being Bled," *Washington Daily News*, November 29, 1946, p.39.

"Russian-American Conflict in Korea: A Case Study of Soviet Methods of Aggression," two parts, *New Leader*, December 21&28, 1946.

Divided Korea: *Its Economic Resources, Potentials and Needs*, New York: Citizens Conference on International Economic Union, 1947.

"The Tragedy of Korea," *World Affairs*, Spring, 1947, pp.27-34.

"Korea: Forgotten Nation," Syracuse University *Alumni News*, March, 1947, pp.6-8.

"Korea: The Key to Peace in the Orient," *Vital Speeches of the Day*, March 15, 1947, pp.329-32.

"The Impasse in Korea," *American Mercury*, April, 1947, pp. 471-76.

"Tug of War in Korea," *Plain Talk*, May 1947, pp.3-8.

"Korean Tug of War," *The Spectator*, London, May 23, 1947, pp.585-86.

"The Case of Korea," *Army and Navy Union News*, June, 1947, p.1.

"Korean Powder Keg," *Freedom and Union*, June, 1947, p.9-11.

"Sham in Korea," *Washington Post*, July 30, 1947, editorial section.

"America's Most Disastrous Experiment," *Sample Case*, August, 1947, pp.5-6.

"Positive Program for Korea," *Washington Post*, August 6, 1947, editorial section.

"Periscope on Asia," a weekly commentary in 164 issues, distributed by Korean Pacific Press from September 24, 1947 to July 14, 1952.

"America's Most Dangerous Game," *Philadelphia Forum*, October, 1947, pp.11, 21-22.

"Tug of War in Korea," *Current History*, October 8, 1947, pp.221-25.

"High Stakes in Korea: All Asia Eyes Us," *Progressive*, October 8, 1947, p.5.

"Crisis in Korea: Arena for World Politics," *The Standard*, November, 1947, pp.47-54.

"The Crux in Korea," *Christian Century*, February 25, 1948, pp.234-36.

"The Real Issue in Korea: Will the Little Assembly Yield to Black Mail?" *New Leader*, February 28, 1948, p.6.

"Understanding Korea," *The Manila Evening News Saturday Magazine*, The Philippines, February 28, 1948, pp. 5-7, 31-32.

"Korea Battles Communist Flood," *Baltimore Sun*, May 10, 1948, p.12.

"The Korean Election," *Far Eastern Survey*, June 2, 1948, pp.131-32.

"Out of Travail: Korea Free," Pocatello, Idaho, Tribune, August 15, 1948.

"The Republic of Korea Looks Ahead," Two parts, *Current History*, September and October, 1948, pp.156-61 and 218-21.

"Korea: A Progress Report," two parts, *Current History*, September and November, 1949, pp.133-36 and 261-65.

"Korea—A Bastion of Freedom in Asia: *United Asia*, New Delhi, October, 1949, pp.153-57.

"American Polices in Asia: Strengths and Weaknesses in our Foreign Policy," *Church Management*, October, 1949, pp.9-10, 16-17.

"Korea's New Constitution," *Freedom and Union*, December, 1949, pp.12-15.

Why War Came in Korea, New York: Fordham University Press and Declan X. McMullen Co., 1950, pp.260; translated into Korean by General Chong Kop Kim and published in Seoul, Korea, 1956.

"Holding the Line for Freedom in Korea," *New Leader*, February 4, 1950, pp.8-9.

"Syngman Rhee: Statesman of the New Korea," *Church Management*, March, 1950, pp.9-1, 20-22.

"Korea and Japan," *Eastern World*, London April, 1950, pp.17-18.

"Behind the War in Korea," *New Leader*, July 15, 1950, pp.6-7.

"Behind the War in Korea," (different article), Bucknell University *Alumnus*, September, 1950, pp.3-4.

"Why War Came in Korea," *Current History*, September, 1950, pp. 139-43.

"The Irish of the Orient," *True: The Man's Magazine*, November, 1950, pp.21-23. 96-99.

The Truth About Korea (revision of *Why War Came in Korea*) London: Putnam and Co., 1951, pp.178.

"Syngman Rhee of Korea," *Catholic World*, January, 1951, pp.277-85.

Verdict in Korea, State College, Pa.:Bald Eagle Press, 1952, pp.207.

"The Situation in Korea," Pennsylvania State University: Conference on Research in Small Industry, 1952 *Proceedings*, pp.55-67.

"Report on Korea," ten parts, published in Harrisburg, Pa., *Evening News*; Altoona, Pa., *Mirror*; State College, Pa., *Centre Daily Times*; Lewistown, Pa., *Sentinel*, February 18, 1952, *et seq.*; and in *Sample Case*, May, 1952, *et seq.*

"A Visit to a Korean Prison," *Prison World*, March-April, 1952, pp.9-10.

"Economic Realities of the Far East," *Korean Survey*, September, 1952, pp.2-3.

"What Next in Korea?"(with You Chan Yang and Robert A.Smith), *Town Meeting*, June 23, 1953, pp.15.

"What Next in Korea: Korea's Viewpoint," *New Leader*, August 10, 1953, pp.4-5.

"Syngman Rhee and the United Nations, *Pacific Spectator*, Autumn, 1953, pp.426-434.

Syngman Rhee: The Man Behind the Myth, New York: Dodd, Mead, 1954, pp.xii&380, rev.,1955; republished, London: Robert Hall 1955. Translated into Chinese by Lilian Lee, published, HongKong, 1954; translated into Japanese, anon., published, Tokyo, 1956; translated into Korean by Maria Park Lee, published, Seoul, 1956; translated into Japanese, anon., published, Tokyo, 1957; translated into Korean, with emendations, by Won Soon Lee, published, Seoul, 1965; paraphrased as *An American College Professor's Interpretation of Syngman Rhee, with Commentary*, in Japanese, by Toraichi Yokubo, Tokyo: Chai Yun Bai, 1958, pp.327.

"Stalemate in Korea," *New Leader*, February 22, 1954, pp.9-11.

"The American Stake in Korea," *Korean Survey*, May, 1954, pp.3-5; reprinted in U.S. National War Collage Publications, 1958, Vol.21, No.653, pp.6.

"Brief for Korea," *Annals*, American Academy of Political and Social Science, *America and a New Asia*, July, 1954, pp.33-41.

"Korea Opened at Last to Tourists," *Korean Survey*, March, 1956, pp.6-7,12.

"Syngman Rhee—Korea's First President—Remains in Saddle," *The Philippines Herald*, Manila, May 19, 1956, pp.6,8.

"The Stakes in Korea," *Washington Post*, May 28, 1956, editorial section.

"Korea Reconsidered: Who Is Naive?" *United Asia*, New Delhi, June, 1956, pp.205-207.

"A Study in Devotion," *Reader's Digest*, July, 1956, pp.121-26.

"Japan and Korea," *The Philippines Herald*, Manila, August 11, 1956. pp.2,5.

"Psychological Warfare in Korea—Old and New," *Vital Speeches of the Day*, September 15, 1956, pp.718-20; reprinted in United Asia, April, 1957, pp. 387-893

"Syngman Rhee: A Personal Portrait," *Sample Case*, October, 1956, pp. 5,28.

"A Thin Bold Line—With Holes," *Sample Case*, November, 1956, p.2.

"An Ancient Korean Answer to a Modern Paradox," *New Outlook*, November, 1956, pp.25-28.

"Economic Rehabilitation in Korea," *Korean Survey*, January, 1957, pp.3-5,12.

"Korean-Japanese Discord," *Korean Survey*, May, 1957, pp.3-5,12.

"The Irish of the Orient," *Philadelphia Forum*, May-June, 1957, pp.10, 19.

"Present Day Newspapers in the Republic of Korea," *Journalism Quarterly,* Winter, 1957, pp.85-86

"Korean Humor," *Korean Survey*, December, 1957, pp.3-5,11.

"Young Nation Appraised," three parts, *Stars and Stripes*, Pacific edition, August 10, 12, 13, 1958; also circulated by United Press International.

"Korea: Successful Chapter in U.S. Aid," *Christian Science Monitor*, August 16, 1958; also in *Sample Case*, December, 1958, p.7,27.

"South Korea Skies Clear," *Christian Science Monitor*, August 19, 1959, second section, p.1; reprinted in *Congressional Record*, August 31, 1959, pp.A7520-21.

"Korean Culture and Democracy," *Free World Forum*, Winter, 1959-60, pp.10-14.

"South Korea," in *Worldmark Encyclopedia*, New York, 1960.

"Syngman Rhee," *Collier's Encyclopedia*, 1962 edition,

"Speech Education in Korea"(with Tai Si Chung), in *International Studies of National Speech Education Systems*, eds. Fred Casmir and L.S. Harms, Minneapolis: Burgess Publishing Co., 1970, pp.133-151.

"Time to Re-examine Rhee's Role-and Ours," Phoenix, Arizona *Republic*, March 15, 1975, editorial section.

"Syngman Rhee's One Hundredth Birthday," in six parts, *The Korea Times*, Seoul, March 23, 1975, et seq.

"Syngman Rhee: An Appraisal on the Centennial of His Birth," Honolulu *Star-Bulletin*, March 26, 1975, p.A-17.

Ⅲ. Books, Pamphlets, Magazines: edited

"Preface," in *Tales from Korea*, by Yung Tae Pyun, Seoul, Korea, 1948.

"Preface," in *Korea: My Country*, by Yung Tae Pyun, Seoul, Korea, 1949.

"Foreword," in *American Military Government in Korea*, by E. Grant Meade, New York: Columbia University, King's Crown Press, 1951.

Korean Report, annual volumes reviewing Republic of Korea Procedures, issued by Korean Pacific Press-Korean Research and Information Office, Washington, D.C.:

Office, Washington, D.C.:

Vol. Ⅰ: *Korean Report*, 1948-52.

Vol. Ⅱ: *Korean Report*, 1952-53.

Vol. Ⅲ: *Korean Report*, 1954.

Vol. Ⅳ: *Korean Report*, 1955.

Vol. Ⅴ: *Korean Report*, 1957.

Vol. Ⅵ: *Korean Report*, 1958.

Korea's Fight for Freedom: Selected Addresses by Korean Statesmen, two vols., Korean Pacific Press, Washington, D.C.,1951, 1952.

Pamphlets issued by Korean Pacific Press, Washington, D.C., no date:

The Republic of Korea Looks Ahead

50 facts on Korea

Korea Today, Yesterday, Tomorrow

Teachers Packet on Korea

Korean Survey, ten issues annually, Korean Pacific Press-Korean Research and Information Office, Washington, D.C.; Vol. I , No.1, September, 1952-Vol. X ,No.2, February 1961.

Leadership in Twentieth Century Asia, Pennsylvania State University: Center for Continuing Liberal Education, 1966, pp.258.

〈색인〉

건국과 나라 수호를 위한 **이승만의 대미 투쟁** (하)

-편지와 일기, 신문기사로 엮은 건국사의 결정판-

2013년 11월 8일 초판 1쇄 발행
2019년 4월 1일 초판 3쇄 발행

저 자 | 로버트 T. 올리버
역 자 | 한준석
펴낸이 | 박기봉
펴낸곳 | 비봉출판사
출판등록 | 317-2007-57 (1980년 5월 23일)

주 소 | 서울 금천구 가산디지털 2로 98(가산동 550-1) IT캐슬 2동 808호
전 화 | (02) 2082-7444
팩 스 | (02) 2082-7449
E-mail | bbongbooks@hanmail.net

ISBN | 978-89-376-0401-0 03910(set)
      978-89-376-0403-4 03910(2권)

값 13,500원